O TEMPO DOS GOVERNANTES INCIDENTAIS

SÉRGIO ABRANCHES

O tempo dos governantes incidentais

COMPANHIA DAS LETRAS

Grafia atualizada segundo o Acordo Ortográfico da Língua Portuguesa de 1990, que entrou em vigor no Brasil em 2009.

Capa
Thiago Lacaz

Preparação
Fábio Bonillo

Índice remissivo
Luciano Marchiori

Revisão
Ana Maria Barbosa
Clara Diament

Dados Internacionais de Catalogação na Publicação (CIP)
(Câmara Brasileira do Livro, SP, Brasil)

Abranches, Sérgio
O tempo dos governantes incidentais / Sérgio Abranches. — 1ª ed. — São Paulo : Companhia das Letras, 2020.

Bibliografia.
ISBN 978-85-359-3361-1

1. Democracia – Brasil 2. Ensaios 3. Política – Brasil 4. Sociologia política I. Título.

20-37097 CDD-306.2

Índice para catálogo sistemático:
1. Sociologia política 306.2

Cibele Maria Dias – Bibliotecária – CRB-8/9427

EDITORA SCHWARCZ S.A.
Rua Bandeira Paulista, 702, cj. 32
04532-002 — São Paulo — SP
Telefone: (11) 3707-3500
www.companhiadasletras.com.br
www.blogdacompanhia.com.br
facebook.com/companhiadasletras
instagram.com/companhiadasletras
twitter.com/cialetras

Sumário

Explicação

Por força do ofício, escrevo diariamente. Todo domingo escrevo um artigo sobre questões globais para o Blog do Matheus Leitão, no G1. Também escrevo regularmente posts sobre política brasileira, sociedade e cultura em minha página sergioabranches.com.br. Escrevi dois livros, publicados em 2017 e 2018, respectivamente, sobre os temas que me inquietam e que são objeto também deste volume. *A era do imprevisto: A grande transição do século XXI* trata das grandes transformações globais de natureza macroestrutural, científica e tecnológica que estão a convulsionar nossas vidas, nossas economias, nossas democracias. A ciberesfera avança sobre a socioesfera tornando-nos seres digitais, queiramos ou não. Nossa política persiste analógica. A representação é estreita e a rede de proteção social, encurtada sequencialmente pelas restrições fiscais do modelo financeiro global dominante. A representação não alcança os setores emergentes da metamorfose social em que estamos. A rede de proteção social só alcança os já historicamente protegidos. Os "de fora" da representação e da proteção social estão se tornando majoritários. A sociedade está em transe e a democracia sob ameaça de populistas, na maioria de extrema direita ultranacionalista. Os dinossauros são convocados para barrar as mudanças inevitáveis ou pelo desespero das populações que se sentem por elas ameaçadas.

Presidencialismo de coalizão: Raízes e trajetória do modelo político brasileiro é um balanço dos trinta anos do presidencialismo de coalizão. Foi a primeira vez que me debrucei sistematicamente sobre o nosso nosso modelo político, desde que escrevi, em 1988, artigo descrevendo-o e analisando sua dinâmica como o presidencialismo de coalizão. Um balanço da qualidade de nossa democracia da perspectiva da operação concreta de nosso modelo político. Terminei de escrever essa análise das crises e saídas políticas nas três repúblicas brasileiras (1889-1930, 1946-64, 1988 em diante) poucos meses antes das eleições de 2018. Elas encerraram o ciclo político-eleitoral que organizou governo e oposição no Brasil desde 1994. Escrevi sobre o caráter disruptivo dessas eleições em "Polarização radicalizada e ruptura eleitoral", artigo publicado na coletânea *Democracia em risco? 22 ensaios sobre o Brasil hoje*, publicado pela Companhia das Letras no início de 2019, meses após o pleito de outubro.

Tudo o que tenho escrito desde a publicação dos três ensaios refere-se a essas duas ordens de indagação, às mudanças estruturais globais e suas consequências sociopolíticas, à evolução política brasileira, à crise de seu modelo político, ao presidencialismo de coalizão e suas consequências para a democracia. Neste novo ensaio, derivado da reflexão continuada sobre a conjuntura global e nacional, falo de minhas perplexidades e de minhas expectativas para a sociedade e a democracia, sem ter esperanças vãs. A maior parte dele tem origem nos posts publicados no Blog do Matheus Leitão, no G1.

Míriam Leitão e Heloísa Starling aceitaram o sacrifício de ler os originais. Seus comentários foram de inestimável valia para me orientar na revisão final do texto. Incluí todos os reparos e todas as sugestões que pude. Algumas poucas observações não pude incorporar porque me levariam a temas sobre os quais não refleti ainda de forma sistemática e amadurecida. Deixo registrada minha gratidão pela generosidade da leitura em tempo curto e enorme precisão das sugestões e comentários.

1. Sociedade em transe: a metamorfose global

NO ENTREMEIO

O mundo está em processo de metamorfose, para usar a expressão do sociólogo Ulrich Beck. É uma grande transição, que marcará o século XXI e mudará radicalmente nossas vidas e as das gerações por vir. É impossível dizer em que estágio da transmutação nos encontramos. Provavelmente ainda muito inicial, embora as transformações aconteçam com enorme velocidade e, à medida que se acumulam ou se entrechocam, se acelerem exponencialmente. Por isso crescem a incerteza, a insegurança e a imprecisão. A marca desses tempos é a velocidade espantosa da mudança, sua abrangência global e estrutural, atingindo todas as partes do planeta e todas as dimensões da vida, e a imprevisibilidade do que está no horizonte próximo da humanidade. Nesse intervalo entre duas eras, uma que se esgota e a outra que emerge, as maneiras como aprendemos a lidar com os desafios da realidade deixam de funcionar. A realidade nos escapa pelos dedos, como pérolas de mercúrio, na bela expressão do escritor e filósofo Albert Camus.

Há mudanças radicais em três macrodimensões fundamentais, todas de alcance global, planetário. A socioestrutural, que é sistêmica, atinge todo o planeta e tem efeitos disruptivos na estrutura social, econômica e política das sociedades. A científica e tecnológica, que também é disruptiva e mudará os paradigmas científicos estabelecidos nas revoluções que levaram à emergência da ciência moderna, desde o Iluminismo. Mudará, também, o padrão tecnológico estabelecido nas duas Revoluções Industriais. A tecnologia de base fóssil, que começou com o carvão, na primeira Revolução Industrial, e se firmou com o petróleo, será abandonada em breve. O motor a explosão está prestes a se aposentar. Além disso, as bases da nova ciência se expandem com as possibilidades abertas pela Revolução Digital, pela genômica avançada, pela biologia sintética, pela biomimética, pela farmacogenética e pelas tecnologias que permitem o desenvolvimento da nanociência e da neurociência, entre muitas outras. Descobertas em um campo potenciam, viabilizam ou abrem caminhos para os outros campos. Há numerosas combinações possíveis nessa rede de progresso científico e técnico que está definitivamente atravessando as fronteiras do conhecimento compartimentado, criando novos paradigmas e superando outros que dominaram todo o século XX. Por fim, mas não menos importante, a transição científica e tecnológica permitiu a digitalização da sociedade e a emergência da sociedade em rede, processo que tende a se expandir e aprofundar, com consequências transformadoras no trato social, no fazer político e nos modelos econômicos, como anunciou, faz tempo, o sociólogo Manuel Castells. Essas mutações na sociedade humana ocorrem no contexto planetário da emergência climática e da degradação ambiental, ambas determinadas pela ação humana. A crise climática é e será parte da grande transição global do século XXI. Ela não se resume ao aquecimento global e constitui uma emergência que nos imporá limites e desafiará nossa criatividade, emulando novas mudanças científicas e tecnológicas no nosso ambiente construído e modos de vida. É uma ameaça devastadora para a bioesfera e para toda a vida que dela depende. Sobre o eixo climático temos pouco controle. Podemos desequilibrá-lo, mas não podemos dirigi-lo. Até agora, não o levamos suficientemente a sério, nem como realidade, nem como ameaça. Ao contrário, ainda conseguem chegar ao poder aqueles que negam a emergência climática, desprezam a ciência, desafiam a natureza e põem crenças e esperanças acima do conhecimento. A degradação ambiental está associada ao iminente colapso do ambiente construído, apontando para uma nova revolução urbana, e à perda gigantesca de diversidade biológica, configurando a sexta grande extinção de espécies na natureza. A grande extinção nos torna mais pobres em recursos biológicos e menos diversos. O nosso ambiente construído está sofrendo e sofrerá mais radicalmente profundas alterações ligadas ao fim do ciclo do alto carbono e do motor a combustão.

Vivemos várias rupturas paradigmáticas e outras mais acontecerão nesse processo, criando numerosos campos científicos nas fronteiras do conhecimento humano. As interações decorrentes entre os subsistemas têm efeito determinante, embora não exclusivo, sobre o curso, a direção e a velocidade da metamorfose social global. Nenhuma sociedade humana ficará imune a ela. Os avanços trarão soluções novas e problemas novos. A sociedade em rede, por exemplo, abre novos canais para o desaguar dos desequilíbrios políticos causados pelas transformações sociais e econômicas. Ela alimenta as políticas de confrontação, como as de Donald Trump e Jair Bolsonaro, serve de canal para a linguagem de ódio que emerge dos conflitos e os radicaliza. Reações derivadas dos medos causados pelas mudanças. Esse contexto mutável e incerto é propício à emergência dos populismos. Mas a sociedade em rede oferece, também, ferramentas para interações criativas, novas formas de cooperação interpessoal, grupal, transnacional e transcontinental. As redes disseminam fake news e facilitam a checagem das mentiras. Tornaram-se instrumentos poderosos de circulação de conhecimento, ideias, valores, culturas. Neste momento da mudança, as redes estão na fase gótica, de ambivalência, que poderíamos chamar de fase dr. Jekyll e sr. Hyde. Elas são, a um só tempo, o monstro cheio de vícios que incita ao ódio e o médico que detém a cura desses vícios e dessa ira.

O avanço das tecnologias de imagem digital e microscópica propicia saltos no desenvolvimento da nanociência e da neurociência. O progresso científico e tecnológico na saúde e na nutrição contribui para alterar profundamente a demografia global. A emergência climática cria pressões urgentes para o desenvolvimento de práticas sociais e políticas e de adoção de tecnologias para a adaptação das sociedades ao aumento da frequência e da força dos eventos extremos, influenciando o rumo da transformação social, econômica, política, científica e tecnológica. Essas outras dimensões da grande transição, ao responderem aos desafios climáticos, também afetarão seu curso a longo prazo, dado que suas causas decorrem diretamente da ação humana. Os novos padrões de organização e mobilidade urbana, em cidades inteligentes e conectadas, terão profundo impacto no funcionamento das democracias. E assim por diante.

O que seria uma verdadeira transição — uma metamorfose social? É a passagem de uma situação estrutural, histórica ou existencial para outra que a supera e dela difere fundamentalmente. Seu curso é imprevisível, pois se trata do futuro em construção. Nasce do entrechoque de interesses, escolhas, sonhos e desejos. Por inesperada, é fonte de muita ansiedade e decepção. Não conseguimos deduzir a larva da borboleta multicolorida a voltear entre as flores. Também não somos capazes de inferir a borboleta do casulo onde se forma.

A passagem da Idade Média para o Iluminismo é um exemplo histórico de uma grande transição. Não se deu sem muita ansiedade, angústia, dor e raiva. Transições dessa magnitude, como o salto do mundo mercantilista ao mundo industrial, são longas, turbulentas, não raro violentas e definem momentos de extrema fluidez social, política, geopolítica e pessoal. Foi o que inspirou o sociólogo Zygmunt Bauman a conceber a noção de "tempos líquidos". É claro que a instabilidade e a mutabilidade desses tempos de mudança profunda, marcados por transformações vertiginosas, em grande volume, em tudo o que fazemos, em todos os recantos de nossa vida, produzem pessoas instáveis e relações fluidas. O estável convive o tempo todo com o mutável, o sólido com o difuso, o luminoso com o obscuro. A quantidade e a velocidade das mudanças, com elevada taxa de mortalidade de tecnologias, artefatos, ideias, soluções, vão fazendo o transitório predominar sobre o que permaneceu dominante por várias décadas. É difícil, no meio do turbilhão, dimensionar a magnitude da mudança que levará a uma nova era civilizatória. Até porque seus rumos são inapreensíveis e imprevisíveis. Estamos destinados às hipóteses — grande parte das quais se provará falsa no futuro —, a experimentações fugazes e maiorias inconstantes.

Imaginem, por exemplo, a distância entre um mundo onde poucos sábios tinham o monopólio da escrita e registravam em pergaminhos ou em couro todos os conhecimentos, a matemática, a história, a cultura e as crenças de sua época, e a era pós-Gutenberg, de livros impressos, acessíveis, em especial a Bíblia, induzindo à alfabetização dos citadinos e permitindo que outras classes de pessoas se tornassem portadoras e geradoras de conhecimento. Não sentimos tanto os saltos tecnológicos hoje porque vivemos uma era de mudança continuada em hipervelocidade. Mas o salto do pergaminho para o livro impresso tem seu equivalente na travessia, ainda inacabada, do impresso em papel para o texto digital.

No eixo político, há pelo menos duas ramificações críticas que interagem com os demais eixos de transformação estrutural. Uma tem a ver com a demora da democracia em incorporar inovações que já estão disponíveis para melhorar a governança e a representatividade das decisões tomadas pelos parlamentos e Poderes Executivos. Há um claro déficit global de desempenho da governança democrática e uma distância já intolerável entre os sistemas de representação e a sociedade. Dominam as oligarquias e os grupos de interesses mais estruturados e com mais recursos, sobretudo aqueles organizados em torno de núcleos de interesses econômicos da velha ordem. Daí a enorme e generalizada insatisfação com governos e democracias no mundo inteiro. Aumentam muito o risco de negação da democracia e a tentação autoritária ou totalitária. O ponto crucial, contudo, está nas falhas de desempenho governativo e representativo das democracias — um desafio que terá que ser enfrentado ao longo da travessia, usando tecnologias já disponíveis e novas tecnologias digitais que surgirão sem parar. Outros dois desafios associados à qualidade da governança e da representação são a pobreza e a desigualdade, problemas distintos e crônicos do modelo econômico global. Se as sociedades democráticas conseguirem direcionar a mudança, no processo de criação das novas economias, na direção do aprofundamento da democracia e do combate à desigualdade, poderemos ter um novo salto civilizatório.

A outra ramificação é geopolítica. As transformações, tanto no plano climático quanto no científico, tecnológico e energético, levarão a uma alteração significativa na geopolítica global. Já houve importantes mudanças geopolíticas causadas pelos rumos da transição até agora. Mas os novos padrões de produção, circulação e consumo de bens, serviços e conhecimentos determinarão mudanças geopolíticas mais extensas e mais profundas. Sem que se estabeleça um novo marco de governança global — a governança global sem governo é quase inexorável —, é muito provável que a instabilidade internacional aumente, antes de se chegar a uma nova ordem mundial. Há aspectos críticos do progresso científico e tecnológico com profundas implicações globais — do mesmo modo que a emergência climática — que demandarão uma nova institucionalidade, mais eficaz e mais democrática, para a governança multilateral. As incertezas e oscilações da conjuntura internacional, tanto econômica quanto política, não ajudam. Os organismos multilaterais estão perdendo eficácia, e retornamos ao domínio da geopolítica. Esta é uma forma de política internacional marcada pela demarcação de territórios, pelo tensionamento das relações entre países com interesses antagônicos nos planos regional e internacional. O risco geopolítico global se tornou o novo normal.

Sob a dominância da geopolítica, as relações econômicas entre os países são politizadas. O presidente Donald Trump, que se opõe sistematicamente à governança multilateral, é o principal agente a rejeitar uma economia global aberta. A incerteza global e geopolítica é crescente. Aumentou a probabilidade de proliferarem boicotes, embargos orientados por objetivos geopolíticos, independentemente do dano que possam causar às economias doméstica e internacional. Como ocorreu na guerra comercial de Trump contra a China, provocando a desaceleração da indústria nos Estados Unidos. Trump não se importou. Acha que esmagará a indústria chinesa com sua atitude. Também cresce a probabilidade de conflitos geopolíticos, com aumento dos focos de confronto militar. Todo este cenário demandaria que o Brasil estivesse pronto para usar ao máximo seus recursos de soft power, para se proteger e para contribuir para a distensão geopolítica. Nossa diplomacia sempre foi ativa quando se tratou de reforçar, reformar e ampliar os mecanismos multilaterais de convivência pacífica. Contudo, o governo Bolsonaro enfraqueceu nosso soft power, imobilizando ou desativando suas principais fontes. Isolado internacionalmente e desvalido de seu principal poder de uso multilateral — a diplomacia independente e cooperativa, a cultura e a biodiversidade —, o Brasil tende a mergulhar cada vez mais fundo em suas próprias crises. Mostra-se incapaz de atuar com eficácia e de mobilizar apoio para superá-las. Ao contrário, as ações presidenciais contribuíram para agravar a tensão política e o conflito social.

A metamorfose societária nada tem de trivial. Ela abala estruturas, convicções e a segurança coletiva e pessoal, em diferentes graus e níveis. Nesse entremeio, tudo é possível, inclusive o Armagedom. Como seres da transição, estamos destinados a navegar essas águas turbulentas e tentar, com a mão no leme precário, dar-lhe um curso virtuoso, para que nos afaste das várias possibilidades trágicas que a travessia contém. Há, nela, destinos virtuosos em maior quantidade do que os finais trágicos. Tudo é uma questão de escolhas e da velocidade com que as fazemos. Teremos que navegar o momento e usar nosso melhor julgamento individual e coletivo sobre o curso que queremos. Assim se escreve a própria história com *virtù*, as escolhas conscientes, que nos permitem lidar bem com a fortuna, o inesperado, como propôs Maquiavel. Não podemos nos deixar enganar pela música do latim. Fortuna não traz apenas o bom: pode fazer prosperar o mau. Principalmente nos momentos em que nós humanos abandonamos a precaução e o senso.

Seres da transição não se podem deixar abater pela *malaise* do seu tempo, similar à descrita por Hermann Hesse em *O Lobo da Estepe*: "a doença dos tempos [...], a neurose desta geração, [...] um mal [...] que de forma alguma ataca apenas os fracos e sem valor, mas ainda mais os que têm o espírito forte e são ricos em seus dons". São tempos de dúvida e angústia, "tempos quando uma geração inteira é apanhada entre duas eras, dois modos de vida, e dessa forma perde o sentimento para si do que é autoevidente, de toda a moral, segurança e inocência", escreveu o autor alemão.

Não é fácil viver as grandes transições. São tempos líquidos e singulares. Cheios de som e fúria. Muitas coisas ao final não terão significado algum. Muitas outras, contudo, serão extraordinariamente fortes e duradouras e darão a forma e o conteúdo do futuro. São momentos históricos singulares em que o tempo parece como que suspenso nos seus interstícios. O presente é cada vez mais efêmero e a eternidade uma incógnita impenetrável. Toda grande transformação é sempre e apenas um intervalo, uma travessia. Somos habitantes desse entrementes e é nele que teremos que fazer as escolhas críticas sobre o futuro que queremos.

Karl Marx escreveu que "nenhuma ordem social desaparece antes que toda sua força produtiva tenha se desenvolvido completamente, e novas relações de produção, mais avançadas, nunca aparecem antes que as condições materiais de sua existência tenham amadurecido no ventre da velha ordem. Portanto, a humanidade sempre enfrenta os problemas que pode resolver, uma vez que, olhando para a questão mais de perto, veremos que o problema em si só emerge quando as condições materiais para sua solução já existem ou, pelo menos, estão em processo de formação". Espero que a lógica do movimento estrutural das sociedades se imponha e que estejamos preparados para essa metamorfose, que ainda não compreendemos inteiramente.

Morgana, personagem do romance *As brumas de Avalon*, de Marion Zimmer Bradley, que dá voz às mulheres do mítico Camelot, diz que sabe mais de fins do que de começos. Todos estamos sabendo mais hoje de fins do que de começos. Vivemos, mundo afora, de crise em crise. A economia rateia em toda parte. Os economistas têm sido surpreendidos por eventos cada vez menos ajustados a seus modelos. O imprevisto está se tornando o novo normal. A ideia de equilíbrio é cada vez mais ilusória. Os politólogos são apanhados por eleições fora da curva, explosões inesperadas de indignação que derrubam governos que pareciam sólidos horas antes. A democracia engasga. Os sistemas políticos se fragmentam. As categorias sociais que organizavam o conflito social definham. Desorganizam-se a sociedade, a economia e a política. Morgana confessava sua impotência diante do fim do mundo que conhecia. Saber sobre o desmoronamento não ajuda muito na solução dos problemas emergentes, nem a cuidar da construção futura. Estamos na era dos imprevistos. Eventos inesperados e radicais tendem a se tornar mais frequentes, mas não é possível dizer de antemão quais serão e quando ocorrerão. Lançar mão de expedientes que se tornaram disfuncionais apenas gera mais descrédito e inquietação. Por isso, cresce o número de analistas respeitáveis — economistas, sociólogos e politólogos — a denunciar a obsolescência dos paradigmas dominantes de análise e previsão e a necessidade de pensar fora da caixa. De valer-se de novas ideias e prestar atenção em formas e modos emergentes, que vêm apontando rumos possíveis para o futuro.

As grandes transformações estruturais, que revolucionam os fundamentos mais profundos da organização social, se manifestam primeiro como crise. Melhor dizendo, um longo ciclo de crises sucessivas e abrangentes, que fragmenta a sociedade, desestabiliza ou paralisa as economias e desacredita a política. Mas o movimento da história mostra que essas crises, provocadas pela associação de disfunções do velho organismo socioeconômico com inovações disruptivas, têm enorme potencial positivo. Não é fácil passar por elas, porque demandam radical adaptação às condições nascentes do macroambiente socioestrutural e do microambiente das transações cotidianas. Aqueles que se debruçam sobre esses começos para tentar entender os novos processos e a nova lógica de movimento da sociedade são encarados, de início, pelo establishment acadêmico, científico e intelectual, ora como irresponsáveis especuladores, ora como inconvenientes. Pesquisar o que morreu ou está morrendo é importante. Mas a tarefa mais necessária é entender o que está nascendo. Não há conflito. Para entender o que está a nascer, é importante conhecer o máximo possível a história do que está a morrer.

Esses momentos de rupturas, nos quais a demolição anda mais rápido do que a construção, são de incerteza, pânico, atitudes extremadas e preconceito. Videogames são vistos como agentes do aumento da criminalidade. Estariam transformando jovens em chacinadores sanguinários, que vão à escola assassinar ex-colegas, depois de matar a família. Esse preconceito diz, com tinturas enganosas de expertise, que games estão destruindo a sociabilidade das crianças, criando nelas dificuldades de concentração e aprendizado, induzindo a comportamentos afetivos e sexuais indesejados. As redes digitais teriam, para muitos, se tornado um instrumento exclusivamente de ódio e destruição da democracia. O território dos haters e indignados. Essas opiniões desconsideram a majoritária contribuição positiva das novas tecnologias, o efeito educador, de estímulo à criatividade e à imaginação, ao raciocínio estratégico e à interatividade dos games. Interatividade é uma forma de sociabilidade. Não se considera, na avaliação dos games, os milhões que jogam e não se tornam matadores, jogam e aprendem, interagem e crescem afetiva e intelectualmente. É tudo apenas uma questão de dosagem e regramento. Sem exageros, a liberdade e o convencimento são sempre melhores do que as interdições que aguçam a curiosidade e estimulam a transgressão. A censura sempre estimulou a transgressão, a circulação clandestina e excitante do proibido.

A maioria das análises descarta, também, a contribuição das redes digitais na criação de espaços de discussão pública criativa e produtiva, de troca de conhecimento e experiência, de mobilização para a ação política e para o exercício da solidariedade. As redes teriam, para muitos, se tornado um instrumento exclusivamente de ódio e destruição da democracia, o território dos haters e indignados. Esse lado obscuro, odioso, difamador é um efeito colateral que, se os gestores das redes o desejarem, pode ser neutralizado com autorregulação, por meio de novos algoritmos e uso mais focado da inteligência artificial.

Mirem-se no exemplo de Moçambique, quando a segunda maior cidade do país, Beira, foi destruída pelo pior desastre climático registrado até então, com milhares de desabrigados e mais de mil mortos. As redes de solidariedade se formaram com rapidez, cuidaram de disseminar a informação que a grande imprensa desprezava, mais focada nas agruras das potências e sem olhos para os dramas dos mais fracos. Criaram redes de solidariedade, de voluntários e de ajuda material. Do mesmo modo, as redes generalizam a indignação transformadora e chamam a atenção para a falência das oligarquias, para o encurtamento da representação democrática, para a ausência de lideranças olhando para a frente e tentando dar respostas novas às necessidades estruturais do povo.

O discurso de ódio, difamação e interdição encontrou, de fato, no estágio atual das redes, um veículo estimulante e complacente. Mas elas não criaram esse clima polarizado e enraivecido. Podem estar facilitando sua propagação e persistência. A emergência dessa intolerância cega, desse ódio ao outro, é sintoma, não a doença em si. Personalidades fracas, forças políticas que perdem poder, grupos sociais transitando do centro para a periferia das ocupações de prestígio, pessoas e grupos decadentes que não encontram no novo mundo o espaço que tiveram no passado reagem com medo, raiva, incompreensão e intransigência. Transferem as culpas para "os outros", precisam encontrar alguém ou algum grupo para responsabilizar por suas atribulações. Muitos reencontram o sonho de redenção nas promessas dos reacionários de um passado idealizado. Outros em utopias desgastadas pela história. Outros, ainda, no fervor catártico. As redes são o novo mensageiro. Não adianta matar o carteiro, ainda que seja digital e em tempo real. Ele sempre nos revisitará. Não é a mensagem, mero reflexo, é a realidade mutante e contraditória que causa os avanços, os tropeços e os retrocessos.

Enquanto as esquerdas vacilam e se enroscam em velhas ideias, a direita levanta-se no espaço que deixam vazio. Mas não avança, retrocede. Parcelas das esquerdas e das direitas se tornaram reacionárias. O estiolamento da esquerda fortalece o pensamento antidemocrático e abre caminho para as direitas. Elas aprenderam a ocupar esse vácuo. Mas não se sustentam, não têm mais o que oferecer senão um ciclo de interdições e regressos que repele o apoio dos setores que ainda vislumbram oportunidades de progresso. As direitas reacionárias agarram-se a ideias do passado, irrealizáveis no presente e inúteis no futuro. São movidas por visões irreais da história vivida, como algo desejado, ao qual se deve retornar, ou muito desprezado, do qual se deve a qualquer custo fugir. Mas o presente está cada vez mais prenhe de futuro e mais vazio de passado. E os reacionários encontram, rapidamente, os limites de sua incompetência e falta de visão.

Lideranças efetivas não olham para trás, exceto para aprender com os erros. Olham à frente para não caírem nas fissuras que vão se abrindo no caminho para o futuro, que será radicalmente diferente do mundo em que vivemos. Há muitos pontos de vista para olhar esses fins e começos e pensar em novos modos. Estes tempos de transformação muito rápida e muito abrangente abrem inúmeras possibilidades. Tudo está em aberto. Mas é preciso andar mirando longe, para alcançar esse amplo horizonte à frente. Estudar os fins é relevante. Entender os começos é necessário.

Em conversa recente com pessoas do mundo editorial brasileiro, falávamos das dores da transição. Toda verdadeira passagem radical é dolorosa. Contém momentos de desalento, raiva, negação, indignação e esperança. As reações variam do extremismo daqueles que se tornam os evangelistas de novas visões da ordem futura ao extremismo daqueles que recusam a mudança e desejam um retorno ao passado. No entremeio, cabem as mais diversas formas de reação. O mundo em que vivemos é "assustador", sentenciou Caetano Veloso, em entrevista a *O Globo*, listando uma série de eventos de crise e violência da conjuntura global recente. Muitos poderiam dizer, com razão, que qualquer recorte de tempo permitiria listar eventos inquietantes, revoltantes ou assustadores. A história não é linear, nem se repete. O momento que vivemos é de mudanças muito intensas e convergentes, em todos os campos da atividade humana. As rupturas com o passado abrangem todas as dimensões de nossa vida pessoal e coletiva. Talvez a melhor comparação possível fosse com a virada do século XVIII para o XIX, quando o mundo passou por profunda revolução social, política e industrial. Nosso tempo marca outra grande transformação societária, cujo destino é ainda imprevisível. Vivemos hoje o início desta metamorfose, estamos em algum ponto no entremeio. Um processo tectônico que pode durar uma, duas, três décadas. Impossível dizer. As dores da transição são como as aflições da adolescência, que nada mais é que uma real e penosa passagem da infância para a puberdade e a idade adulta.

O que amplifica a ansiedade e o estresse das transições não é a mudança em si. É o inesperado abrir-se para o desconhecido, o repentino desaparecimento do horizonte da paisagem habitual, substituído por brumas densas e silhuetas imprecisas. É o deslocamento. Sentir-se em um mundo que não é mais o seu é uma sensação às vezes aterradora. Como adolescentes que não se veem mais como crianças e se constrangem com a infantilidade de seus jogos, nem conseguem entrada nas rodas dos jovens adultos. Esse sentimento de solidão, de não pertencer mais à infância, nem ser ainda adulto, ao mesmo tempo que nosso corpo se transforma e nos surpreende e nos estranhamos conosco, produz um turbilhão de sentimentos contraditórios e reações extremadas de nervosismo, insegurança, culpa, depressão, negação, euforia, raiva de nós mesmos e dos outros.

Mais ainda, toda metamorfose estrutural gera riscos, fragilidades, conflitos, reversões, antes de se consolidar. Para ficar no exemplo da adolescência, que todos experimentamos em nós mesmos e repetidamente nos irmãos, filhos, sobrinhos e netos, é um período de muitos riscos, psicológicos e de saúde. Essa travessia da infância para a maturidade envolve uma complicada e tumultuada renegociação de papéis e do próprio pertencimento do indivíduo. É um momento de reorganização biológica, cultural e pessoal. Quem já leu *O apanhador no campo de centeio*, de J. D. Salinger, conheceu uma profunda transcrição literária dessa passagem. Holden Caulfield, o protagonista, é a síntese do adolescente americano perdido do pós-guerra, em crise consigo mesmo e com o resto do mundo. O que mais lhe perguntam é: "Por que você não amadurece logo?". É o que perguntamos diariamente a nosso mundo em mutação. Por que não amadurece logo e nos mostra como será o futuro? Vivemos dia após dia o desmoronar do presente e o embaçamento do futuro, em todas as dimensões de nossa vida, e queremos saber de uma vez aonde vamos chegar.

A guerra comercial entre Estados Unidos e China, iniciada por Donald Trump, foi um efeito colateral desses fenômenos. Trump é o modelo das reações-padrão à mudança: negação e defesa. Nega a integração profunda entre a economia de seu país e as cadeias globalizadas de suprimento, com enorme vantagem para os Estados Unidos, e reage defensivamente ao aprofundamento das relações comerciais globais. Os Estados Unidos estão, todavia, no topo de várias cadeias globalizadas que fazem o mais acelerado trânsito tecnológico rumo às novas economias do futuro. Trump quer proteger o hardware, que hoje contém a menor parcela de valor agregado nos produtos de alta tecnologia, dos tênis da Nike aos relógios da Apple. A maior parcela do valor agregado está no conhecimento embutido nesse hardware, no design e na velocidade das atividades de pesquisa, inovação e desenvolvimento. Tudo isso se dá na economia doméstica. Afinal, as primeiras grandes marcas deste novo tempo — Apple, Amazon, Google — nasceram e têm seus centros de lucro nos Estados Unidos. O hardware é que foi terceirizado ao longo da cadeia global. Ao protegê-lo, Trump desorganiza a estrutura econômica desses negócios e ameaça a produção doméstica de valor. Ao encarecer importações, compromete a geração de valor agregado em sua própria companhia. Isso vale, também, para os nacionalistas brasileiros. O atraso tecnológico brasileiro tem muito a ver com a proteção de setores ineficientes e de baixa produtividade. Trump e esses nacionalistas que negam a globalização querem o retorno do passado, em vez da integração estratégica às cadeias globalizadas de valor, para acelerar a entrada no futuro e buscar o topo onde é gerado o valor que conta mais.

A Organização Internacional do Comércio tem alertado para os perigos desse protecionismo radicalizado. Pode provocar uma recessão mundial. A economia global de transição é particularmente vulnerável a choques de todo tipo, que nela repercutem com diferentes intensidades. O embaixador Roberto Azevêdo, diretor-geral da OMC, afirma que a organização não sabe ainda como lidar com a China, que tem uma economia que é, sob numerosos aspectos, de mercado, mas onde o Estado é onipresente. Daí a dificuldade de intermediar a guerra comercial iniciada pelos Estados Unidos e, felizmente, encerrada com um acordo precário. A própria China não sabe muito bem como lidar consigo mesma, mergulhada em uma guinada de velocidade sem precedentes. No começo do século XXI, ela entrou na OMC. Hoje, é uma potência econômica e comercial dez vezes maior, e a OMC está esvaziada. Azevêdo deixa o cargo antes de completar o mandato. A economia chinesa decuplicou em menos de duas décadas. Criou grandes ilhas de afluência e agora tem um enorme oceano de desigualdades para desbravar. Suas universidades se abriram e se globalizaram. Essa "virada para fora" trouxe novas ideias que agora são reprimidas, e o governo ensaia uma "virada para dentro", voltada para o desenvolvimento do mercado interno. Já tem, todavia, uma grande parte de sua economia integrada às cadeias globais de valor. É diferente e faz dela um animal singular. Autoritária, estatista, pós-comunista e semicapitalista. Trump é o que é, impulsivo, descomprometido com qualquer acordo, habituado a desviar a atenção de seus tropeços domésticos criando um confronto externo ruidoso.

No Brasil, vivemos várias transições dolorosas e estamos mal preparados para todas elas. Gerações de lideranças incapazes de entender a dinâmica deste presente, que contém cada vez menos passado e cada vez mais fragmentos de futuro, permitiram que o país se desarmasse para as batalhas da economia do conhecimento e para os trancos na democracia, que não demandam nem fuzis, nem tarifas, mas educação, ecossistemas de inovação, liberdade e diversidade. Este é o nosso maior risco atualmente. Não sermos capazes de nos preparar em tempo e a contento para a grande travessia do século rumo a novas estruturas socioeconômicas. O governo Bolsonaro nos ameaça com um retrocesso de cinquenta anos, que tornará ainda mais difícil alcançar os outros países ao longo desta maratona estendida.

Um dos problemas que nos afetam de forma mais direta no momento é, exatamente, a falta de lideranças. Nossa democracia, oligarquizada e inercializada pela reeleição, não dispõe de canais adequados de renovação da liderança política. No mundo todo, a oligarquização entupiu os canais de circulação e renovação da elite política e estimulou o surgimento de profetas anticrise à direita, em profusão, e à esquerda, em menor escala. A esquerda tem tido, no mundo todo, enorme dificuldade para compreender a natureza real da transição, para adaptar-se aos novos modos e atualizar suas propostas de enfrentamento daquilo que, de fato, ameaça as maiorias com mais desigualdade e mais tirania.

No meio empresarial, no Brasil, vemos que as organizações patronais sempre representaram mais a lavoura arcaica e a indústria obsoleta do que os novos negócios e a inovação. Mas há setores que estão buscando, a duras penas, integrar-se às cadeias globais e perseguindo posições de topo, onde está o valor real. São os mais prejudicados pelo lobby reacionário de representantes que não os representam.

No plano político, vivemos em todo o mundo o momento em que o desencanto, a raiva, a indignação turvam a consciência e superam de longe a esperança e a inovação. A metamorfose social, a diversidade cada vez mais exposta, a visibilidade e a voz sonora dos segmentos anteriormente invisíveis da sociedade provocam a reação extremada dos supervisíveis e hiperincluídos. O medo alimenta o desejo de eliminar o diferente, de devolvê-lo à invisibilidade e ao silêncio.

A ausência de novas lideranças engana o eleitor. Ele vê no candidato desconhecido o novo e tem a esperança de que trará melhoras efetivas e rápidas. Mas esse novo é ilusório. Ele é, ao contrário, o que há de mais velho. Nesse jogo de ilusões, o eleitor assume riscos dos quais não tem conhecimento suficiente, nem consciência do perigo que namora.

A ERA DA AMBIGUIDADE

Há ambivalências e ambiguidades em tudo, por toda parte. As estruturas com as quais vivemos a história do século XX e o início do século XXI estão ficando disfuncionais. Não apresentam respostas eficazes para os problemas que afligem o mundo. Há estruturas emergentes, mas ainda tão pouco desenvolvidas que não dá para percebê-las imediatamente e buscar meios de acelerar seu desenvolvimento. Há setores em que o emergente já é mais visível, porém de generalização ainda incerta. Em outros, ainda é incipiente e difícil de estimular. A medicina é um bom exemplo do primeiro caso. Já estão em curso transformações científicas e tecnológicas que apontam para caminhos terapêuticos inteiramente novos, para males que a medicina dominante jamais conseguiu enfrentar com inteira eficácia. Mas elas ainda são experimentais ou tão caras, por não estarem inteiramente desenvolvidas e disseminadas, que pouco servem à maioria daqueles que já poderiam se beneficiar delas. São a esperança dos que dela necessitarão no futuro e uma miragem para quem sofre hoje.

Na sociedade, na economia e na política, estamos muitos passos atrás. Por ora inexistem soluções inovadoras efetivas. Não estão disponíveis nem como experimentos confirmados. Há muita tentativa e erro, mas ainda poucas as inovações comprovadas, que se possa acreditar duráveis. Devem ser tratadas como ensaios transitórios. O resultado é que, em qualquer parte do mundo democrático, onde há eleições minimamente livres e competitivas, o voto tem sido guiado mais pela insatisfação, pela indignação e pela perplexidade do que por qualquer motivação afirmativa. O nome do partido que elegeu, em 2017, o primeiro-ministro tcheco, o bilionário e populista Andrej Babiš, não por acaso apelidado nos EUA de "Trump tcheco", é eloquente a esse respeito: Ação de Cidadãos Insatisfeitos (ANO — Akce nespokojených občanů; ano em tcheco é "sim"). Ele enfrenta crescente oposição popular, acusado de corrupção e fraude. O populismo engana na entrada, mas revela-se nas curtas passagens que terminam por levar à sua derrocada. Na Espanha, as eleições foram inconclusivas em quatro rodadas nos últimos quatro anos, penduradas entre manter os velhos e inoperantes partidos, à esquerda e à direita, PSOE e PP, ou entregar o poder aos parcialmente novos, Podemos e Ciudadanos. Os quase novos ameaçam os totalmente velhos, mas não chegam a completar o processo de mudança. São novos no modo de fazer política, são partidos digitais, de rede e de rua. São novos no debate de questões que acabaram de entrar na agenda coletiva. Mas são velhos nas soluções para os problemas estruturais da economia e da sociedade. Os outros são analógicos, de esquemas e comícios. Obsoletos na forma e no conteúdo. Na última rodada, o Ciudadanos quase desapareceu, dando lugar ao Vox, de extrema direita. Essa ameaça extremista estimulou as lideranças do PSOE e do Podemos a superar suas divergências e formar uma aliança em busca de uma coalizão majoritária. Nenhum dos partidos atende às inquietações do povo. Não há demanda clara, nem oferta compatível. O país anda em círculos, atrás de suas aflições e impasses, sempre chegando ao mesmo ponto. A Espanha não é exceção ou singular nesse aspecto. É um caso-símbolo das dificuldades políticas da transição em todo lugar.

Foi o voto desatinado que elegeu Donald Trump nos Estados Unidos e Bolsonaro no Brasil. Trump é um tipo inédito de presidente a ocupar a Casa Branca. Inexperiente e voluntarista, convencido de que governar é um ato de vontade pessoal, autorizado por um cheque em branco da maioria eleitoral que o elegeu. Bolsonaro, no Brasil, tem a mesma atitude. Considera que a vitória eleitoral lhe deu autorização para fazer o que quiser, inclusive afrontar instituições e desmontar agências estatais. O que Trump tem feito com a EPA, a agência ambiental, e a Nasa, Bolsonaro, quase mimeticamente, tem feito com o Ibama, o ICMBio e o Inpe. Governar nunca foi isso. Além de mais complexo, numa democracia exige alguma autocontenção. Governar no improviso, na base da vontade pura, sem medir consequência, sem entender as implicações mais amplas das decisões, sem pensar no interesse público, nos parceiros domésticos e globais, nos compromissos históricos, nas responsabilidades sociais, nunca terminou bem na história política mundial. É o que Trump e Bolsonaro têm feito.

Portugal se tornou um caso à parte. É o unicórnio da vez. Todo o mundo progressista quer ser como ele e se aflige a cada crise política que desafia a continuidade da "geringonça". O que é a geringonça? Não é uma coalizão de partidos de esquerda. É um pacto antiausteridade e antineoliberal entre eles. Por não ser uma coalizão, permite que o Partido Socialista, à frente do governo, possa se aproximar da direita em determinadas ocasiões e formar uma maioria contra o restante da esquerda. Ela tem permitido essa gangorra eventual, desde que não gere o risco de terminar em um regime de "austeridade neoliberal". Como diz a colunista política portuguesa Sonia Sapage, a geringonça não é uma coligação, é uma solução de mínimo denominador comum, entre partidos de esquerda. Mesma interpretação do sociólogo Boaventura Santos, para quem ela é a grande inovação política dos últimos anos. Os partidos de esquerda tiveram a clarividência de ver que, embora haja muitas coisas que os separam, há muitas outras que os unem, suficientes para darem sustentação ao governo do PS. Sua unidade se baseou na determinação de acabar com a austeridade imposta pela troika europeia. A vitória expressiva do socialista António Costa, primeiro-ministro português, nas eleições de outubro de 2019, mostrou que a geringonça deu certo e passou pelo teste das urnas populares. É o ensaio de possibilidade mais bem-sucedido a animar os progressistas de outras partes do mundo.

Na França, a vitória de Macron, pelo centro, foi outra surpresa. Mais surpreendente ainda a renovação de 75% da Assemblée Nationale, dando-lhe uma maioria avassaladora. Mas o que ele representa melhor senão a ambiguidade do presente, a ambivalência das buscas? Macron não é bem esquerda, nem é bem direita. Centro, como sabemos, é um acidente geométrico, definido pelas pontas. Varia de acordo com a posição e a amplitude do espectro definido pelos pontos extremos. Como estes são velhos, ainda que emerjam como novidade, no caso da extrema direita ultranacionalista o novo acaba sendo apenas o que não se identifica completamente com nenhum dos polos obsoletos. A novidade de Macron era essa ambivalência. Ser conservador em algumas questões, liberal em outras, progressista (ou socialista) em outras. No conjunto, difícil imaginar que construa uma identidade e uma narrativa que tornem seu movimento durável. Ele tem similares em muitos países. Vivemos a era da ambiguidade política.

Em Hong Kong, o povo desafiou o regime autoritário chinês, que chegou a usar tropas como ameaça e escalou a repressão, com prisões e violência. Não foi a primeira rebelião. A sociedade não aceita a progressão da incorporação de Hong Kong ao imperium chinês, que pressupõe o fim da democracia na cidade. Nas últimas eleições para o conselho distrital, em novembro de 2019, 347 das 452 cadeiras foram ocupadas por candidatos pró-democracia, desalojando os representantes alinhados a Pequim, no maior comparecimento às urnas desde 1999. Foi a primeira vez que dois partidos opostos disputaram todas as cadeiras do conselho. Nas eleições anteriores, em 2015, quase todas as cadeiras foram preenchidas por aliados do establishment chinês, sem concorrentes de outro partido. Em 80% dos distritos em que houve disputa, a oposição democrática venceu — um fato inédito desde que Hong Kong passou ao controle chinês, em 1997. Pequim reagiu com pesadas ameaças, reafirmando que Hong Kong permanecerá sob controle de Pequim e que defenderá sem hesitação a soberania chinesa. O modelo político instalado por Xi Jinping é uma síntese entre duas formas autoritárias, o confucionismo e o maoismo, com uma base econômica híbrida, de controle estatal com liberalidades de mercado setorial e regionalmente localizadas.

Na Itália, que vive um furdunço político há anos, a tentativa de Matteo Salvini de usar as regras da democracia contra ela foi abortada pela disposição do Partido Democrático, de esquerda, em negociar um governo alternativo com o Movimento 5 Estrelas, de centro-direita. A união contra o inimigo comum, a Liga, pode levar à superação das divergências entre o antissistema e o pós-comunista para interromper a investida antidemocrática da extrema direita.

Nesses países, a sociedade não tem se calado diante do oportunismo autoritário, que usa as liberdades democráticas para distorcer as regras contra o próprio regime. A democracia convive mal com o silêncio. Silenciar diante desse escorregar para fora das regras e da cobertura institucional da democracia é capitular ante as pressões autoritárias por medo ou conveniência. O silêncio é a forma conveniente do conformismo. A democracia está em risco em todo o mundo. Vê-se acuada pelas transformações estruturais que provocam demolições seriais, antes do acabamento do que se está a construir. O individualismo autorreferencial torna-se defensivo nessa sociedade de risco, na qual os indivíduos estão por conta própria. Eles preferem calar-se ou acreditar em soluções retrógradas, que começam por interromper a democracia com a promessa de estancar as mudanças que tanto a ameaçam. O silêncio pode ser o ingrediente que acelera o colapso das liberdades. Um instrumento de viabilização da tirania. As praças sem povo não passam de sítios para dispor estátuas de heróis que nem sempre revelam a melhor parte da história das sociedades. O individualismo exacerbado e autocentrado rompe os laços de confiança entre as pessoas. Sem confiança, a integração social fica seriamente debilitada. Os indivíduos perdem a capacidade e o desejo de buscar objetivos comuns. Nenhuma democracia resiste à perda do sentimento de coletividade e a uma crise generalizada de confiança na própria comunidade. Quem rompe o silêncio é porque ainda não perdeu o referencial coletivo, ainda acredita em um mundo no qual as pessoas, dando-se as mãos, conseguem mover montanhas. O povo nas praças e nas ruas é o estímulo necessário para que lideranças responsáveis levem a sério os alertas que indicam focos de ataque às instituições. A transição como crise é um momento de alto risco. Requer mais atenção aos mínimos sinais de retrocesso. É melhor dizer nas ruas que a democracia foi golpeada do que esperar para soar o alarme quando as suspeitas se tornarem certezas e já for tarde demais.

Na América do Sul, só se luta contra o passado, sem olhar para o presente ou o futuro. Não se luta pelo futuro. A direita liberal latino-americana busca reduzir o que vê como estatismo, mesmo diante das evidentes falhas do mercado. Parece não saber o que pôr no lugar, além de uma ideia tão idílica do mercado quanto é utópica a crença da esquerda no Estado provedor. Uns não veem as trágicas falhas do mercado. Os outros não veem que o Estado é e sempre será um aparato de dominação elitista, nem conseguem entender a natureza das restrições fiscais no capitalismo global centrado no capital financeiro. As ideias continuam fora do lugar. A esquerda mundial não consegue livrar-se de suas velhas ideias, defende categorias que estão definhando e prefere pôr em risco a democracia a buscar compreender seus erros. Na Europa e nos Estados Unidos, as posições mais conservadoras avançam porque deixam, por oportunismo, que se fixe a ideia errada de que a migração está por trás do desemprego, da crise fiscal e do desempenho resfolegante da economia. Conseguem vender a repulsa ao estrangeiro como solução para o fracasso doméstico. Investem contra a globalização, como se retroceder ao nacionalismo do início do século XX fosse possível, factível ou desejável. A esquerda aponta para causas já inoperantes ou redefine o novo para fazê-lo caber nas suas velhas categorias. Não tem mais respostas convincentes nem para o desemprego nem para a imigração. Mas surgem novas figuras na política americana, uma nova esquerda mestiça, com expoentes como Alexandria Ocasio-Cortez, com propostas como o Green New Deal, que podem se tornar uma alternativa progressista para enfrentar os desafios desta travessia para uma nova era. Ninguém tem uma boa resposta para os problemas novos e imprevistos da metamorfose global. Ela começa a ser esboçada em nichos ainda minoritários, como o Green New Deal proposto pela esquerda Democrata, nos Estados Unidos. Mas a resposta típica ainda é o encastelamento em posições ultrapassadas historicamente, à esquerda e à direita. Diante da perplexidade geral, oportunistas, populistas e extremistas ocupam os vazios deixados pelas correntes tradicionais de pensamento e ação política que se mostram incapazes de autorrenovação. O desafio é duplo: pensar respostas efetivas e progressistas para a transição e desenvolver uma visão de longo prazo, do futuro depois dela. A prática política derivada desse duplo pensar reconstituiria a capacidade dos agentes sociais para participar da construção transformadora da história do futuro.

Atualmente, forma-se um esboço de maioria que tende ao "voto nem-nem". Nem a esquerda tradicional, nem a direita tradicional. Nesta busca da terceira margem elas se ancoram em miragens que, à primeira vista, parecem novidades, mas são apenas transfigurações de populismos autoritários e movimentos totalitários do passado. A era da ambiguidade política é uma ameaça à democracia. A esperança é que o sentimento de repúdio às instituições cansadas e à representação oligarquizada, tanto à esquerda quanto à direta, leve à renovação da democracia. A mudança política para aprofundamento e atualização da democracia ainda precisa ser incluída na revolução científica e tecnológica e buscar uma pluralidade de soluções para a ambiguidade que possam nos levar, no futuro, da "escolha nem-nem" para escolhas mais afirmativas. A esperança é que novos paradigmas sociopolíticos, em sintonia com as angústias reais dos cidadãos, sejam capazes de oferecer novas soluções estruturais que nos livrem do status quo em decomposição sem destruir a democracia, fortalecendo e aprofundando seus mecanismos representativos e deliberativos.

GEOPOLÍTICA INSTÁVEL

No plano geopolítico, da política internacional, o suspense fica por conta do fato de que a principal incógnita diz respeito à potência ainda hegemônica. Quando a variável definidora de parte significativa da equação global diz respeito ao "*hegemon*" e não pode ser estimada, todas as dúvidas se condensam nela. Trump é previsível na orientação de suas ações, mas o que fará em seguida é sempre uma incógnita. Ele age por impulso, instinto e improviso. É um bulldozer trafegando em gelo fino. Em muitos pontos é apenas um governante inexperiente e medíocre, cujos erros custarão caro, mas tendem a ser corrigidos pelo recurso às instituições de autodefesa desenhadas pelos *founding fathers* da república americana e fortalecidas à medida que ela ascendeu à posição de potência de primeira grandeza. Dificilmente frustrará aqueles que dele esperam o pior. O desprezo e desrespeito pelos compromissos multilaterais assumidos pelo Estado americano atingem como mísseis desgovernados o delicadíssimo equilíbrio geopolítico global, em um momento em que dominam processos disruptivos. Abandonar o multilateralismo quando é crescente a ineficácia dos Estados nacionais em dar respostas isoladas a problemas que se manifestam localmente, mas têm origem ou alcance globais, é um ato de insensatez.

Tudo fica mais arriscado e em aberto se o sistema de hegemonia está em declínio e há potências poderosas em movimento que desestabilizam a precária ordem global. Basta olharmos o cenário internacional e encontraremos as marcas do perigo. O impasse nuclear com a Coreia do Norte e a Síria; a limpeza étnica que vitimou os rohinghya, povo indo-ariano de Rakhine, em Myanmar; a perseguição e o confinamento forçado em campos de "retreinamento" dos muçulmanos uyghur, em Xinjiang, na China; os atentados terroristas em vários países europeus. Não são por acaso. Fazem parte do momento particular da história humana que estamos vivendo, de um mundo e uma ordem global em declínio, enquanto novos modos sociais não estão suficientemente maduros para oferecer soluções novas para os conflitos. Em todos esses eventos e numerosos outros, pode-se dizer que algo não está funcionando bem, ou de acordo com o previsto. Não se conhecia a extensão dos campos de confinamento em que os chineses aprisionam mais de 1 milhão de muçulmanos da etnia uyghur até o vazamento de detalhes do "retreinamento". Mas o mundo mantém um silêncio conveniente diante de uma China emergente, cuja máquina econômica se tornou uma arma mais poderosa que seus recursos militares.

O horror da limpeza étnica conduzida pelos militares contra os rohinghya nos enche de espanto pela recorrência e pela persistência. O silêncio teimoso e suspeito da prêmio Nobel da paz, Aung San Suu Kyi, sua impassividade, mostra que, nos tempos de hoje, até os heróis têm prazo de validade. Ela não foi capaz de mostrar a mesma coragem de sua longa luta contra o poder militar e pela democracia. São, novamente, os militares a desafiar o mundo e a nova líder, perseguindo esse povo que, além de "estrangeiro" (um povo sem Estado), é de maioria muçulmana. Suu Kyi rendeu-se aos militares e à maioria budista. Perdeu o apoio de todos os antigos aliados que conquistou no mundo, quando de sua luta contra a tirania. O escritor Gavin Jacobson, em artigo na *The New Yorker*, chamou-a de laureada ignóbil por seu silêncio. Um cessar-fogo precário não pôs termo ao impasse, o governo de

Myanmar não reconhece oficialmente os rohinghya como uma minoria legal e lhes nega os direitos e a cidadania.

A Coreia do Norte, até pouco tempo uma relíquia bizarra, passou à categoria de risco global desde que se tornou um poder nuclear. Esse fato não foi, ainda, processado de forma politicamente adequada nos Estados Unidos e na Europa. O país domina as tecnologias para produzir armas nucleares e para lançar mísseis balísticos intercontinentais. Deixou de ser um ator regional para tornar-se um ator global. Estão faltando realismo e visão para administrar o novo risco norte-coreano. Se o país continuar a ser tratado como um pária, ao qual deve ser vedado acesso ao que ele já domina e possui, só restam ações com custos inadmissíveis, como um ataque preventivo. Ou cujos efeitos colaterais agravam o quadro, como mais sanções econômicas. É certo que o mundo se tornou refém de um país totalitário, dominado por uma casta militar, feliz em proporcionar ao jovem ditador hereditário armas nucleares para ele expor como símbolo de potência. Mas não é menos certo que só uma solução política, que implica tolerar a existência dessa construção nacional exótica, possa conter esse risco que se tornou global. O status nuclear da Coreia do Norte não é mais reversível. É pouco provável que o país tenha alcançado esse status apenas porque drena todos os recursos para a casta militar, deixando o povo na miséria e tiranizado. O país não poderia ter avançado tanto se a China não tolerasse seu avanço nuclear. Para os governantes chineses, o risco maior não é a nuclearização da Coreia do Norte e sim o seu colapso, que poderia levar à reunificação, sob controle hegemônico da Coreia do Sul (República da Coreia). Esse desfecho criaria um rival à China que, aliado ao Japão, poria em xeque sua supremacia na Ásia. O desenvolvimento da capacidade nuclear norte-coreana atendeu aos militares que a dominam por trás dos ditadores da dinastia Kim e aos interesses geopolíticos da China. Não por outra razão, o governo chinês adotou posição ambivalente, condenando os testes nucleares norte-coreanos e negando apoio a mais sanções econômicas ou ações militares preventivas.

Admitir a Coreia do Norte como potência nuclear implicaria mudar a estratégia de negociação para induzi-la a aceitar as limitações que os outros poderes nucleares já aceitaram. As limitações são conhecidas: não aumentar o estoque de bombas, interromper os testes nucleares e de mísseis, não exportar a tecnologia. Essa via tem sido sugerida por consultores e politólogos americanos e europeus. A admissão ao clube das nações com poder nuclear, segundo o politólogo Larry Diamond, de Stanford, levaria a uma outra atitude, passando das sanções aos incentivos, na esperança de que a Coreia do Norte responda melhor a estímulos positivos e adote uma rota reformista como fez a China. Não deixa de ser uma rota cheia de perigos e de componentes desagradáveis, mas é a que tem a melhor chance de evitar resultados muito piores. O maior risco é que esse tratamento à Coreia do Norte incentive outros países a seguir o mesmo caminho, promovendo nova corrida nuclear. A decisão unilateral dos Estados Unidos de não renovar o tratado assinado em 1987 com a Rússia para a não proliferação de armas nucleares de alcance médio (INF — Intermediate-Range Nuclear Forces Treaty) representa, todavia, um risco maior e mais iminente de produzir uma nova escalada de armas de destruição em massa.

Desde que o mundo tomou consciência de que o uso do arsenal nuclear nada resolveria e apenas liquidaria com a maior parte da população do planeta, a noção de poder armado, ou hard power, começou a perder importância nas relações internacionais. Com a mudança estrutural global por que passamos, desde finais do século XX, os recursos mais importantes passaram a ser ciência, tecnologia, conhecimento, influência cultural e expertise diplomática. É uma forma mais sutil de poder, o soft power, termo difundido pelo politólogo Joseph Nye. Ele se assenta na reputação construída a partir da ascendência intelectual, em um mundo digitalizado e globalizado. Não se acumulam os recursos necessários para exercer esse tipo de poder no mundo com a mesma facilidade com que se arma um exército. Hugo Chávez montou, em poucos anos, uma das forças mais bem armadas da América do Sul, importando armas da Rússia com o dinheiro do petróleo. Comprou o apoio dos militares ao projeto político autocrático, mas nada ganhou em prestígio. O prestígio durável da Venezuela vem do El Sistema, concebido pelo músico José Antonio Abreu. Ele consiste em um sistema de educação de jovens com alta capilaridade, que gerou mais de uma centena de orquestras juvenis, três dezenas de sinfônicas jovens, formadas basicamente por meninos e meninas de baixa renda. El Sistema gerou virtuoses e maestros que correm o mundo e projetam uma imagem sonora e brilhante de uma Venezuela hoje, no mais, em escombros. Internamente, ele promove a autoestima e abre caminhos de sonhos aos jovens pobres do país cada vez mais miserável. Mundialmente, dá prestígio a uma nação que perde apreço mundial com os avanços autoritários de Nicolás Maduro.

É difícil construir esse poder sutil da ciência e da arte e fácil destruí-lo. Os Estados Unidos, ao sairem da Guerra Fria, tinham um aparato intelectual potente para manter sua influência global. Ao longo das décadas do pós-guerra, desenvolveram uma rede de universidades de altíssima qualidade, centros tecnológicos ultradinâmicos, Hollywood, Walt Disney, Broadway, um mercado editorial pujante, uma imprensa diversificada, qualificada e independente, cobrindo todas as correntes de pensamento do país. Na economia, Wall Street oferecia a plataforma para a globalização do poder financeiro, por meio de seus fundos de pensão e investimento, que concentravam parte significativa da poupança de uma sociedade de massas consumista e, já no início da transição, detinham a propriedade da maioria das grandes empresas do país. O Silicon Valley forneceu a base de desenvolvimento das tecnologias digitais criando e olhando para o futuro. Uma infraestrutura de hubs universitários que substituía, com vantagem, o complexo industrial-militar, o fundamento do hard power americano no século xx. Não por acaso, nesse ecossistema soft surgiram potências econômico-culturais como Apple, Microsoft, Amazon, Google, Facebook, Twitter, entre tantas outras. A China, agora, segue o mesmo caminho, abandonando a economia da cópia barata para a economia não menos competitiva da alta tecnologia.

O Brasil sempre foi pobre em hardware, mas construiu um aparato cultural sólido, ainda que muito concentrado e com relativamente poucas vozes, além de uma diplomacia de primeira, refinada e técnica. A literatura brasileira alcançou e mantém prestígio internacional, embora com poucos autores e poucos leitores. O cinema brasileiro, desde o Cinema Novo, teve grandes nomes de projeção internacional. A Bossa Nova influenciou a música mundial e, nos dias de hoje, tem até mais prestígio internacional do que nacional. Nas universidades públicas, formaram-se, em ambiente inóspito, ilhas de excelência científica. Por causa delas o Brasil participa de redes globais de pesquisa de grande influência, como o projeto Genoma e várias iniciativas relevantes na pesquisa médica. Institutos públicos de pesquisa permitiram ao país desenvolver capacidade científica e tecnológica competitiva em áreas estratégicas. A Embrapa teve papel essencial no desenvolvimento de tecnologias que tornaram nossas commodities agrícolas competitivas. Conseguimos nos projetar na pesquisa espacial e climática, com o Instituto Nacional de Pesquisas Espaciais (Inpe). Sua capacitação, reconhecida e exportável, no monitoramento do desmatamento por imagens de satélite permitiu preservar grande parte de nossa diversidade biológica, a plataforma mais importante de soft power econômico que temos e que nos faz o maior país megadiverso do mundo. Na área médica, a Fiocruz habilita o Brasil na pesquisa de ponta em endemias e na produção de vacinas e outros medicamentos essenciais. Criada no Império, a diplomacia brasileira tornou-se uma das mais competentes e profissionais do mundo. São muito poucas as diplomacias com formação e carreira que estimulam a excelência profissional e o refinamento cultural como a nossa. Ela deu ao Brasil influência e liderança no cenário multilateral, muito além do que nossos recursos econômicos e militares nos dariam.

Donald Trump só acredita em hard power. Prefere ameaçar com o poder militar, a persuadir com a influência que o país conquistou. Jamais demonstrou qualquer apreço pelo aparato cultural e científico do país. Ao contrário, desmereceu e rebaixou instituições científicas de primeira linha, como a Nasa, na sua cruzada negacionista contra a ciência climática. Atropelou diplomatas experientes e nomeou para cargos de representação do país no exterior pessoas com pouca ou nenhuma qualificação. Aposta no confronto, deixando de lado todas as possibilidades de exercer liderança por meio do soft power. Trump está minando as bases do poder mais sutil e efetivo dos Estados Unidos, com suas más decisões comerciais, políticas e diplomáticas. Incita o supremacismo branco. Ofende representantes eleitas para o Capitólio, com amplo apoio popular, por não serem brancas e de direita. Fustiga as instituições republicanas, porque não fazem sempre sua vontade. Usa a tecnologia digital para disseminar fake news, investe duramente contra a imprensa profissional. Ao agir assim, na presidência, desvaloriza o patrimônio de prestígio global arduamente construído.

Este soft power está sob ataque, em todas as áreas, pelo governo obscurantista de Jair Bolsonaro, que contra ele trabalhou sistematicamente desde o início do governo. Paralisou o sistema educacional, fechou o fluxo de recursos para a pesquisa científica e tecnológica e investiu contra as universidades. Criou uma assombração ideológica que em tese estaria dominando nossa produção cultural e ocupou com desafetos da cultura e censores todos os aparatos culturais e de promoção cultural do governo federal. Também voltou o filtro ideológico para as universidades e escolas, para promover a censura a áreas de conhecimento e às artes. Desacreditou o Inpe, a Fiocruz e o IBGE diretamente ou por meio de seus ministros. Está promovendo o desmonte do sistema de preservação e promoção da biodiversidade. Desmoralizou e rebaixou a diplomacia brasileira, fazendo julgamentos infundados sobre seu desempenho, pondo de lado os mais experientes e graduados e promovendo os que ainda não passaram pelo teste de qualidade da instituição. Despreza a cultura e a arte do país, apoia a interdição de intelectuais a eventos culturais. Atacou o cinema brasileiro, reconhecido continuadamente nos principais festivais de cinema do mundo, para o qual prescreve, também, seu filtro censório. Tem atacado sistematicamente a imprensa profissional e disseminado mentiras. Bolsonaro está a ameaçar a reputação internacional do Brasil e destruindo a marretadas o nosso raro e valioso soft power. Nas relações externas, como no relacionamento interno, adotou uma atitude de confrontação.

Tem-se falado em ressurgimento da Guerra Fria, dessa vez opondo os Estados Unidos à China, no papel da desaparecida União Soviética. Mas a China não vem demonstrando ter a motivação e, mesmo, a capacidade para liderar e alinhar atrás dela outros países, como fez a URSS. Sua principal preocupação é geopolítica, com seu território continental, o controle definitivo sobre Hong Kong e o desejo permanente de recuperar o território perdido para Taiwan. Claramente, busca uma projeção para a África, como fonte de recursos naturais, e para países como o Brasil, atraída pela capacidade de produção alimentar.

Putin pode não ter o mesmo poder que a URSS, mas é forte o suficiente para evitar que a China e os Estados Unidos dividam sozinhos o poder global. A Rússia tem em Putin um governante imperial. Nunca foi, não é e dificilmente será democrática no futuro visível. Putin se apropriou dos poderes tsaristas que haviam sido capturados pela cúpula do Partido Comunista, no período da URSS, sobretudo a partir de Stálin. Todo o seu jogo geopolítico objetiva recuperar o poder e a influência na sua região, que se estende ao Oriente Médio e à Europa Central. O conceito de "região", em geopolítica, é relativo. É geografia misturada à ambição de poder territorial. Tomado ao pé da letra, delimitaria os movimentos de Putin à área de influência no entorno de suas fronteiras, principalmente nos mares Negro e Cáspio: Crimeia, Ucrânia e Geórgia. Nele, já estabeleceu seu poder anexando a Crimeia e impondo seu domínio militar sobre a Ucrânia e a Geórgia. Mas suas ambições vão bem mais além. Ele se incomoda com o revigoramento da Otan e tem a clara intenção de intimidar os países-membros da organização no Báltico, como Letônia, Estônia e Lituânia. Seu jogo duro na Síria revelou que tem interesse estratégico inegociável no Oriente Médio. Nos países da Europa Central, equivocadamente denominados de Leste Europeu no período da Guerra Fria, Putin busca aliados, independentemente das inclinações ideológicas do governo. Encontrou um aliado, por vezes entusiástico, no presidente tcheco, Miloš Zeman, sucessor de Václav Havel, cujo mandato vai até 2023. O que tempera politicamente esse apoio do presidente tcheco a Putin é o parlamentarismo. O primeiro-ministro Andrej Babiš mantém o país mais próximo da União Europeia, embora com reservas. A instabilidade do governo põe em dúvida a persistência da posição tcheca.

O maior problema para Putin, contudo, é a Polônia, que desde sua entrada para a Otan, em 1999, se alinhou fortemente com os Estados Unidos e a União Europeia. A Russia define Kaliningrado como um ponto geopolítico vulnerável, cercado por Lituânia e Polônia, membros da Otan muito ligados aos interesses dos Estados Unidos. A Lituânia teme a ameaça russa, ainda marcada pela experiência com a dominação soviética. A Polônia, também, ainda reage às relações entre Moscou e Varsóvia do período de hegemonia do Kremlin. Mas a União Europeia — e, em decorrência, a Otan — tem seus próprios problemas com a coalizão de países centro-europeus conhecido como Grupo de Visegrado (ou V4), constituído de República Tcheca, Polônia, Eslováquia e Hungria. Foi esse grupo que impediu Frans Timmermans, braço direito do ex-presidente da União Europeia, Jean-Claude Juncker, de sucedê-lo no cargo, apoiado pelos socialistas. A Europa Central está sob controle político de lideranças de direita e centro-direita, populistas, como Babiš e Viktor Órban. Este último, por exemplo, mesmo muito próximo de Trump, prefere manter-se no bloco regional. O V4 consegue ficar suficientemente unido e autocentrado na defesa de seus interesses comuns, diferentes tanto do restante da União Europeia como dos Estados Unidos e da Rússia.

Quando se somam todas as ações geopolíticas de Putin, um egresso da nomenclatura de segurança da URSS, o mapa do que ele parece considerar como região de influência russa se parece mais e mais com o mapa da antiga União Soviética. O governante russo é um estrategista sagaz e agressivo. Antecipa suas jogadas, procurando estar sempre um ou dois lances à frente dos competidores. Já demonstrou que não tem escrúpulos. É o que tem levantado a suspeita de muitos analistas em Washington, inclusive do Partido Republicano. A insegurança aumenta porque não há clareza alguma sobre as reais intenções de Trump para as relações entre Estados Unidos e Rússia. Trump oscila entre a simpatia por Putin e a rivalidade com a Rússia. Ninguém sabe sequer dizer se o presidente americano tem mesmo uma estratégia, o que de fato pensa sobre a Otan e seu futuro ou sobre o projeto de poder regional de Putin. O autocrata russo, por sua vez, tem uma estratégia muito bem definida. Trump tem uma atitude confrontacionista tanto interna quanto externamente. Sempre que sua agressiva política de intolerância, racismo e chauvinismo gera reações adversas na política e na sociedade, define um alvo externo para confrontar e desviar o foco das apreensões e pressões. Putin faz o mesmo, embora seja um jogador frio e calculista, ao contrário do impulsivo Trump.

Na China, há, claramente, riscos geopolíticos globais embutidos na teoria Xi, recém-incorporada à Constituição chinesa, como avanço complementar às teorias de Mao Tsé-tung e Deng Xiaoping, que já a ela estavam incorporadas. No alentado discurso que a introduziu na abertura do 19º Congresso do Partido Comunista Chinês, em 2017, ele defendeu a ampliação das forças militares e alertou que militar só tem valor se souber combater. Os militares chineses terão que aumentar sua capacidade de combate. A China já é a potência militar indiscutível na Ásia. A expansão de suas forças armadas é um aviso sério a Taiwan e às Coreias, principalmente a do Norte. Não se pode desprezar a diferença que uma China mais militarizada fará no mundo. Embora continue a usar nas suas relações internacionais a estratégia de soft power — a habilidade de atrair e cooptar —, na política interna recorre, cada vez mais, ao hard power — à coação e à coerção. O governo sob comando de Xi Jinping está cada vez mais repressivo. É comum lermos sobre uma China dominante, em marcha forçada rumo ao capitalismo. Há até quem imagine que a China seja um modelo de capitalismo alternativo ao figurino neoliberal imposto por Wall Street. Mais raro é termos notícia da outra China, com seu modelo nacional-autoritário, que nunca abandonou o controle estatal da economia e da sociedade. Mais voltada para dentro, aceita menor crescimento econômico e é mais intolerante com a crítica. Censura as universidades, demite professores e prende intelectuais que ousam pensar mais livremente. É capaz de manter em campos de concentração a quase totalidade dos uyghur que professam o islamismo.

Se juntarmos o discurso de Donald Trump, a agressiva investida de Putin na reconquista do poder russo sobre sua região de influência na era soviética e a onda neomaoista na China, temos um quadro que parece de convergência autoritária. Mas, embora estejamos diante de dois tipos de nacionalismo populista e do revigoramento do nacionalismo autoritário chinês, a convergência é ilusória. O Estados Unidos, mesmo com as disfunções de seu sistema político, nasceram como uma democracia republicana. São o país de maior tradição liberal do chamado "mundo ocidental". Sua democracia elitista viveu, pelo menos desde o final dos anos 1970, um movimento crescente de fortalecimento dos direitos constitucionais. Estão sob ataque no governo Trump, mas até agora não houve lesão permanente ao sistema de direitos. A Rússia nunca foi democrática. Saiu do regime imperial dos tsares para o autoritarismo leninista e stalinista. Com a glasnost e a perestroika, viveu um período de instabilidade, até a chegada de Putin, que implantou uma espécie de czarismo civil. Seu governo é imperial, nada tem de democrático. A China também nunca foi democrática. Era um império dinástico e, com a revolução maoista, transitou para uma autocracia de partido. Tanto na União Soviética como na China de Mao, os regimes, embora sustentados por uma máquina partidária, com uma cúpula no controle do poder político, eram autocráticos, herdeiros de suas respectivas tradições imperiais. A Rússia pós-soviética teve apenas dois governantes: Yeltsin, entre 1991 e 1999, e Putin, desde 2000, incluindo-se o período em que dividiu o governo com Dmitry Medvedev (2008-12). Mao liderou a China da revolução, em 1949, até sua morte, em 1976. Foi sucedido como liderança dominante por Deng Xiaoping que, embora nunca tenha ocupado o primeiro posto da hierarquia política, foi o arquiteto das quatro reformas e do modelo de "um país, dois sistemas", pensado para acomodar o retorno de Hong Kong. Xi Jinping trabalha para ser a terceira grande liderança chinesa. Os outros dirigentes chineses não tiveram a importância desses três na formação do projeto chinês de desenvolvimento.

O que há de similar entre as três grandes potências é o nacionalismo, cada um à sua maneira. São reações a diferentes forças da globalização. Na China, levou a um recuo para o mercado interno, que foi negligenciado na fase voltada para fora do crescimento chinês acelerado sob a teoria Deng. Na Rússia, o nacionalismo é uma reação ao avanço da União Europeia e da Otan para países que estiveram na órbita da URSS. No caso de Trump, está na rejeição aos imigrantes e aos produtos made in China, que explica a guerra comercial aberta com este país. De qualquer modo, há o risco, no curto prazo, de modelos voltados para dentro, com repercussões negativas para a economia global, principalmente nos casos de China e Estados Unidos. Ondas nacionalistas em geral associam-se a impulsos autoritários. Na Rússia, isso é evidente. O nacional-populismo de Putin é claramente autoritário e belicoso. No caso da China, o reaperto autoritário também é claro. Como afirma o filósofo confucionista Jiang Qing, nem o maoismo, nem o confucionismo, as duas vertentes da teoria Xi, podem ser democráticos. Trump tem uma personalidade autoritária e intolerante. Mostrou isso desde sua primeira coletiva de imprensa. Mas não tem conseguido transferir essa personalidade para o governo porque os freios e contrapesos (*checks and balances*) da democracia americana continuam operantes. Há, todavia, muitos analistas políticos preocupados com a possibilidade de que os Estados Unidos percam suas virtudes democráticas.

A Europa não confia nos Estados Unidos. Essa afirmação pareceria perfeitamente normal e redundante se fosse da autoria de uma liderança da esquerda europeia. Mas quem a disse foi a conservadora chanceler alemã Angela Merkel, secundada pelo presidente francês, Emmanuel Macron, que desafia os limites entre conservadores e progressistas. Ambos disseram haver conflitos à porta da Europa e já não poderem mais contar com Washington como um aliado confiável. Para Macron, os Estados Unidos se juntaram ao conjunto de países que não cumprem sua palavra. Não se deve tomar essa atitude como uma reação a uma ou outra ação isolada, como a retirada do Acordo com o Irã, ou a saída do Acordo de Paris sobre o clima. Mas sim como uma reação ao conjunto da obra da administração Trump. Os socialistas e social-democratas nunca confiaram nos Estados Unidos, dominados pela ideologia do excepcionalismo americano, que se autoconferiu supremacia moral sobre as outras nações na defesa da democracia e da liberdade individual. Uma ideologia que alimentou a investida imperialista dos EUA e lhe conferiu a posição de liderança hegemônica no período da Guerra Fria. Os comunistas consideravam os Estados Unidos o perigo principal. Já para o socialismo democrático, o *American dream* havia sido construído sobre a repressão ao movimento sindical de origem europeia, na época de inspiração anarquista e socialista levada pelos imigrantes. Uma vez sufocado o sindicalismo de raiz europeia, tomou seu lugar o sindicalismo pragmático, visto pela esquerda democrática do continente com desdém e desconfiança.

Trump não abandonou a ideologia do excepcionalismo americano. Ele mantém a crença na superioridade moral de seu país e de que tudo que faz é em nome da democracia e da liberdade individual. Só que não. Ele tem uma mentalidade autoritária e é o mais autocrático presidente da história contemporânea dos Estados Unidos. Representa uma perigosa versão de nacionalismo encapsulada na crença inabalável da superioridade moral do modelo de sociedade americana. O isolacionismo assume, nessa visão, uma conotação ameaçadora de ação nacional no plano global no modelo caro à cultura americana do *lone ranger*, uma espécie de justiceiro solitário, disposto a impor a ordem com seu Colt Pacifier na mão, no caso, o mais poderoso arsenal militar do mundo — ainda. Esse vigilante individualista e arrogante, disposto a rasgar todas as regras e todos os compromissos feitos por seus antecessores para "consertar o mundo", é o mais ameaçador dos riscos desta fase da transição global. Ele tem os meios e a irresponsabilidade necessários para seguir adiante, se não for detido pelos freios e contrapesos da democracia americana. Trump conseguiu transformar os Estados Unidos em perigo à estabilidade europeia e tornou seus aliados conservadores mais vulneráveis. Está mais à direita deles e vem patrocinando um isolacionismo prepotente e individualista que deve mesmo ser considerado como uma ameaça global. Não só pelo que pode fazer, mas, sobretudo, pelas reações extremadas que pode provocar. Ele é, entretanto, o menos imperialista dos presidentes americanos. Quer o país voltado para si, não mais o guardião sempre alerta da democracia mundo afora. Ele quer fazer o país grande de novo e o vê no presente como uma nação ameaçada pela China, na economia; pela imigração que flui pela fronteira com o México, na sociedade; e pela ardilosa Cuba, a espreitá-lo como um bergantim pirata pronto a acossá-lo pela costa caribenha. Interfere em conflitos regionais, inclusive com força militar, de forma idiossincrática ou quando precisa desviar a atenção do público americano do front interno para o externo.

Em um mundo que enfrenta as turbulências da mutação global, a instabilidade geopolítica é praticamente um dado. Mas uma gestão impulsiva e intolerante como a de Trump, comandante em chefe do maior poder militar do planeta, ou a de um autocrata ambicioso, ousado e agressivo, como Putin, deixa tudo mais complicado e perigoso. Não é a reedição da Guerra Fria, que, com o passar do tempo, se tornou um jogo de equilíbrio com mecanismos de deterrência capazes de administrar adequadamente os eventos mais graves de instabilidade e conflito. É uma situação de desequilíbrio dinâmico, multipolar ou com polarizações cruzadas, que tem na China um contrapeso muito mais relevante, por sua recente pujança econômica, do que foi na Guerra Fria. Os fatores de risco, neste novo contexto globalizado, emergem de forma imprevista. As decisões estratégicas sofrem descontinuidades determinadas pela complexidade dos interesses díspares em jogo, pela instabilidade da política doméstica das principais potências e pelas turbulências econômicas provocadas pelas transformações estruturais em curso. Para que se alcance real multipolaridade, entretanto, seria preciso um mundo muito mais organizado e equilibrado do que temos hoje. Essa não é uma probabilidade real para esta etapa, muito mais anárquica, do processo de mudança. É, no máximo, uma das possibilidades de construção futura de uma nova ordem global. Nada indica, porém, que seja mais provável, ou menos utópica, do que uma futura ordem cosmopolita, baseada em uma sociedade mais globalizada, na qual a soberania dos Estados nacionais seria residual. A multipolaridade pressuporia que os Estados nacionais mantivessem parte significativa de sua força. O cosmopolitismo conviveria melhor com uma sociedade global mais forte e democratizada, Estados nacionais fracos e cidades autogovernadas. Nem o mundo multipolar de fato, nem o mundo cosmopolita parecem plausíveis sob o olhar de hoje. Todavia, são visões mais compatíveis com a globalização avançada. O presidente Donald Trump usa e abusa do jogo perigoso nas decisões de política interna e externa. Um dos casos mais escabrosos foi a separação forçada de pais e filhos detidos por imigração ilegal, violência essa que nunca foi inteiramente reparada. Trump levou ao limite seu jogo perigoso, aproximou-se da agenda dos setores mais extremistas da sociedade, assumiu riscos muito altos de danos à integridade física e psicológica das pessoas. Prender imigrantes como se fossem criminosos comuns, separá-los de suas crianças, detidas em gaiolas, é mais que uma afronta humanitária, é um ato de discriminação violento e supremacista. A rejeição extremada aos imigrantes, embora impulsiva, satisfez as expectativas dos supremacistas brancos, que consideram os não brancos moral e intelectualmente inferiores, e dos ultranacionalistas, que desejam uma nação exclusivamente para os americanos brancos. São todas manifestações de racismo, mas eles se julgam diferentes. No caso dos supremacistas, o âncora alt-right da Fox News, Brian Kilmeade, sintetizou esse sentimento de superioridade ao justificar a decisão de Trump. No *The Late Show* com Stephen Colbert, ele afirmou: "Goste-se ou não, essas não são nossas crianças, não é como se [Trump] estivesse fazendo isso com pessoas do Texas ou de Idaho". Os supremacistas brancos começaram discriminando negros e judeus, mas hoje veem com igual repulsa latinos, asiáticos e "muçulmanos", isto é, qualquer um oriundo dos países árabes. O American Nazi Party explica no seu site que não é supremacista, mas separatista: "Nós acreditamos que a separação racial é o melhor para todos, brancos e não brancos". Eles gostam de resumir sua ideologia com "catorze palavras", o equivalente em inglês a "nós precisamos garantir a existência de nosso povo e um futuro para crianças brancas". Uma dissidência dos "nazi", o National Socialist Movement, diz que "toda imigração não branca precisa ser evitada. Nós exigimos que se determine a todos os não brancos residindo na América que deixem a nação imediatamente e retornem à sua terra de origem: pacificamente ou à força".

Este é um dos perigos da política anti-imigrantes de Trump. Ela unifica a alt-right, os neonazistas e os grupos de ódio racial tradicionais, como a Ku Klux Klan. Esse nacionalismo extremado, como tem mostrado o politólogo Lawrence Rosenthal, de

Berkeley, tem agora no comando da Casa Branca alguém que fala sua linguagem. A própria visão econômica de Trump se assemelha à concepção de uma economia autárquica da tradição da direita, inclusive à doutrina econômica original do fascismo e do nazismo. O nacionalismo branco, ao contrário do racismo genérico, busca uma nação branca homogênea. Na alt-right, as pessoas discordam de como chegar a esse objetivo, mas concordam que esse é o objetivo de longo prazo, explica o politólogo da Universidade do Alabama George Hawley, autor do livro *Making Sense of the Alt-Right* [Entendendo a alt-right].

Trump tem provocado reações de ódio racial entre seus seguidores supremacistas brancos, xenófobos e chauvinistas que chegam a assustar seus assessores pelo perigo de uma escalada de violência étnica. Em julho de 2019, ele ofendeu o deputado Elijah Eugene Cummings, Democrata negro por Maryland, dizendo que era um fanfarrão de um distrito infestado de ratos e criminosos. Um distrito obviamente de maioria negra. Antes disso, investiu contra quatro ativas deputadas Democratas, Alexandria Ocasio-Cortez, de Nova York, Rashida Tlaib, de Michigan, Ayanna Pressley, de Massachusetts, e Ilhan Oman, de Minnesota. Críticas de seu governo, por fundadas razões, receberam do presidente como resposta que, se não estavam satisfeitas, voltassem para sua terra. As quatro são cidadãs americanas, três nasceram no país e uma se naturalizou na pré-adolescência. Num comício para seguidores radicais, Trump provocou gritos irados de "*send them back home*" [mande-as de volta para casa]. Ele nem se desculpou, nem parou com a agressividade. Apenas quando um assassino em massa matou vinte pessoas e feriu outras 28 na cidade de El Paso, no Texas, mirando claramente latinos, após ter postado um documento racista, o presidente falou em um pronunciamento contra os supremacistas brancos e o racismo em geral. O fato é que, como disseram as lideranças latinas nos Estados Unidos, palavras contam, e as palavras de Trump contra as parlamentares e em discursos de campanha tinham evidente conteúdo supremacista e racista, além de misógino. A tensão racial aumenta exponencialmente porque suas atitudes têm apoio na maioria republicana que se ressente da decadência econômica de suas indústrias e de seus distritos tradicionais. A maioria das facções da extrema direita americana defende a melhoria de condição dos trabalhadores *blue-collar* (os operários das manufaturas tradicionais), do setor metalomecânico e dos setores da classe média tradicional e quase toda branca ressentidos com a perda de renda e status. Grande parte dessas correntes adota alguma forma de populismo econômico. Na pesquisa de popularidade presidencial Reuters/Ipsos de 18 de setembro de 2019, Trump era aprovado por 83% dos Republicanos, embora fosse desaprovado por 89% dos Democratas e 60% dos Independentes. A polarização da sociedade é evidente nesses resultados, que têm variado pouco.

Outro clássico da psicologia social interfere na identificação dos eleitores Republicanos com Trump. A identificação emocional suplanta a avaliação objetiva. Ela ocorre, também, na relação de Bolsonaro com seus fiéis seguidores. É o mesmo tipo de sentimento que faz as pessoas apaixonadas por um time não admitirem a marcação de um pênalti contra ele, ainda que a falta tenha sido evidente, ou que alimenta a intolerância entre Igrejas. Nesses casos, mesmo se as pessoas forem capazes de reconhecer que há algo inadequado em seu time, Igreja ou líder, estão inclinadas a não lhe dar relevância. O apoio emocional a personalidades tão controversas tende a gerar, em contrapartida, oposição também emocional e extremada. Numa sociedade polarizada, esse confronto de emoções explosivas incendeia a radicalização. Trump e Bolsonaro assumem conscientemente o risco de dividir profunda e radicalmente a sociedade de seus países. No limiar da violência, seus efeitos desestabilizadores não têm precedentes, pelo menos desde os anos 1960.

No entremeio, a União Europeia se encontra na encruzilhada da maturidade. Vive o desassossego da meia-idade. O Tratado de Roma, assinado por seis países em 1957, criando a Comunidade Econômica Europeia (CEE), é considerado o marco inicial desta que é a mais importante inovação da política global do século XX. Foi uma construção difícil, penosa, demorada e que ainda não está consolidada. Passa por um de seus mais duros testes, encurralada pela Brexit, pela ameaça da onda populista da direita ultranacionalista, totalmente anti-Europa, e pela crise migratória. A UE ainda não se recuperou inteiramente da crise de 2008, originada no colapso do *subprime*, as hipotecas podres, nos Estados Unidos. Enfrenta alto desemprego, sobretudo de jovens, alimentando o descontentamento e o desencanto. Parte dessa aflição é catalisada pelos populistas, outra parte pelos extremistas, e o restante mergulha no niilismo e na alienação. Esse nevoeiro tóxico de problemas impede que se possa admirar, na sua inteireza, a complexa e bem-sucedida arquitetura federativa que surgiu após o trabalho de décadas. Relembro apenas algumas das etapas essenciais, que exigiram delicada negociação, renúncia e um enorme esforço político e coletivo. Somente onze anos depois da criação oficial da CEE, a união aduaneira da comunidade, base essencial do Mercado Comum, foi efetivada. O Reino Unido só aderiu dezesseis anos depois, em 1973, e com a Brexit iniciou a saída, que terá múltiplas consequências negativas e cuja extensão não é possível estimar com precisão. A primeira eleição para o Parlamento Europeu aconteceu 22 anos depois do Tratado de Roma, em 1979. O efetivo processo de integração começou 28 anos depois, em 1981, sob o comando do socialista francês Jacques Delors, ex-ministro da Economia de François Mitterrand, que presidiu a Comissão Europeia por dez anos. Finalmente, 42 anos depois, em 1999, foi criado o euro, a moeda comum europeia, a mais ousada criação da passagem para o século XXI.

A saga do euro representou uma impressionante vitória daqueles que desejavam uma verdadeira federação de nações europeias. Implicou a abdicação da soberania monetária e o abandono de moedas emblemáticas, de grande carga histórica, como o marco alemão e o franco francês. As intensas negociações duraram trinta anos, da cúpula de Haia, em 1969, que definiu como objetivo da Comunidade a União Monetária Europeia (EMU, na sigla em inglês pela qual ficou conhecida), até a criação da nova moeda, em 1999. Foram precisos, porém, 23 anos de idas e vindas, muito conflito e negociação, até que o Tratado de Mäastrich (1992) definisse finalmente os critérios para a criação do euro e as bases fiscais e monetárias da moeda comum. Sete anos depois, o euro foi adotado por onze países. Em 2001, a Grécia aderiu à moeda comum. Em 2002, as cédulas e moedas de euro circulavam em doze países como principal meio de pagamento. Não existe construção política similar na história contemporânea. A União Europeia, ao adotar a moeda comum, superou as arquiteturas políticas multilaterais, como a Liga das Nações, criada após a Primeira Guerra, ou a ONU, criada depois da Segunda Guerra, o Fundo Monetário Internacional e a Organização Mundial do Comércio. Seria uma tragédia se fosse demolida em razão de seus problemas conjunturais e dos impulsos dos conservadores britânicos. A Europa vive os traumas deste momento de processos fortemente desestabilizadores e enfrenta problemas próprios, principalmente associados à dificuldade de promover a efetiva coordenação macroeconômica em períodos de crise fiscal de países-membros.

Neste momento político-econômico do mundo, toda crise parece insolúvel. Mas as soluções surgem do engenho e da arte das lideranças que se mostrem capazes de apresentar soluções estruturais para os problemas coletivos e que atendam ao bem-estar da maioria. O mundo vive uma grave contradição e ela afeta a democracia em todos os países. As economias se globalizaram. A ciberesfera (internet + comunicação móvel + internet das coisas + realidade virtual) se tornou o principal ambiente para o fluxo de ideias e para as trocas culturais. Economia e sociedade se digitalizaram. A política, enquanto isso, continuou local e analógica. O sociólogo Ulrich Beck captou bem esse movimento. Para ele, a política não se globalizou nem se digitalizou. A globalização digitalizada na economia e na sociedade ainda é um processo emergente. Está em curso e no seu princípio. Grandes ondas de mudança ainda estão por vir. Na economia, ainda mal se começou a compreender inteiramente o alcance disruptivo de tecnologias digitais que só fazem sentido num mercado digital globalizado, como o blockchain. Vai revolucionar o mercado financeiro e a indústria de seguros. Um artista plástico radicado em Nova York me disse que o blockchain já está subvertendo inteiramente o mercado global de arte e alterando completamente a formação de preços das obras. As redes sociais ainda estão no seu estágio primitivo e já causam mudanças radicais. Mas a transformação é tão vertiginosa que criações já da era digital também são superadas pela onda subsequente de inovações. Os games, por exemplo, que se tornaram possíveis com a digitalização e constituem um mercado de perto de 150 bilhões de dólares, já têm seu modelo de negócios original contestado. Com a chegada dos multiplayer games na internet, os desenvolvedores não ganharão mais na venda de jogos, mas na permanência e retorno de jogadores on-line. Este é o sucesso, por exemplo, do Fortnite. Daniel, oito anos, que mora em Brasília, entrou em transe quando o Fortnite saiu do ar em todo o mundo, em outubro de 2019, por dois dias. Como ele, milhões de jovens entraram em ansiedade com o sumiço do Fortnite. Era uma jogada de marketing para chamar atenção para o lançamento do capítulo 2 do jogo. Ela somente foi bem-sucedida por causa da adição de milhões de jogadores fiéis e ansiosos em toda parte do globo. O Fortnite já começa a ser abandonado em favor de novos jogos. Tudo muda muito rápido, inclusive o foco de interesse do público. Trata-se de uma mudança dentro da mudança, após a qual os modelos de negócios de primeira e segunda geração já não mais se aplicam. A tecnologia de blockchain ainda vai revolucionar o mercado financeiro e muitas outras atividades na sociedade e na economia. Está em pleno desenvolvimento e não explorou ainda todas as suas capacidades. Mas já surgiu uma inovação no horizonte, aparentemente ainda longínquo, que a torna vulnerável. A computação quântica. Um horizonte que pode ser mais curto do que se imagina. No mesmo mês de outubro, a Google anunciou ter atingido a "supremacia quântica" com seu computador Sycamore. Ele completou uma computação complexa em duzentos segundos. Os mais poderosos supercomputadores convencionais levariam 10 mil anos para fazer o mesmo, pelos cálculos dos pesquisadores da Universidade da Califórnia, em Santa Barbara. É isto que se chama supremacia quântica. Esta distância tende a ser reduzida pelo avanço tecnológico dos supercomputadores, mas jamais será igualada, porque ela já é absurdamente alta, da ordem de 1,5 trilhão de vezes. A Lei de Moore, segundo a qual o poder de computação convencional dobra a cada dois anos, pode ser substituída, no futuro, pela Lei de Neven. Segundo esta, a velocidade com que os processadores quânticos superam os computadores convencionais fazendo cálculos complexos aumenta por uma dupla exponencial. O crescimento por uma dupla exponencial é tão veloz que não se conhece nada que cresça a esta velocidade no mundo natural. O autor da lei é Hartmut Neven, diretor do Laboratório de Inteligência Quântica Artificial da Google.

Os governos, todos analógicos e com perspectivas puramente nacionais, reagem de forma convencional e a uma velocidade muito inferior à Lei de Moore. Alguns, como os Estados Unidos, veem a ciberesfera como algo análogo ao mercado tradicional e desenvolvem políticas analógicas para ela. Na Europa, buscam regular a ciberesfera, sem se dar conta de sua natureza mutante e ultradinâmica. Na Índia, tentam moldá-la como um canal de bens públicos, financiado pelo orçamento estatal, criando um recorte útil, mas acanhado, do mundo digital para o cidadão. Outros países, como a China, resolveram dominar a ciberesfera autoritariamente da mesma maneira como dominam a socioesfera, para exercer controle social e político e fazer doutrinação. Xi Jinping está dando início ao que pode ser uma nova Revolução Cultural, aos moldes da maoista, usando armas digitais. Domina as tecnologias e as produz localmente, utilizando big data, reconhecimento facial e redes com este objetivo. É o modelo mais próximo do pesadelo orwelliano de *1984*. No Brasil, o governo a utiliza para disseminar fake news, como o fazem, também, Donald Trump e Vladimir Putin. Os três estimulam milícias digitais, que encontram abrigo muito próximo aos gabinetes presidenciais.

Todos tendem a fracassar. A ciberesfera não é um mercado convencional, como o analógico, que levou o capitalismo a seu auge e lhe deu o status de único modelo econômico do período após a Guerra Fria. É mais ágil e mais disruptiva, sendo capaz de escapar a qualquer arcabouço regulatório disponível. Também não se sustenta como uma infraestrutura de bens públicos. Permite incontáveis tipos de iniciativas, muitas delas controladas como vias privadas de uso comum. Tudo o que os governos pensarem será vertiginosamente superado pela rapidez das mutações na ciberesfera. Nenhuma "cibermuralha" digital resistirá por muito tempo aos ataques dos hackativistas. O ecossistema digital globalizado é muito mais aberto a formas anárquicas — individuais ou coletivas — de ação do que qualquer sociedade jamais foi. Esse individualismo digital e globalizado desafia todas as formas de controle estatal, empresarial ou organizacional nascidos analógicos. Mesmo quando os controles adotam meios digitais, serão sempre uma espécie de remasterização da base analógica. As fake news, como nova forma do boato e da difamação, vão se defrontar, cada vez mais, com fontes autônomas de checagem de notícias, imagens e origem de sua disseminação. Se os governos não sabem como controlar de forma segura a ciberesfera, sabem muito bem manejar os instrumentos de ciberguerrilha e já recorrem a eles com frequência na luta global de poder.

O processo de transformação digital produz reações preconceituosas de governos e de pessoas. Os governos o veem como uma ameaça. As pessoas acabam confundindo tudo com seu lado mais nocivo, seja como um mundo dominado por haters, um ecossistema mais afeito às fake news do que à informação fidedigna, ou um território de sedução para o mal. Como todo artefato humano, a ciberesfera e suas infinitas possibilidades têm virtudes e vícios. Todavia, tanto a globalização quanto a digitalização são irreversíveis e processos ainda em expansão. Quanto mais rápido nos adaptarmos, mais benefícios poderemos retirar da mudança. Na política, o dilema é mais profundo e mais complexo. O Estado nacional está se tornando o epicentro dos problemas e, principalmente, da crise da democracia. De todas as espécies institucionais desenvolvidas nos séculos XIX e XX, é a menos capaz de adaptar-se e a mais ameaçada de extinção. A reação típica é o retrocesso defensivo. Na economia, via políticas protecionistas. Na sociedade, via populismo, autoritarismo, censura e manipulação. No plano global, via nacionalismos e ultranacionalismos. Nada disso terá êxito no tempo histórico ou na história do futuro. Todavia, não há caminhos alternativos de adaptação e progresso já bem delineados.

A política pode se globalizar por meio de uma grande conversação digital e plural e estimular o desenvolvimento de mecanismos cosmopolitas de politização da ciberesfera. Mas a ideia de um governo global é assustadora. Parece implausível um governo global único democrático. Se houver um, o mais provável é que seja totalitário. Mesmo uma grande federação democrática da Terra, imaginada por autores de ficção científica, soa impraticável. A democracia, pelo menos como a conhecemos, se realizou no plano do Estado nacional. Mas o Estado-nação, como sabemos, não foi o primeiro ecossistema a desenvolver-se como democracia. O ecossistema originário da busca por uma república democrática foi a cidade. E faz todo sentido retornar às cidades para a base de uma nova vida democrática digital. As cidades se globalizam e se digitalizam com mais naturalidade do que as nações. Podem se tornar muito mais inteligentes do que qualquer Estado nacional. O encolhimento do espaço de poder e autoridade do Estado-nação e o alargamento dos poderes das cidades parecem um caminho muito mais plausível para compatibilizar democracia local com cosmopolitismo global democrático na sociedade digital emergente. A cidade inteligente pode revitalizar o coreto, como lugar para reuniões de deliberação coletiva. Todavia, digitalizada e reformada para ser sustentável, mais autossuficiente, com novo padrão de mobilidade e integralmente on-line, sobretudo com a banda 5G e a internet das coisas, o espaço público mais apropriado seria o coreto digital. Não apenas praça, mas também espaço digital de conversação entre cidadãos e entre estes e o governo da cidade. Cidades com esse perfil, conectadas a suas congêneres no plano global, são o retrato prospectivo de uma das vias para a governança global democrática.

2. A democracia ameaçada

TRANSIÇÃO POLARIZADA

As desestabilização generalizada que caracteriza a transição global provoca uma aguda perda de referências. Em um mundo dominado pela incerteza e pela insegurança, as pessoas apegam-se mais fortemente às suas afinidades afetivas, às identidades que lhes dão mais autoestima e segurança. Daí o fortalecimento das identidades, não necessariamente as tradicionais, de raça, gênero e religião, mas as socialmente construídas com base na identificação com certas reações àquilo que ameaça a segurança das pessoas. À fluidez e volatilidade das situações e das relações, de trabalho, de vizinhança, de convivência social, respondem com o fortalecimento de laços com pessoas que reagem do mesmo modo a determinadas situações genéricas, a determinados estereótipos e rótulos. Essa tendência é reforçada pelo individualismo típico desta fase histórica que vivemos, cujo único padrão referencial é dado pelo consumo e pela necessidade cada vez maior de se virar por conta própria.

Ondas de descontentamento e aflição derrubam lideranças e construções político-ideológicas em todo o mundo. Elas fizeram uma vítima notável na França. No final de 2016, o presidente François Hollande anunciou inédita renúncia à reeleição. Pela primeira vez, um presidente francês deixa de postular a recondução ao cargo. Os socialistas franceses namoraram atitudes que seriam mais próprias da direita, movidos pela perplexidade desses tempos líquidos, nos quais tudo que é sólido é derrubado pelas vagas da transição e se desmancha na espuma dos tempos vertiginosos. O PS francês há muito perdeu o rumo. Não foi capaz de conceber uma agenda para esses novos tempos de perplexidade, medo e confusão. A vitória inesperada de Emmanuel Macron e a nova maioria que obteve, promovendo a renovação de 75% da Assemblée Nationale, ocuparam pela centro-direita o vazio deixado pelos desencontros da esquerda e pelo extremismo da direita.

A esquerda ainda não entendeu a dinâmica da metamorfose que atravessamos. O socialismo democrático (ou a social-democracia) não tem conseguido se reposicionar. Na Espanha, o PSOE também não tem uma liderança notável. Pedro Sánchez, atual líder do partido, não demonstra ter os atributos necessários para conduzi-lo a uma nova revisão de ideias e objetivos, como fez Felipe González, nos anos 1980, quando convenceu o PSOE a deslocar-se para o centro, abandonando a matriz marxista. A exceção tem sido Portugal, onde inusitada aliança entre a centro-esquerda (PS) e a esquerda permitiu o primeiro experimento de responsabilidade fiscal com prioridade social e mantendo um crescimento razoável. Uma reação inteligente e progressista à austeridade imposta a Portugal pelos neoliberais de Bruxelas e que havia infligido elevados custos sociais ao país. A "geringonça" que rejeitou a austeridade e permitiu a António Costa governar o país e se reeleger nas eleições de outubro de 2019 é um caso singular. Mas aponta para a possibilidade de uma visão de esquerda mais contemporânea ao estágio atual de hegemonia do capital financeiro globalizado, que favorece os partidos de direita. Um caso de adaptação sem capitulação ao ambiente dominado pela lógica financista. Portugal não abandonou o imperativo da responsabilidade fiscal, mas mudou a distribuição dos custos, reduzindo os subsídios aos mais ricos para poder atender à maioria.

Os progressistas deixaram de entender as necessidades desse mundo em transformação, que envelhece suas convicções e seus modelos de análise. A direita retira sua agenda do fígado dos eleitores e dos impulsos do capital financeiro globalizado e hegemônico. Capitaliza os sentimentos à flor da pele, mas governa para aqueles que saem ganhando dessa fluidez global. Dura pouco no poder porque se torna rapidamente o objeto direto da ira popular. O nacionalismo protecionista e a rejeição dos imigrantes contratam rapidamente nova volta no ciclo de crise e a revolta dos discriminados. Eleitos por uma maioria difusa, de demandas variadas, prometem o que não podem ou não pretendem entregar. Sua pauta contraria a dinâmica da mudança, que é estrutural e inexorável, e nada tem a oferecer senão o retorno a um passado idealizado e políticas obsoletas. Desconforto econômico e tensão social, que frequentemente transbordam para a violência, marcam essa fase de comunhão entre a direita liberal ou a direita autoritária e o capital financeiro. São momentos de crise recorrente e governos efêmeros esses que vivemos no mundo todo. Maiorias instáveis vêm e vão de um polo a outro do espectro político, em busca de impossíveis soluções imediatas e definitivas. O problema da direita liberal é a emergência de uma extrema direita ultranacionalista e reacionária que lhe retira parte do apoio popular e sua incapacidade de imaginar políticas para mitigar o sofrimento social com a transição.

Por isso não importam os personagens na França, na Espanha, na Grécia, no Brasil. Nem os detalhes. O que importa é o roteiro. É como se as sociedades vivessem ao sabor de uma série da Netflix, com o mesmo enredo global, mas personagens e cenas formatados por um algoritmo focado no local. Uma série francesa, sintonizada no contexto francês, outra espanhola, outra grega, outra americana, outra brasileira, e assim por diante. Mas o roteiro básico é global até na reação antiglobalização. Nele devem constar problemas de imigração, nacionalismo antiglobalização, rejeição ao governo, desencanto com a democracia, os tópicos do momento. As idas e vindas, os avanços e tropeços são como que ditados pelos sentimentos e pelas reações amplificadas nas redes de cada público local. As agendas são construídas pelos trending topics que as pesquisas de opinião refletem apenas parcialmente. São reativas, não proativas. Improvisadas, não planejadas.

É a ressaca do século. As sucessivas ondas de mudança destroem os pilares das sociedades, sem revelar o novo plenamente. Há muita coisa fora do lugar na nova ordem mundial. Os interesses em conflito não se dissiparam, mas se truncaram. Por isso a esquerda, que sempre se valeu de modelos de conflitos estruturados, se perdeu. São conflitos de determinações menos precisas, na fronteira entre as disfunções da ordem em colapso e as formas emergentes, em desordem. Saímos da ordem para o caos e não sabemos ainda o caminho da nova ordem. O contexto não permite imaginar as direções nas quais a ordem advirá do caos, *ordo ab chao*. Veem-se a redução dramática da base manufatureira e o crescimento exponencial de serviços em rede. Postos de trabalho são destruídos para sempre, enquanto as ocupações da nova economia ainda são muito poucas e bem diferentes. O compartilhamento — uberização, airbnbização, spotifyização, netflixação, autolibzação — e a pulverização dos capitais levam à diluição da propriedade. Para o marxismo significaria redução da base de extração de mais-valia, encurtamento das oportunidades de lucro pelo capital produtivo. Esse mundo acabou, mas não é o fim do mundo. Ou a esquerda encontra um caminho plausível e convincente para uma travessia progressista ou se rende à hegemonia das direitas, as liberais e as autoritárias. É tudo efêmero, passageiro. Nuvem. As transformações se dão em todas as dimensões da vida e estão bem no começo. Há muita travessia antes de chegarmos ao novo mundo do século XXI. Mas ele é inevitável e é para ele, não para o passado, que a esquerda terá que encontrar uma narrativa e uma agenda para a transição. Este é o único caminho que lhe dá alguma chance de sobrevivência.

A reação adaptativa às ameaças do ambiente em mutação vertiginosa produz uma adesão ortodoxa a sentimentos e mentalidades afins mais que a temas ideológicos bem formatados e a questões morais. São um conjunto de crenças e preconceitos desconexos, costurados pelo ressentimento, pelo medo e pela raiva. É o domínio do espírito de time, do hooliganismo. As relações sociais e políticas passam a ser motivadas por estímulos de desafeição e afeição, muito mais do que pela defesa consciente de interesses. Impede a atualização da esquerda e a radicaliza. Impulsiona os populistas da extrema direita. Esse estado de espírito produz as polarizações políticas radicalizadas de nossos dias e a divisão do mundo entre "nós" que nos amamos e "eles" que odiamos. Daí para a violência basta uma série de afirmações irresponsáveis das lideranças que se tornam âncoras dessas identidades.

Donald Trump, num comício em Cedar's Rapid, Iowa, em 2017, convocou seus seguidores a "*knock the crap out of them*", referindo-se às pessoas que interrompiam seus discursos com protestos. Em português, a expressão rude equivale a "matar de porrada" os adversários. Ele estava incitando o recurso à violência política para calar seus adversários. "Vamos fuzilar esta petralhada", disse Bolsonaro em sua campanha e, depois de empossado presidente, usou várias vezes a expressão "mandar a esquerda para a ponta da praia", referência à execução de opositores no Rio de

Janeiro durante o regime militar. As pessoas não estão equipadas para absorver mensagens desse tipo seletivamente, respeitando contexto e especificidade. Trump e Bolsonaro mostram maestria na linguagem do ódio, explorando muito bem a dinâmica desafeição/afeição. Nenhum dos dois consegue eloquência similar no manejo da linguagem comum. Um exemplo de incivilidade que se repete em outros países.

A violência não é incomum nas democracias. A política nos Estados Unidos tem numerosos exemplos históricos e recentes de violência. No Reino Unido, em 2016, a parlamentar Joe Cox, uma estrela em rápida ascensão no Partido Trabalhista, foi morta a tiros por um oponente de extrema direita. Na eleição italiana, que deu a vitória à direita ultranacionalista, a campanha foi marcada por choques violentos entre "neofascistas" e "antifascistas". Mas o rótulo de neofascista está longe de ter o referencial ideológico e o conteúdo programático do fascismo de Mussolini. É um rótulo muito mais genérico e pobre em seu referencial doutrinário.

A violência pode matar e ferir pessoas, mas não atinge, necessariamente, as fundações da democracia. Na mais moderada das hipóteses, compromete seriamente sua qualidade e ameaça a estabilidade que é essencial à formação de governos capazes de enfrentar os múltiplos desafios dessa longa metamorfose. Dependendo das circunstâncias histórico-estruturais, porém, a violência nascida dessa polarização afetiva pode ser o prenúncio do colapso democrático. Depende da resiliência institucional de cada democracia.*

Essa "polarização afetiva" tem uma lógica própria. As pessoas se identificam com os rótulos partidários mais pela via da

* Analisei este tipo de polarização em "Polarização radicalizada e ruptura eleitoral", em Vários autores, *Democracia em risco? 22 ensaios sobre o Brasil hoje*. São Paulo: Companhia das Letras, 2019, pp. 11-35.

afeição/desafeição do que pela adesão a questões ideológicas, diz a politóloga Lilliana Mason. O processo de construção das identidades políticas se baseia nos sentimentos de inclusão e de exclusão. Esse tipo distinto de polarização social inclui preconceito político, raiva, entusiasmo e ativismo. A polarização da elite, segundo o politólogo Matthew D. Luttig, reforçou a relação entre a motivação básica para pertencer a grupos, a necessidade de certezas e a conformidade com as lideranças políticas, alimentando a divisão entre "nós, os bons" e "eles, os maus". A necessidade de certeza é uma forma de "cabeça-durismo" e leva a um partidarismo rígido, acrítico, extremado, enviesado e intolerante.

A nova política de comunalidades políticas rasas produz a má percepção das posições que estão sendo defendidas. Aqueles que discordariam delas em outras circunstâncias minimizam as dissonâncias e maximizam as convergências. As pessoas tomadas por essas identificações apaixonadas entram em estado de negação em relação ao que normalmente veriam como errado nas lideranças. A desafeição dos "outros" é resultado direto dessa identificação absoluta com aqueles que passam a ser um "nós" absoluto. As palavras de ordem, nesse ambiente, são tomadas genericamente e com extremismo. Avaliações superficiais sobre pessoas viram um comando genérico, encorajam o espírito de clube, do hooliganismo político. Seguidores de lideranças políticas passam a se comportar como torcidas organizadas violentas. Não se satisfazem em vencer o competidor, querem destruí-lo e a todos os que se identificam com ele.

Uma característica dessa nova forma de polarização é a ausência absoluta de autocrítica. Ela bloqueia qualquer reconhecimento de erros ou excessos. O PT nega usar a linguagem do ódio, da qual abusou nos discursos e nas redes para desqualificar opositores quando estava no governo. Os seguidores de Bolsonaro negam que ele incite à violência ou à intolerância. O errado é o outro: esta é a regra da política que não se faz pela razão e pela competição de ideias, mas pela lógica da afeição/desafeição, do "eu adoro nós" e "detesto eles", "nós aqui" contra "eles lá". Esse é o sentimento que faz a direita crescer e a esquerda estiolar. Do mesmo modo, são adeptos entusiasmados do "não fui eu", outra forma de dizer que o "outro" é o errado e "nós" os certos. O "não fui eu" é a forma de se eximir de responsabilidades coletivas, outro caminho da privatização do público e do afastamento da obrigação com o bem comum que é o fundamento do republicanismo.

A ONDA POPULISTA

Trump e Bolsonaro são replicantes dessa mentalidade agressiva, da polarização raivosa embutida nas redes sociais, como o Twitter, que os dois usam preferencialmente. É um método de comunicação com seus acólitos, sem risco, acrítico, distante da imprensa tradicional, sem ter que responder às perguntas incômodas dos profissionais. Não por acaso os dois bloqueiam quem os contesta. Desde a véspera de sua posse, Donald Trump gerou manchetes chamando para matérias entre perplexas e apreensivas com suas declarações e atitudes. É o que ele desejava, que toda a mídia e os analistas debatessem suas declarações, sem que ele ficasse exposto a suas perguntas. Bolsonaro faz a mesma coisa, e ainda recorre a lives no Facebook para se comunicar com seus apoiadores, sem a mediação dos profissionais da imprensa. Quando falam com a imprensa, escolhem meios e jornalistas que lhes são simpáticos e só lhes fazem perguntas amistosas ou formulam as incômodas de modo que se enquadrem na narrativa presidencial padrão. É o que Bolsonaro faz nas entrevistas, acompanhadas por claques que se misturam aos repórteres, na porta do Palácio da Alvorada. Recusa-se agressivamente a responder perguntas incômodas e conta com o apoio da claque para ajudá-lo a se desvencilhar delas. Ambos agem por impulso. Trump tem reconhecido que age assim com frequência. Esses impulsos revelam, no seu caso, sentimentos de repulsa e desprezo pelos "não americanos". No caso de Bolsonaro, o desprezo por índios, gays e mulheres tem sido evidente.

A decisão impulsiva é, por definição, uma ação realizada com um grau inadequado de deliberação, previsão e autocontrole. Ela revela incapacidade de controle emocional e superestimação da competência pessoal e da qualidade dos julgamentos que faz. Em estudo clássico da psicologia, Justin Kruger e David Dunning explicaram que as pessoas impulsivas não apenas chegam a conclusões erradas e fazem escolhas infelizes como não têm a capacidade cognitiva de reconhecer seus erros. É o efeito Dunning-Kruger. São pessoas emburradas, com vocabulário pobre, agressivas e que superestimam suas habilidades e seu desempenho. Uma descrição que cabe, perfeitamente, a governantes como Trump e Bolsonaro. A linguagem corporal de Trump, seus tuítes, o vocabulário parco e suas reações às críticas na imprensa e a pessoas que o contrariam confirmam essa personalidade impulsiva e autoritária do presidente. A linguagem corporal de Bolsonaro, seu modo agressivo de falar, seu vocabulário rasteiro, a irritação com perguntas indiscretas e a intolerância com a divergência e o que vê como desobediência também confirmam sua impulsividade e seu autoritarismo. É uma explicação satisfatória para o comportamento político sempre de alto risco e com elevado teor de agressividade.

Os 420 caracteres pessoais de Trump e Bolsonaro são suficientes para produzir manchetes, análises e especulações em toda a imprensa, dispensando-os do contato que poderia lhes cobrar o contraditório. Os dois são populistas na vertente contemporânea, dizem falar em nome do povo, são autoritários e totalmente avessos ao pluralismo. É essa nova versão do populismo que os aproxima de Nigel Farage, do partido de ultradireita britânico UKIP, do líder turco Recep Tayyip Erdoğan, de Viktor Orbán e de Vladimir Putin. Para o historiador britânico Timothy Garton Ash, um liberal, o populismo está em expansão no processo de desintegração da Europa e ameaça o mundo com sua visão iliberal e antidemocrática. Quem acredita na liberdade e no liberalismo deve lutar contra o avanço das tropas do "trumpismo" e seus similares, recomenda. A característica iliberal do populismo o contrapõe não apenas à social-democracia, mas também aos democratas liberais. "Iliberal" é uma expressão corrente no debate político, desde que foi popularizada por Fareed Zakaria, ao falar das "democracias iliberais", entre as quais inclui a Venezuela de Chávez, que de democráticas nada têm. Esse avanço populista, em todas as suas versões, à esquerda e à direita, ameaça os planos progressistas de uma democracia mais representativa e mais social.

Várias democracias na América e na Europa estão sob a ameaça dos populistas. Diferentemente do velho populismo latino-americano, a vertente que assalta as democracias mais maduras vem da direita nacionalista. O populismo, sob qualquer de suas formas, nasce da insatisfação e do ressentimento. O terreno no qual prosperam as lideranças populistas é marcado pela frustração das oportunidades, pela mobilidade regressiva, particularmente nas classes médias, e pela desigualdade crescente. Elas exploram o sentimento de abandono ou destituição. Não são sentimentos gratuitos. Estão ancorados nas falhas sistêmicas dos mercados e das democracias. As formas tradicionais de produção e circulação de mercadorias foram alteradas pela globalização, pelas mudanças tecnológicas, pelo desenvolvimento de novas modalidades de financiamento no mercado financeiro e pela instantaneidade da economia digitalizada. Tudo isso gera desigualdade e desemprego. Os novos padrões, alguns já emergentes, ainda não são capazes de gerar os empregos, a renda e o bem-estar necessários para compensar essas perdas e atender às demandas da maioria. O que piora o quadro é que as democracias estão dominadas por oligarquias políticas e econômicas que não representam mais amplas parcelas da sociedade. As camadas desrepresentadas emergiram fora das jurisdições cobertas pelos partidos, sindicatos e grupos de interesses organizados e encontram-se desamparadas. São rejeitadas pelo mercado de trabalho, não têm representação política e estão fora do alcance das redes de proteção social do Estado.

O populismo, com suas ideias econômicas obsoletas, antiglobalização, buscando impossível coerência entre medidas liberais e protecionistas, consegue entregar-lhes apenas momentos fugazes de euforia. Do insustentável crescimento produzido pelas aventuras macroeconômicas dos populistas de qualquer matiz decorrem profundas distorções nos quadros fiscal e distributivo. Desde meados dos anos 1990, grande número de países tem vivido ciclos econômicos de crescimento-crise recorrentes, associados a ciclos políticos de populismo-austeridade. O resultado dessa oscilação é o aumento das desigualdades, o crescimento do desemprego estrutural, a insatisfação e o ressentimento derivados da frustração das expectativas. A cada ciclo, faixas cada vez maiores da economia se mostram incapazes de recuperação. Foi o que aconteceu, por exemplo, com as atividades do chamado "cinturão da ferrugem" nos Estados Unidos, área de mineração de carvão e de indústrias metalomecânicas de baixa produtividade e sem competitividade. Em regiões como essas, não há futuro de retomada das indústrias tradicionais. Trump prometeu recuperá-las e fracassou. Capital e trabalho terão que ser reciclados para outras atividades em sintonia com o movimento da inovação tecnológica e da profunda alteração dos padrões econômicos e sociais. No interregno, viveremos perigoso quadro de agravamento de desigualdades e desconforto socioeconômico. Ulrich Beck define esse fenômeno como a sociedade do "indivíduo por conta própria". A rede de proteção social não consegue atendê-lo, é rígida demais para se ajustar rapidamente ao novo perfil demográfico e às limitações fiscais do Estado impostas pelos ciclos econômicos e pelas exigências de liquidez do capital financeiro globalizado. Passa a valer o princípio do indivíduo por conta própria que corresponde, na prática, à dura lei do "sua vida, seu risco", ou, mais popularmente, do "vire-se" ou "dane-se". As crises estruturais, portanto coletivas, passam a constituir risco pessoal de ver "sua vida" transformar-se em "seu fracasso". Apenas uma minoria de indivíduos adquire com a rapidez necessária a capacidade de combinar redes, construir alianças e fazer acordos, sempre por conta própria. Eles aprendem a viver e sobreviver numa atmosfera de risco permanente, na qual o conhecimento e as mudanças de vida são de curta duração e se multiplicam no tempo. Suas experiências de vida mudam rapidamente. Há mais liberdade para a experimentação, mas, ao mesmo tempo, as pessoas devem enfrentar o desafio sem precedentes de lidar, em tempo praticamente real, com as consequências de suas ações e das ações dos outros. A grande maioria não tem essa desenvoltura nem os recursos para tanto e engrossa a massa de despossuídos e ressentidos.

Em todas as sociedades industrializadas contemporâneas, do Brasil a Portugal e Espanha, da Grécia aos Estados Unidos, da França ao Reino Unido, uma proporção crescente dos jovens com mais qualificação que seus pais não consegue entrar no mercado de trabalho. O desemprego entre os que têm entre dezessete e trinta anos é, em geral, o dobro da média, às vezes quase o triplo. Na outra ponta, o ajustamento dos modelos previdenciários, desenhados para uma realidade que não existe mais, mesmo quando reformados para adequá-los à nova demografia, protege apenas indivíduos que estão em uma estrutura ocupacional e contratual em desaparecimento. O sistema de proteção social alemão data do período de Otto von Bismarck. Foi criado em 1884. O americano nasceu no New Deal, nos anos 1930. O francês é dos anos 1940. O britânico também. O brasileiro vem do governo Vargas, dos anos 1930. Aqueles que circulam pelas formas emergentes ou transicionais de trabalho e vida não são alcançados, nem pela rede de proteção social, nem pela previdência. Crescem, além disso, o desemprego e a desproteção na faixa de pessoas entre cinquenta e setenta anos, em um contexto de maior longevidade ativa. Forma-se, desse modo, a base eleitoral do novo populismo entre os mais jovens e os de idade madura. Essa situação precária de vida alimenta a aversão à política e aos políticos e o desencanto com a democracia representativa. Os populistas têm uma concepção instrumental da democracia. Eles a veem como um meio para chegar ao poder, mas não a aceitam quando oferece meios legítimos para limitar legalmente suas decisões ou para retirá-los do poder. Mas o fato de a rede de proteção ter encurtado não é razão para descartá-la. Ao contrário, indica a necessidade de redefini-la na direção dos novos desprotegidos. Sem ela, as calamidades que tendem a se tornar mais frequentes terão efeitos muito mais trágicos.

O desafio democrático faz tempo deixou de ser uma questão apenas política. Não há como revigorar a crença na democracia sem desenhar novas políticas de redistribuição e proteção social, compatíveis com as demandas e limitações da transição. Os partidos de esquerda, socialistas, social-democratas, trabalhistas, têm a vocação redistributivista, mas sua visão econômica é ultrapassada. Os conservadores, liberais e neoliberais, têm perspectiva econômica atualizada, mas são avessos ao redistributivismo. Preferem o princípio "sua vida, seu risco". O modelo da sociedade do indivíduo por conta própria é perfeitamente legítimo e moralmente justificável para eles. Portanto, o desafio democrático global é ainda mais complexo. Não pode ser resolvido com reformas pontuais. Ele requer um novo paradigma redistributivo, compatível com a nova realidade econômica e fiscal e com as novas demandas da sociedade. Mas não há, hoje, no espectro político, lideranças capazes de entender esse desafio e propor novos modos para resolvê-lo.

As crises tendem a provocar um movimento para os extremos. O avanço das mudanças tende a gerar surtos recorrentes de crise e representa um desafio sem precedentes para a democracia em todo o mundo. O ex-dirigente português Mário Soares, morto aos 92 anos, em 2017, dizia: "Sou de esquerda, sou socialista, mas antes de tudo sou democrata". Soares lutou a vida inteira pela democracia, foi protagonista na construção da democracia portuguesa pós-salazarista e nunca abandonou seus ideais. A democracia pluralista é o valor central que une todos os verdadeiros democratas. O ideal de mais igualdade e não discriminação de qualquer tipo deveria unir os progressistas. Os objetivos estratégicos podem separar liberais, social-democratas e socialistas. Hoje, as divisões, a degradação moral e política e a obsolescência ideológica fragmentam a esquerda e colocam a esquerda democrática em posição desvantajosa. Já o populismo autoritário cresce em muitos países movido pelo ressentimento, pela insegurança e pela angústia causadas por essas crises seriais da transição. Os democratas terão que repensar seus modelos e políticas, para atualizá-los e ir além da pura austeridade neoliberal, apresentando soluções estruturais que efetivamente enfrentem as aflições da maioria. Os socialistas terão que encontrar meios de atualizar sua visão econômica para incorporar os novos modos e abandonar aqueles superados historicamente. Sob pena de se tornarem reacionários, como já ocorre com muitas correntes da esquerda.

O populismo ameaça a democracia e a preparação das sociedades para as transformações que marcarão o século. Mesmo os Estados Unidos, que sempre foram vistos como uma democracia plenamente consolidada, embora elitista, correm o risco de retrocesso democrático. Há gente séria se perguntando se o país ainda é terreno seguro para a democracia. A ideia de que o país tem uma democracia elitista ou um regime de semissoberania popular sempre esteve presente nas análises de politólogos e sociólogos. Mas é a primeira vez que especialistas influentes começam a tratar o sistema americano de governança como não democrático. Alguns chegam a dizer que a ordem liberal-democrática se tornou uma fraude. Outros, que o regime se transformou em um autoritarismo competitivo. Tudo tem a ver com o aumento do conflito social e dos movimentos de protesto, provocados pelo estreitamento da representação política e das oportunidades sociais. Eventos anômalos e inesperados como a Brexit e a eleição de Donald Trump e Jair Bolsonaro são sintomas desse retrocesso sociopolítico.

Os politólogos Robert Mickey, Steven Levitsky e Lucan Ahmad Way, em artigo recente para a revista *Foreign Affairs*, afirmam que, com Trump, os Estados Unidos estão regredindo para o autoritarismo competitivo. Um sistema no qual as instituições democráticas relevantes existem, mas o governo abusa do poder de Estado para prejudicar seus oponentes. As ameaças à democracia americana vieram amadurecendo por décadas, criando o ambiente propício ao surgimento de um governante como Trump. O fator determinante desse progressivo deslizamento rumo ao autoritarismo, dizem, seria o aprofundamento da polarização e radicalização do Partido Republicano. A polarização radicalizada teria enfraquecido as defesas da democracia e tornado um governo como o de Trump ainda mais perigoso. Tudo agora dependeria do sucesso de seus apelos populistas. Se isso acontecer, a interrupção agravada do processo democrático não se daria por um golpe de Estado, mas por passos incrementais, a maioria legal e aparentemente inócua, mas que no conjunto levarão à hegemonia conservadora e iliberal. Essa ideia de microataques à democracia sempre me pareceu fundamental. Agora se tornou crucial.

A polarização radicalizada está plantada na distância crescente entre os ricos e o restante do país. Os politólogos Jeff D. Colgan e Robert O. Keohane afirmam que a ordem liberal-democrática foi manipulada. Ou se conserta o que foi deturpado ou ela desaparece. Eles veem na eleição de Trump e na Brexit as mais fortes indicações de retorno do populismo aos países de desenvolvimento maduro. Esses fenômenos seriam, além disso, um alerta relevante de que os principais desafios de política externa não emergem das relações entre nações, mas da política interna dos diferentes países. Ao ser sequestrada pelo capitalismo, a globalização ampliou a capacidade das elites econômicas de manipular as instituições internacionais para servir exclusivamente a seus interesses e criar nexos mais firmes entre elas e os governos. Quem ficou de fora foi o povo. Colgan e Keohane pensam que ainda é possível salvar a ordem liberal-democrática e liberá-la do perigoso controle populista.

Mas onde estaria a falha principal? Na quebra do contrato social que sempre foi o coração da ordem liberal-democrática e tinha o compromisso de impedir que aqueles em desvantagem diante das forças de mercado não fossem deixados para trás. Mas as defesas dos despossuídos asseguradas pela rede de proteção social foram severamente reduzidas e, em alguns casos, anuladas. O mais grave não seria apenas a ampliação das desigualdades que denuncia o estreitamento das oportunidades. Seria a segregação espacial e social que separa as elites do restante da sociedade, eliminando o sentimento coletivo de solidariedade ou comunidade — um ponto que há muito vem sendo tratado pelo politólogo Robert Putnam e pela socióloga Margaret Weir. Como as elites cosmopolitas estão se saindo muito bem e os sinais agregados de pujança das economias domésticas são confortadores, consolidou-se a ideia entre os formuladores de políticas públicas de que a solidariedade e a justiça social não são mais importantes para o bom funcionamento da democracia. As elites, especialmente aquelas abrigadas no mercado financeiro hegemônico, usaram a globalização, às vezes inadvertidamente mas outras vezes intencionalmente, para capturar a maior parte dos ganhos de riqueza e renda e não os compartilharam com as classes médias e baixas. Impostos regressivos, subsídios ao capital, verbas insuficientes para educação e saúde minaram o contrato social que preservava um sistema de oportunidades abertas, pelo qual parte dos ganhos da afluência financiava a ascensão das classes médias e baixas. O aumento da desigualdade e o fechamento das vias de oportunidades para realização pessoal e grupal estão produzindo desalento, ressentimento, ódio e rejeição a tudo que parece estar causando esse desconforto e a frustração das mais legítimas expectativas.

Isso não acontece apenas nos Estados Unidos. Esse mesmo processo pode ser observado, em menor ou maior grau, em todos os países democráticos do mundo. As perdas sociais causadas pelas falhas de mercado já não encontram propostas eficazes para sua correção e compensação. Para evitar que esse movimento leve ao colapso da democracia e das conquistas de um século de políticas públicas, é preciso buscar soluções que tenham substância e cuidem das percepções. Que respeitem os limites fiscais, mas reconheçam a necessidade de redefinir a rede de proteção social e de aumentar as verbas e a eficiência dos sistemas de educação e saúde.

Certamente é mais complicado do que isso. É um fenômeno global, e a ameaça à democracia é generalizada. O colunista do *The New York Times* Thomas Edsall entrevistou vários politólogos e sociólogos sobre os riscos que Trump representa para a democracia americana e ficou surpreso ao ouvir o impensável. Vários diziam haver risco de Trump buscar o caminho do golpe, ao se sentir inibido pelas instituições. Para evitar o colapso da democracia em novas formas de autoritarismo, competitivo ou não, populista ou não, o caminho seria fortalecer as salvaguardas democráticas, reestruturar as redes de proteção social e abrir novos canais de oportunidade. Desenvolver novas políticas e introduzir inovações institucionais que permitam voltar a proteger aqueles que são prejudicados pelas falhas de mercado. Redefinir as redes de proteção social, para assegurar cobertura justa e viável àqueles que perdem, temporária ou permanentemente, capacidade de gerar renda para seu sustento digno e àqueles setores emergentes que estão fora do seu alcance. Todos os autores levam em consideração as restrições fiscais. Estão falando em equilibrar o jogo sem desordenar as finanças. O problema é redistributivo. Em *A era do imprevisto*, desenvolvi argumentos semelhantes, mostrando como é perigoso permitir a eliminação dos mecanismos de proteção social nesse ponto da transição global, que destrói mais do que constrói. Reconheço que muitos deles se tornaram obsoletos ou fontes de privilégio. Mas não é o caso de eliminá-los e sim de substituí-los por outros que sejam eficazes para as novas situações de desproteção. O foco nos mais pobres supera o defeito dos programas que viraram fonte de privilégios. Ao mesmo tempo, a recuperação das democracias implica trazer o povo de volta para o sistema, revendo radicalmente os mecanismos de representação. A alternativa seria aceitar a democracia elitista ou o autoritarismo competitivo, em casa, e a ampliação dos conflitos intratáveis no plano internacional. Há uma corrente importante que aponta na direção oposta para a crise da democracia: menos povo e mais garantias constitucionais dos direitos. Uma espécie de tecnocracia constitucional.

O populismo não é novidade. É recorrente. Ele assume formas recondicionadas às circunstâncias de cada época. Mas seu miolo sociológico é conhecido. Tem o apoio de setores ressentidos da classe média, de parte da massa difusa, deslocada das categorias da estratificação social que vem se desfazendo. Tem um componente de reacionarismo, idealização de um passado, sempre irreal e irrealizável. Nasce em períodos que combinam muita mudança, muita incerteza, permanente instabilidade estrutural. O presente é a fase de mais extrema fluidez estrutural de nossa história contemporânea. Não é surpresa que ressurjam populistas a explorar a insegurança dos cidadãos. As transições profundas, radicais, são de grande complexidade. Difíceis de processar. Os modelos prospectivos baseados na extrapolação do presente deixam de funcionar. São os momentos em que o presente não contém informação suficiente sobre o futuro. Setores inteiros da economia, até pouco tempo responsáveis por parcela significativa da geração de renda e emprego, desaparecem ou se transformam radicalmente.

Basta um exemplo: a indústria automobilística centrada no motor a combustão empregava muito, sobretudo por seus efeitos dinâmicos na economia. As linhas de montagem estão sendo inteiramente robotizadas. A indústria está em metamorfose, passará a ter por centro o motor elétrico. O motor a combustão será abandonado em breve. As baterias se tornam o elemento de maior valor. Os carros passam a demandar novos materiais. Tecnologias digitais, GPS e inteligência artificial são incorporados ao funcionamento dos carros, não mais acessórios para maior conforto do motorista. Caem as barreiras à entrada; empresas poderosas tradicionais, como a Volkswagen, têm que investir em sua própria transformação para poder competir com novatas, como a Tesla, em seu próprio mercado de origem, a Alemanha. As alemãs, japonesas, coreanas, escandinavas, americanas e chinesas estão todas investindo nesta passagem para novas tecnologias. Países como China e Índia entram competitivamente neste novo mercado, que parece continuação do anterior, mas é mais que mera projeção. O primeiro estágio da mudança será para os veículos elétricos. Muitas, contudo, investem também num segundo estágio, pesquisando tecnologias de uso do hidrogênio. Muda a infraestrutura, postos de gasolina dão lugar a estações de recarga e, futuramente, a postos de hidrogênio. A indústria continuará a fertilizar outras indústrias, mas muito diferentes. Sai a siderurgia e entra a produção de baterias, novos materiais, mais leves e mais resistentes, futuramente o hidrogênio. As formas de comercialização também tendem a mudar, com aumento da participação do aluguel com pagamento por tempo de uso. Os requisitos para o emprego mudam radicalmente pelo efeito da disseminação da inteligência artificial e da robotização. Milhões de postos de trabalho serão destruídos. Milhões serão criados, mas demandando habilidades e qualificações totalmente novas.

Que reação pode ter a maioria da população, prisioneira e vítima de um processo incontrolável, difícil de entender e prever? Insegurança, medo e indignação. Ela quer explicações e culpados por essa doença coletiva da transição — terreno fértil para o populismo, de esquerda e de direita. Ambos oferecem a mesma coisa, com sinal trocado: um inimigo unificado e claro, culpado de tudo, explicação e solução simples. A massa é sempre vulnerável às mensagens fantasiosas e fantasmagóricas. Nenhuma das duas faces do populismo tem uma proposta econômico-social que funcione. Ambas carregam uma propensão irresistível ao autoritarismo. A esquerda tem sido incapaz de reciclar seus modelos analíticos, sua teoria da história e do conflito social. Acaba simplificando o que é complexo, optando por inimigos falsos e fáceis. Oferece soluções que não funcionam mais. Ultrapassadas, levam a esquerda para o campo do reacionarismo. No manejo dos recursos públicos, terminam por transferir mais renda para o capital, na expectativa de que os subsídios gerem emprego e renda, do que para os pobres pela via das políticas sociais. O populismo de direita nasce reacionário e tem inimigos imaginários, ou transforma fenômenos reais em espantalhos que possa queimar na pira da intolerância. Mesmo quando alega que seu modelo econômico é liberal, sua visão de mundo e sua política real são iliberais. Os populistas de direita, protagonistas da mais recente onda política, fazem ofertas muito atraentes e prometem o irrealizável. Na cesta de promessas, melhoria de renda, educação e saúde. Quando chegam ao governo, não conseguem realizar o ressurgimento que prometem. Ao contrário, ampliam as desigualdades e reduzem a escala dos serviços prestados pelo setor público, privatizando parte do que antes era objeto de política social. Intensificam os ataques aos inimigos por eles criados, como se sua eliminação fosse resolver os problemas. Frustram a maioria e terminam no recesso da história.

O que espanta é que intelectuais se deixem inebriar por essas promessas rasas. Economistas liberais acreditam que será possível implementar um regime de livre mercado sob o manto de governos populistas autocráticos. Logo descobrem que essa direita — que não é nova, mas parece ser — é politicamente autoritária e economicamente iliberal e surge apenas em momentos de profunda inflexão do processo histórico. Sacrifica sempre as liberdades econômicas em favor dos impulsos populistas. Terminam todos interferindo nos preços, subsidiando setores em situação terminal irreversível, intervindo na economia arbitrariamente.

O liberalismo, é verdade, fragmentou-se. Há uma corrente "livre-mercadista" que admite governos autocráticos, como se fosse possível separar as liberdades econômicas das liberdades políticas. Seria um mundo de investidores e consumidores totalmente livres, vivendo em um ambiente competitivo e de contribuintes e eleitores constrangidos por restrições que solapam sua soberania. O liberal autêntico continua a buscar o sonho clássico, de liberdades no mercado e na política. "Livre-mercadistas" há aos montes nos governos Trump e Bolsonaro; não agregam as liberdades políticas ao seu credo econômico. Convivem melhor com governos autocráticos. Mas também acabam descobrindo que a própria liberdade de mercado será sacrificada, se houver tensão entre política e mercado. Foi o que aconteceu, por exemplo, no Chile de Pinochet. As concessões contralibertárias dos "livre-mercadistas" redundaram em desigualdade, oligarquia e oligopólio.

O socialismo perdeu a aversão às desigualdades social e economicamente produzidas, aliou-se a setores retrógrados, colaborou para a persistência e, em muitos casos, o aumento das desigualdades. Perdeu a noção de quem são os aliados preferenciais e os adversários principais. Cedeu à tendência férrea da oligarquização da política. É nesse recuo dos liberais e dos socialistas democráticos que prospera o populismo autoritário e, circunstancialmente, "livre-mercadista". O engano de alguns intelectuais também é, todavia, parte infeliz da transição. O intelectual símbolo dessa *malaise* surgida da convivência entre um mundo que desvanece e outro que surge foi Heidegger, autor de uma filosofia brilhante mas que cedeu ao canto inebriante do nazismo. Uma das tarefas da crítica cultural, tomada no sentido que lhe deu o filósofo americano Richard Rorty, é mostrar os limites e contradições desses híbridos que surgem como acomodação a alternativas que violam os fundamentos de sua própria filosofia moral. Por outro lado, somos todos, igualmente, seres da transição. Vivemos a insuficiência epistemológica crescente dos nossos modelos, as deficiências de nossas explicações, a ineficácia estrutural de nossas soluções. Somos portadores do provisório e da dúvida. Precisaríamos conceber uma sociologia, uma política, uma economia e uma moral da transição capazes de lançar pontes móveis efetivas para o futuro que estaremos a construir.

A boa notícia é que essa onda populista é passageira. Beneficia-se de maiorias voláteis e difusas. Quando a direita populista começou a ganhar eleições na Europa e, depois, nos Estados Unidos, formou-se consenso generalizado de que era uma tendência global. O desencanto com a democracia representativa, que fora dominada por social-democratas, socialistas, coalizões progressistas e liberal-democratas, abria espaço para um longo período de hegemonia da direita. O Brasil confirmaria a tendência, ao eleger Bolsonaro. O avanço do populismo em várias democracias do mundo está associado à falta de respostas estruturais, que funcionem, para os problemas criados pela mudança global radicalmente transformadora. Além disso, crises fiscais resultantes dos estreitos limites criados pela própria transformação nos padrões econômicos e impulsionados pelo capital financeiro global hegemônico, pivô do novo padrão de financiamento de governos e empresas, levaram à adoção de programas de austeridade que solaparam a legitimidade dos governos de esquerda e centro-esquerda. Apenas Portugal, com sua "geringonça", uma coalizão de esquerda, reagiu à austeridade-modelo e buscou um caminho que preservou o legado progressista da era social-democrática.

A instabilidade macroeconômica e social decorrente põe em xeque modelos de negócios e a eficácia representativa das democracias. As sociedades contemporâneas são fluidas, mudam rapidamente, impelidas por forças sociais emergentes e pressionadas por forças sociais em declínio. Esse entrechoque entre forças desiguais inquieta e desestabiliza. Os segmentos emergentes não têm ainda recursos de poder, influência e mobilização suficientes para confrontar aquelas em declínio, acostumadas ao exercício do poder, portanto mais experientes no manejo da política.

A tendência global que parecia avassaladora e durável dá sinais de ser uma onda, que parece começar a refluir. O primeiro sinal foi a vitória da centro-direita sobre a direita ultranacionalista na França. Seguiram-se as derrotas do PP na Espanha, culminando na vitória e no governo liderado pelo PSOE. A solução para formar um governo veio, é verdade, com a ameaça representada pelo crescimento da extrema direita (Vox), na última eleição, tornando-se a terceira força. As eleições para o parlamento grego em julho de 2018, que levaram à substituição do primeiro-ministro Alexis Tsipras, de esquerda, por Kyriakos Mitsotakis, do Nea Dimokratia (Nova Democracia), partido conservador liberal-democrático, também confirmaram a hipótese de refluxo da onda. Os partidos de extrema direita foram quase eliminados da representação parlamentar. O principal deles, o Laikos Syndesmos Chrysi Avgi, ou Aurora Dourada, nem passou pela cláusula de barreira, ficando fora do parlamento. O outro, o Elliniki Lysi (Solução Grega), passou raspando a cláusula de barreira, com 3,7% dos votos, e conquistou dez cadeiras, 3%, do parlamento. Com a economia andando de lado, os traumas da austeridade ainda duramente presentes e problemas sociais domésticos agravados pela imigração de passagem, vinda pela fronteira com a Turquia, é notável que a maioria dos eleitores tenha se dividido entre a oposição conservadora liberal-democrática e a esquerda. A dupla derrota de Recep Tayyip Erdoğan na eleição, em março de 2019, para a prefeitura de Istambul, na Turquia, soma-se a essas pistas de refluxo. O crescimento dos Verdes e o resultado aquém do esperado dos ultranacionalistas, nas eleições para o Parlamento Europeu, de maio de 2019, e na Áustria, em setembro de 2019, mostraram mudança na direção do vento. Nessas eleições, os partidos mais extremistas da direita alemã e austríaca, o AfD e o FPÖ, perderam posições. Os sinais de refluxo estão presentes, também, na retomada social-democrática nas democracias nórdicas: Islândia, Finlândia, Suécia e Dinamarca.

Isto não significa, todavia, que estejamos diante de uma renascença social-democrática ou socialista no mundo. O que todas essas eleições indicam, sobretudo para o Parlamento Europeu, é a fragmentação política. Uma fragmentação que já pôs em xeque o bipartidarismo do modelo original de Westminster, de voto majoritário distrital, no Reino Unido, desde a coalizão dos

Conservadores de David Cameron, com os Social-Liberais de Nick Clegg. Ela estava evidente nas mais de duas dezenas de candidatos que entraram nas primárias do Partido Democrata nos Estados Unidos, em 2019-20, a cobrir um espectro político que vai da centro-direita à esquerda socialista. Com a proximidade das eleições, a fragmentação Democrata diminui e tende a ficar entre os representantes mais centrais das duas alas do partido, a esquerda social-democrática e a moderada, liberal-democrática. O mais provável é que a tendência real desta etapa da transformação estrutural global seja de fragmentação política. A fragmentação aponta para realinhamentos partidários futuros, com provável emergência de novos partidos, mais alinhados ao "espírito do tempo" e progressivamente mais representativos das forças sociais emergentes que se mostrem estruturalmente mais enraizadas. O refluxo da onda de direita seria perfeitamente compatível com essa tendência à fragmentação e posterior realinhamento partidário.

E por que a onda de direita refluiria? Porque essas lideranças apelam para a raiva, a decepção e o desencanto da maioria com a persistência dos problemas e a falta de representatividade da velha política. São, porém, incapazes de oferecer soluções estruturais que mitiguem os efeitos da transição e a tornem menos inóspita. Ao contrário, medidas ultranacionalistas, a radicalização na pauta comportamental, a rejeição aos imigrantes, o racismo, a intolerância religiosa, a homofobia, a aposta na violência policial nada resolvem. Apenas aumentam a rejeição a esses governos e à política. Desta forma, aumentam o desconforto geral. A decepção com o que parecia uma alternativa, uma novidade, amplifica o desgosto e afasta as pessoas da política. Pode dar em uma nova forma de alienação coletiva, um distúrbio de borda, de travessia, que agravaria a falta de opções políticas viáveis, democráticas e eficazes. Esse quadro de frustração, ao mesmo tempo que retira cidadãos, voluntariamente, da arena eleitoral, tende a aumentar a fragmentação política e partidária, na busca aflita por novas opções inovadoras. O grande desafio dos progressistas, hoje, é redefinir suas doutrinas e agendas, buscando soluções redistributivas inovadoras e efetivas, que observem as restrições fiscais à ação estatal. refinando prioridades. Somente assim serão competitivos na disputa por transformar as maiorias voláteis da atualidade em maiorias fiéis no futuro.

Em síntese, a provável superação da onda populista está em sintonia com a natureza da transformação estrutural global. São momentos de incerteza, insegurança e medo. Tudo isso provoca desalento e indignação, levando a buscas desatinadas, que abrem espaço para a sedução dos populistas. Estes se revelam, entretanto, pregadores de esperanças vãs. Ondas vão e vêm, dependendo das circunstâncias locais e da oferta de soluções. A fantasia reacionária dos populistas de direita dura pouco. Mas é preciso que os democratas e progressistas ofereçam soluções reais e minimamente duráveis para também não se tornarem beneficiários de maiorias fugazes. As eleições não têm a capacidade de superar a instabilidade política. Ela tem origens estruturais, e não conjunturais. Mas governos podem gerar momentos mais longos de estabilidade política, desde que sejam ágeis e tenham boas respostas para os ciclos de mudança e crise que se sucedem rapidamente. O que se tem visto é o retorno de parte do eleitorado de centro-esquerda ao seu veio habitual, após a decepção e a má experiência com os governos de direita radical. Não raro, no retorno, dividem-se entre os partidos tradicionais e novas legendas. O voto de ultradireita tem migrado para a centro-direita democrática — ambos movimentos auspiciosos para a ameaçada democracia representativa, que dá às forças democráticas a possibilidade de renovar suas agendas. Os partidos progressistas com pensamento relativamente novo, como parece ser, por exemplo, o Mera25 do ex-ministro das Finanças grego Yannis Varoufakis, são ainda muito raros. A esquerda tradicional tem apresentado propostas sem sincronia com o momento em que o mundo se encontra. Olha mais para trás do que para a frente. Costuma atribuir as atribulações presentes à malícia dos outros. Não tem se dedicado a compreender suas raízes estruturais e oferecer soluções inovadoras, que apontem adiante e que ajudem a mitigar os custos da transição para os mais desprotegidos. Insiste nos velhos modelos, quando deveria investigar a lógica e a dinâmica desta travessia inédita, que atinge alguns dos fundamentos estruturais dos paradigmas da esquerda. Com o amadurecimento das formações sociais emergentes, talvez se dê um realinhamento das forças políticas, gerando novos sistemas partidários profundamente modificados, ou, mais provavelmente, seus sucedâneos digitais, e a consequente renovação da democracia representativa, que pode se tornar mais participativa e aberta.

A MENTALIDADE AUTORITÁRIA

Os governos com mentalidade autoritária, surgidos da onda populista, têm mostrado comportamentos comparáveis. Uma das características comuns é a construção de ameaças e inimigos imaginários para justificar medidas restritivas e recuos reacionários. O escritor José Eduardo Agualusa lembrou em uma de suas crônicas para *O Globo* os grilos de Havana, cujo estrídulo atormentou os ouvidos delicados de funcionários da embaixada americana em Cuba. Foram usados para justificar a chamada dos diplomatas para casa e uma investigação sobre a ameaçadora arma acústica cubana. Não passavam de grilos estridentes. Em Minas Gerais, gostamos de contar histórias de fantasmas. Não conseguimos conter essa compulsão pelos contos de terror, quando estamos em uma antiga casa de fazenda, ou num daqueles grandes hotéis das estações de águas com o discreto charme da decadência. Mas por que falo das narrativas mineiras de terror? Porque elas são espertamente ajustadas para atingir as pessoas mais impressionáveis da audiência. Elas têm alvo. Se impressionamos muito algumas pessoas-alvo no grupo, conseguimos o efeito de contágio em várias outras e a história de terror consegue realizar melhor seu objetivo de assombrar a audiência. Os grilos de Havana, para se tornarem críveis, precisaram ser transformados em armas para impressionar uma audiência-alvo. A arma sônica delirante associada à ameaça dos comunistas de Cuba, conhecida do público de direita americano, reforçava a crença que sustenta o bloqueio e os cubanos de Miami. Na linguagem técnica de sociólogos e politólogos, essa estratégia chama-se "enquadramento" (*framing*). É o que os governantes conservadores e reacionários têm feito ao criar batalhões de inimigos imaginários para justificar a vigilância autoritária, filtros étnicos e religiosos nos aeroportos, o fechamento de fronteiras aos imigrantes e outras políticas repressivas.

Não uso o termo reacionário como ofensa. Reacionários são aqueles que afinam suas políticas para levar o país de volta a um passado idealizado, por certo inexistente e, sem dúvida, irrealizável. É o que está implícito no slogan que Donald Trump tomou emprestado de Ronald Reagan, "*Make America great again*". Mira uma época passada de grandeza dos Estados Unidos sem referencial histórico concreto. Vivemos a mesma coisa hoje no Brasil, com a idealização do passado de autoritarismo, durante o regime militar. A idealização do passado, transcrita para a propaganda, surge como falsificação da história. A tentativa de reescrever a história pode ser eficaz e perigosa em um país praticamente sem memória histórica, de população ainda muito jovem, que não viveu o período autoritário. Para se ter uma ideia, 76% dos brasileiros não haviam nascido quando foi editado o AI-5, o marco do recrudescimento da violência autoritária, em 13 de dezembro de 1968, e 53% nasceram após o fim do regime militar. Um sistema de ensino deficiente contribui para uma visão esquemática e perecível da história, portanto vulnerável à manipulação. Não se restaura o passado, menos ainda aquele que jamais existiu, tal como aparece no sonho reverso da extrema direita. Mas é possível reescrevê-lo como enganação política, uma forma mais elaborada de fake news.

Essa revolta contra o mundo em que estamos é uma reação à mudança vertiginosa e avassaladora que mexe e remexe com a economia, a sociedade, os valores e a política. Isso atemoriza os mais impressionáveis e os que têm crenças rígidas. Temem o Apocalipse. É mesmo o fim do mundo. Este no qual vivemos até agora e que conhecemos está em seus estertores. Esse mergulho no inteiramente novo, no desconhecido, inquieta, atormenta, aterroriza grande número de pessoas, talvez a maioria. As alterações abruptas e radicais no cotidiano provocam as reações mais sobressaltadas. A mestiçagem das ruas americanas. Casais gays e lésbicas namorando pelos pontos das cidades. O atrevimento das mulheres com opinião, que afrontam os padrões masculinos de comportamento e aparência apropriados à mulher "que sabe o seu lugar na sociedade". Como a muçulmana que abandona o chador, ou, pior ainda, decide que escolherá o parceiro de vida. São as perturbações do rotineiro e assentado, a subversão dos valores, tudo às claras, tudo exposto em tempo real, tudo postado no Instagram, no Facebook e no Twitter, que provocam a reação antagônica extremada.

A aversão às turbulências, confusões e exageros não é, todavia, justificativa legítima suficiente para repressão, agressão ou medidas "corretivas". É preciso acomodá-las em narrativas ajustadas para assustar, mobilizar e conquistar os mais impressionáveis da audiência e apostar no contágio de outros tantos. Fazer crer que grilos estridulantes não são insetos, mas armas de ataque. Que escolhas não são escolhas, mas perversão, antipatriotismo, terrorismo, subversão. O manto da religião é um recurso que funciona, perfeitamente, no enquadramentos desses grilos, principalmente aqueles da revolução comportamental. Daí a busca da audiência dos evangélicos mais conservadores, dos fundamentalistas de todos os credos. Na política, é preciso nomear os inimigos e delinear suas ameaças. Para fechar a "América" aos imigrantes, em busca do perdido sonho americano, Trump é concreto. Quer construir um muro. Mas como emocionar o público, solidário com a tragédia humanitária daquelas famílias, retratos de vidas secas, fugindo da tirania e da pobreza em seus países e imaginando encontrar na terra de Trump o lugar da fartura e das oportunidades? O presidente põe em cena os imaginários terroristas, agora islâmicos, como os grilos de Cuba, a invadir a "América" pela fronteira com o México.

Não se deve pensar que essa estratégia vale só para os reacionários à direita, como o ocupante incidental da Casa Branca. São muitos os exemplos de inimigos imaginários rondando as democracias. Os grilos estridulam por toda parte. Para Erdoğan, na Turquia, era o "cabal secreto", o Ergenekon, cuja erradicação legitimaria sua virada autoritária. O alvo era mesmo a oposição democrática. O manto do islamismo foi apenas um acessório conveniente. Nicolás Maduro, um tiranete improvisado por Chávez, inventou uma "guerra mundial do imperialismo americano contra o povo da Venezuela". Este que foge aos milhões da fome e da truculência do projeto bolivariano. Bolsonaro e seus seguidores adotaram como inimigo o "globalismo cultural marxista" e alguns outros, como os nordestinos, chamados "paraíbas" pejorativamente, por terem votado em sua maioria no PT para os governos de estado. São vários os inimigos imaginários sempre presentes, como fantasmas desencarnados, como incômodos grilos sibilantes nos discursos dos autocratas. Como nas rodas mineiras, eles assombram os assombráveis e provocam um arrepio de horror localizado suficientemente forte para se espalhar pelas redes e manter, por algum tempo, pessoas crentes na possibilidade de que serão exorcizados pelo líder.

O Brasil está voltando ao passado dos outros. Se olharmos o que as redes bolsonaristas e o próprio presidente dizem, teremos a impressão de vivermos em plena Guerra Fria, ali pelos idos dos anos 1960. Naquele período, em todo o mundo dito "ocidental", em particular nos Estados Unidos, era possível ler alertas sobre o "perigo vermelho", ou a "ameaça comunista". A União Soviética era poderosa, dominava meio mundo e se dizia socialista ou comunista. Ainda se pode encontrar no Twitter, diariamente, robôs ou incautos bolsonaristas brandindo a palavra de ordem "nossa bandeira jamais será vermelha", aludindo ao PT como o perigo comunista. Se lembrarmos que as redes do PT tratavam indistintamente todos os críticos do governo como "reacionários", "neoliberais" ou "fascistas", igualando posições muito diferenciadas, veremos traços dos conflitos europeus da época de formação de ondas que levaram à polarização entre nazismo e fascismo, de um lado, e o comunismo, de outro, lá pelos anos 1920. Rótulos históricos, descarnados da informação que lhes deu sentido no passado, são "ressignificados" — palavra horrorosa — para desqualificar o "outro".

Não temos referentes históricos para nada disso. Nunca tivemos comunismo, nazismo, fascismo, anarquismo, nem mesmo liberalismo. Até porque tropicalizamos tudo. Basta examinar com cuidado a quantidade de sincretismos embutidos na doutrina e na prática do integralismo, de Plínio Salgado, nosso fascismo tropicalizado. Ou no comunismo afro-baiano de Jorge Amado. Ou no liberalismo dúctil de Roberto Campos, o arquiteto do BNDES e parceiro do regime militar, posteriormente convertido à vida parlamentar, na democracia.

Mesmo naquelas partes do mundo onde essas correntes ideológicas de fato existiram, hoje seus rótulos perderam o conteúdo histórico original e passaram a significar um aglomerado de valores e preconceitos alimentados pelas dúvidas e temores de um tempo em que seu mundo desmorona e se assustam com o que parece ser o "outro mundo", o mundo a vir a ser. Como ninguém é capaz de prever como serão as sociedades do futuro, constroem distopias ameaçadoras com as ideias que atribuem aos "outros", àqueles que pensam, são ou agem diferente.

Na China, quem se considera de "esquerda", hoje, é nacionalista, antiglobalização, a favor da economia estatizada, e acredita nos valores tradicionais do confucionismo. Não deseja a democracia e vive no interior, ainda não alcançado pelo longo ciclo de forte crescimento econômico trazido pela abertura ao mundo. Quem se considera "liberal" é internacionalista, a favor da globalização, defende a economia de mercado, é a favor da democracia e considera os valores tradicionais ultrapassados. Vive nas áreas afluentes criadas pela abertura de oportunidades à iniciativa privada, no espaço do mercado consentido pelo Estado. É possível encontrar traços dessas duas posições nas doutrinas dos governos chineses, desde a abertura que teve por principal artífice Deng Xiaoping.

Teria a extrema direita uma doutrina econômica elaborada, um projeto político de poder claro e diferente, uma concepção própria do Estado, uma visão cultural diferenciada? Não. Tem um coquetel de ideias nacionalistas, anti-imigração, conservadorismo comportamental. A maioria se identifica por oposição à globalização, à imigração, ao casamento gay, ao aborto. Um punhado de proposições negativas retirado das prateleiras de um antiquário de ideias. Há bastante evidência de pesquisa em psicologia social e política mostrando que esses coquetéis de valores não surgem da noite para o dia. Permanecem latentes na mente das pessoas, até que algo os ativa com força, fazendo-as passar a defender ardentemente seu grupo de iguais em pensamento e palavras. Como diz o psicólogo Jonathan Haidt, um conservador moderado, a globalização tornou a maioria das nações mais afluentes e trouxe muitas mudanças que afetaram os valores de suas elites urbanas. Mais que isso, aumentou as desigualdades internas e deixou muitos setores para trás. Gerou um contingente visível de portadores de valores novos, inovadores e, para muitos, chocantes. Ao mesmo tempo, provocou uma onda silenciosa de ressentimentos. Mentes ressentidas são frágeis diante da pregação dos males que as afligiram e prontas a dar um reboot autoritário e discriminatório. Esse amálgama de valores se estrutura de forma diferente em cada pessoa, com intensidades e combinações distintas. Elas continuam sendo portadoras de interesses muito diversos. Umas são, inclusive, objeto de discriminação de outras, embora partes do mesmo caldeirão de emoções.

O que as pode unir? Só um discurso bem básico, geral, apelando diretamente para suas aflições mais primárias. Donald Trump, Nigel Farage, o líder do UKIP, o partido ultranacionalista britânico, Jörg Mauten, líder do AfD, o partido de ultradireita alemão, e Jair Bolsonaro têm um discurso desse tipo. Ele é básico, tem um vocabulário muito limitado, construído em torno de palavras de ordem fortes e adjetivos agressivos em relação ao que pensam os "outros" ou ao que desejam descartar. Esses memes, Haidt explica, ativam os valores mantidos reclusos nas mentes e empurram as pessoas a defender os "seus" e atacar a "eles". É como se tivessem um botão de pânico na mente e esses líderes conseguissem apertá-lo, detonando neles o hooligan interno. Esporte, porém, pressupõe competição e superação. A ideia de eliminar o competidor é antiesportiva por natureza. Transposta para a política, é antipolítica e antidemocrática. O mundo vive, em muitas partes, esse transe hooliganista. Na mente desses ativados para o desatino hooliganista, não há lugar para terceiros. Se não é "nós", então é eles.

A perda de qualidade das democracias, incapazes de responder com eficácia às necessidades e perigos criados pela transição global, tem provocado reações volúveis de um eleitor perdido. Ele está perplexo e descontente com as mudanças, que se manifestam como crise antes de gerarem novos caminhos para a economia e a sociedade. Está disposto a apostas extremas, na esperança de que sejam capazes de romper essa fase de incertezas e insegurança. Essa queda de qualidade democrática tem duas dimensões principais. A primeira é da disfuncionalidade da representação e do governo. A representação está cada vez mais estreita e concentrada nos grupos de pressão, interesses corporativistas e econômicos tradicionais. Atendem aos mais organizados, do patronato e dos trabalhadores, com recursos de pressão de bastidores e de retaliação. Por conseguinte, os governos, capturados por interesses historicamente ligados ao partido dominante, focalizam demais suas ações, perdendo apoio e legitimidade. As políticas públicas perdem qualidade e atendem quase exclusivamente a interesses entranhados no sistema de poder, deixando à margem parcela crescente da população. No limite, atendem a uma minoria poderosa, em desfavor de uma maioria deixada por conta própria. A segunda dimensão é da eficácia dos governos. As políticas governamentais se tornam menos efetivas porque os paradigmas ainda dominantes não são mais capazes de responder com a mesma eficácia aos problemas emergentes. As soluções encontradas são cada vez menos eficazes e seus efeitos, mais efêmeros. Essas duas dimensões interagem, uma agravando a outra, provocando crescente desencanto com a democracia.

A atitude de frustração e raiva dos eleitores tem levado ao agravamento dos problemas de governabilidade. Há dois tipos de situação. Parlamentos sem maioria, levando a coalizões precárias e instáveis. Ou maiorias em torno de lideranças incidentais. Governantes incidentais são o que o próprio nome indica. Chegam ao poder por um conjunto imprevisto e irreprodutível de fatores e, até agora, nenhum deles demonstrou capacidade de sobreviver a um mandato, se tanto. Lideranças ou governantes incidentais, em circunstâncias normais, em eleições-padrão, jamais chegariam ao topo do poder. Nascem de rupturas eleitorais, da desorientação dos partidos e forças tradicionais, à esquerda e à direita. Porque são incidentais, passam, mas não sem causar danos significativos na institucionalidade democrática e na sociabilidade. O pior legado desses governos ocasionais é que contribuem para agravar o desencanto com a democracia e elevam os riscos de crises sérias de governabilidade. Em muitos casos, como na Alemanha, Espanha, Reino Unido e Itália, por exemplo, o eleitorado se fragmentou e as eleições não geraram maiorias claras. Mas o resultado foi a formação de governos minoritários (Espanha) ou coalizões instáveis (Alemanha e Reino Unido). Na Itália, as eleições levaram, primeiro, a um parlamento fragmentado, sem maioria, e a uma coalizão precária entre o Movimento 5 Estrelas e a Liga. As negociações para formação do gabinete terminaram em duas lideranças incidentais, o primeiro-ministro Giuseppe Conte e o primeiro-ministro adjunto, Matteo Salvini. Uma coalizão sem liga durável. Salvini, o populista de extrema direita, rompeu a aliança frágil e incômoda para ambos, tentou provocar novas eleições, na esperança de fazer a maioria. Mas foi surpreendido por uma coalizão mais bem negociada, contra ele, entre o M5S e os social-democratas, que confirmaram Conte como chefe de governo. Não parece ter prazo de validade muito longo. No Reino Unido, os descompassos entre as forças no parlamento e as vacilações dos conservadores terminaram por levar ao cargo de primeiro-ministro uma liderança histriônica, Boris Johnson, ou BoJo, cuja carreira tem vários traços que o aproximam de ser um governante incidental, embora de elite, um "etoniano". A maioria dos governantes incidentais é formada por arrivistas políticos.

Donald Trump é um caso de presidente incidental eleito por um partido tradicional. Vários empresários e ativistas de fora do bipartidarismo tentaram a presidência, sem sucesso, como Ross Perot e Ralph Nader, mas nunca haviam conseguido mais de 5% do voto de delegados ou do voto popular. Trump conseguiu a maioria dos delegados, por dentro do Partido Republicano, embora com uma campanha antiestablishment. Perdeu no voto popular. Nos dois primeiros anos de mandato, teve a maioria na Câmara e no Senado. Nas eleições de meio de mandato, ficou em minoria na Câmara e a maioria Republicana no Senado ficou mais apertada. Enfrentou um processo de impeachment na Câmara de maioria Democrata por ter pedido a ajuda de outro presidente incidental, Volodymyr Zelenski, da Ucrânia, numa investigação para comprometer Joe Biden, então o candidato mais competitivo nas primárias do partido Democrata. Um escândalo político que, para vários analistas, é mais grave do que Watergate.

Zelenski, um humorista de TV, foi eleito em segundo turno com 73% dos votos, numa campanha contra a "velha política". Seu partido é uma agremiação improvisada cujo nome, Servidor do Povo, é o mesmo do programa humorístico que o tornou famoso no papel de um presidente incidental. Em um gesto ousado e estratégico, ele dissolveu o parlamento ao tomar posse, antecipando as eleições parlamentares, de modo a se beneficiar da onda favorável pós-campanha presidencial. Conseguiu e tem maioria confortável.

A França elegeu Emmanuel Macron, um candidato contra as forças políticas tradicionais, ancorado por um partido recém-criado e improvisado para elegê-lo. Nas eleições parlamentares, seu partido conquistou a maioria ampla, em meio a uma radical renovação dos quadros da Assemblée Nationale, na qual 75% dos parlamentares não se reelegeram. Mas não creio que ele se enquadre, como Zelenski, na categoria de liderança incidental. Macron já estava na política, sua carreira indicava a possibilidade, ainda que talvez não a probabilidade, de um dia governar o país, como presidente ou primeiro-ministro. Embora tenha sido uma eleição com singularidades significativas, o vencedor não era um outsider. Macron teria chance de ser eleito em uma eleição mais padrão.

Se Bolsonaro, outro claro caso de governante incidental, tivesse feito uma coalizão entre seu partido, também nascido da improvisação, e a centro-direita, se aproximaria do caso italiano, com uma coalizão instável, mas persistiria como um dirigente incidental. Ao se recusar a formar uma coalizão e posteriormente deixar o partido que o elegeu, tornou-se um caso singular de presidente incidental minoritário no Congresso e sem partido.

Países com maiorias instáveis, assentadas em coalizões difíceis, enfrentam problemas de governabilidade. A intensidade dessas dificuldades depende da qualidade e estabilidade das instituições e da maturidade da sociedade. Governantes incidentais aumentam as chances de crises de governança e governabilidade. Nos Estados Unidos, há crise política desde a posse de Trump, que tem esgarçado as relações com os outros Poderes republicanos, em particular com a Câmara dos Deputados. Ela se agravou com o processo de impeachment. Os problemas de governabilidade na Itália são crônicos. Vêm de longe. Já estavam claros no grande escândalo de corrupção, no início dos anos 1990, que destruiu o Partido Democrata Cristão e debilitou o Partido Socialista. No Reino Unido, começaram com o referendo que aprovou a Brexit e continuam. A crise produziu primeiros-ministros efêmeros. Na Alemanha, a sucessora de Angela Merkel, Annegret Kramp-Karrenbauer, eleita para a liderança do partido, não conseguiu se viabilizar concretamente e renunciou à posição que lhe permitiria disputar o cargo de chanceler.

No Brasil, a crise política começou nas manifestações de rua de junho de 2013. As eleições de 2018 não desfizeram a polarização. Ao contrário, ela se agravou e amadureceu no impeachment de Dilma Rousseff. As disfunções estão cada vez mais evidentes e graves. O Judiciário está perdendo o rumo. O presidente desrespeita sistematicamente os limites institucionais da presidência. Há um grau irredutível de fricção com o Congresso. A paralisia nas áreas mais críticas de políticas públicas indica piora significativa das condições objetivas de bem-estar da população. A crise econômica, herdada, porém grave e sem grandes perspectivas de melhora rápida, não obtém respostas à altura e sofre as perturbações de uma governança atrapalhada após a eleição de Bolsonaro. O quadro socioeconômico ameaça seriamente as condições de vida da maioria e agrava os riscos para a governabilidade. Há perigo iminente de violência, com possibilidade de genocídio, em áreas indígenas. O presidente parece buscar sempre a escória por aliada. Na Amazônia, são grileiros, garimpeiros ilegais, invasores de terras.

A esperança da democracia está na diversidade de valores e expectativas das pessoas ativadas por um cardápio básico de promessas que não revela o que será de fato servido pelos governos. Uma vez no poder, os populistas não são capazes de atender à maioria das expectativas criadas em campanha. Não há como. O cardápio é interpretado às cegas por cada um. Quando ele é servido, decepciona. A frustração faz refluir a onda, do mesmo modo automático com que ela se formou. Dependendo da intensidade, esse refluxo é vertiginoso e deixa os governantes em um deserto de apoio social, sustentados por um amontoado de crentes fervorosos. O perigo é não haver inteligência política disponível no refluxo, capaz de recentralizar o sistema e livrá-lo das mentes autoritárias.

O presidente chinês Xi Jinping nada tem de incidental. Ao contrário, está mais para os governos imperiais da China ou para a autocracia totalitária de Mao Tsé-tung. Xi Jinping já era o homem mais poderoso da história chinesa desde Deng Xiaoping, quando ocupou o palco do 19º Congresso do Partido Comunista, em 18 de outubro de 2017, para um pronunciamento de 32 mil caracteres, falando por três horas e meia. Ao deixar o palco, ficou claro que o atual presidente chinês já pertencia à categoria privativa da qual, até então, só faziam parte Mao e Deng. O longo discurso consolidou a teoria Xi, requisito necessário para entrar no clube restrito de grandes líderes. Não é possível liderar o povo chinês sem uma teoria geral, uma ideologia própria, que marque a identidade do líder. O Partido-Estado retoma o papel central na vida política, econômica e social do país. Ele deve controlar todas as atividades da sociedade chinesa. A China mudou e pode aspirar a um papel mais decisivo no cenário geopolítico global. A corrupção é o "veneno no osso" que deve ser extirpado. A luta contra a corrupção será muito mais vigorosa e vai justificar e comandar uma ampla renovação nas lideranças, em todos os níveis da hierarquia chinesa. As fontes de insatisfação do povo mudaram. Agora, a principal contradição da sociedade chinesa é entre o desenvolvimento desequilibrado e inadequado e as necessidades sempre crescentes do povo por uma vida melhor. A origem do conflito social determinante passou a ser a desigualdade crescente de riqueza e a generalizada consciência de que há diferenças brutais nos padrões de qualidade de vida no país. A China deve ter o controle completo sobre Hong Kong e Macau e considera inadmissível uma Taiwan soberana. Embora fale em aspirações pelo império da lei e democracia, Xi claramente anunciou a censura mais firme da ciberesfera e maior repressão à dissidência na socioesfera.

A China vive, no ciclo Xi Jinping, um momento nacional-autoritário. Mais voltada para dentro, cresce menos e é ainda mais intolerante com a crítica. Censura as universidades, demite professores, prende intelectuais que ousam pensar mais livremente. O presidente de uma das mais liberais universidades chinesas, a de Sun Yat-sen, na província de Guangzhou, editou uma ordem com uma lista de dez proibições para professores e alunos. Expandia a lista de sete proibições de um édito do Comitê Central. No topo das vedações estão criticar a Constituição e os líderes do Partido Comunista chinês e espalhar a religião e a superstição. Em uma reunião do alto escalão do partido, Xi Jinping prometeu transformar as universidades chinesas em "fortalezas da liderança do partido" que "manterão com firmeza a correta direção política". Há uma onda de nacionalismo "neomaoista" varrendo a China, impulsionada pelo sopro poderoso do novo presidente. Filho de um aliado de Mao, já em seu primeiro discurso no poder alertou que os últimos trinta anos de reformas e liberalização não podiam ser considerados um repúdio aos trinta anos sob Mao. No septuagésimo aniversário da Revolução, Xi falou do mesmo lugar que Mao, numa cerimônia em tudo evocativa do grande líder fundador, e reafirmou a ideia de projeção geopolítica para superar os anos de "vergonha e humilhação" e todos os pontos centrais de sua doutrina neomaoista.

Uma das consequências das reformas e da aproximação com os Estados Unidos e a Europa foi a abertura das universidades chinesas à cooperação acadêmica global. Na nova fase neomaoista inaugurada por Xi Jinping, as autoridades governamentais têm investido contra a presença de valores liberais ocidentais nas universidades e escolas. Aumentou a repressão a professores, intelectuais, jornalistas, advogados que defendem perseguidos do regime, ativistas políticos e quem faz críticas públicas a Mao. O professor da universidade de Jinan, Deng Xiangchao, foi obrigado a se aposentar e perdeu seus títulos no Partido porque criticou Mao Tsé-tung. Yau Wai-Ching, ativista pró-independência, foi cassada do parlamento de Hong Kong por ordem de Pequim pela mesma razão. O produtor Liu Yong, da TV Luohe, na província de Hunan, foi demitido por ter defendido um crítico de Mao no ar, numa controvérsia sobre o aniversário do líder da Revolução Comunista chinesa. A revisão da história tornou-se habitual. Têm sido sistemáticas a censura e a "correção" de livros de história adotados nas escolas, para extirpar as narrativas consideradas mentirosas ou ofensivas. Em geral, são aquelas que tratam criticamente as versões que haviam sido impostas pela Revolução Cultural. Analistas chineses abrigados em universidades ocidentais comparam o estilo de repressão e o uso de grupos de fiéis para atemorizar e agredir os críticos do regime à Revolução Cultural e à sua temida Guarda Vermelha. A Anistia Internacional comentou em um de seus relatórios que cinco livreiros de Hong Kong desapareceram e foram encontrados encarcerados pela polícia chinesa. Aumentaram também os ataques a jornalistas.

No ano de 2019, as ruas de Hong Kong se tornaram um campo de batalha entre as forças repressoras do Estado e a massa a demandar democracia. No continente, a repressão é maior e o grau de controle sobre os cidadãos, sufocante. Esta é a contradição dos regimes autoritários: dependem cada vez mais da repressão para assegurar a estabilidade. Cada escalada repressiva tem, todavia, resultados mais efêmeros. Precisam reprimir mais pessoas, mais vezes, com mais violência, para obter tranquilidade por tempo cada vez menor. A poderosa máquina de controle político e clientelismo que perpassa a enorme malha hierárquica do Partido-Estado, em benefício de dezenas de milhões de funcionários em todas as províncias, tem vasta capacidade de resistência. Mas ela não é infinita. A desaceleração do crescimento, um imperativo interno e não da globalização, reduz a capacidade do regime de temperar a repressão com a geração de mais satisfação material para número maior de pessoas, o mais rapidamente possível. O progresso material no período de alto crescimento aumentou as desigualdades. A nova política, voltada para dentro para satisfazer o mercado interno, descontenta os "novos-ricos" e não chega a satisfazer grandes contingentes daqueles que ainda vivem a austeridade-padrão trazida pela Revolução Chinesa. O descontentamento dos intelectuais, de setores da "nova classe média", de contingentes populares, em muitas regiões menos favorecidas e na elite político-econômica ameaçada pelo redistributivismo, vai revelando as contradições e fissuras no regime.

Essa é uma história conhecida. Do poder contagioso das ideias libertárias que, censuradas na socioesfera, e hoje também na ciberesfera, não se calam, nem se perdem — se alastram, como aconteceu com os *samizdat* na União Soviética, a literatura que circulava clandestina e disseminava a consciência da opressão e o sonho de liberdade. Liu Xiaobo, prêmio Nobel da paz de 2010, morreu no cárcere e teve suas cinzas jogadas ao mar por ordem do governo, que proibiu a família de enterrá-lo. Em sua mensagem, lida na cerimônia de entrega do prêmio pela atriz Liv Ullmann, disse que o "ódio pode carcomer a inteligência e a consciência de uma pessoa. A mentalidade do inimigo envenenará o espírito de uma nação e incitará conflitos mortais, destruirá a tolerância e a humanidade de uma sociedade e impedirá o progresso de uma nação rumo à liberdade e à democracia". Dirigindo-se à mulher, a poeta e fotógrafa Liu Xia, condenada à prisão domiciliar, falou de sua convicção de que "nenhuma força é capaz de bloquear a busca humana pela liberdade". Suas palavras, como de tantos outros que o precederam e o sucederão, se espalharão como cinzas ao vento e assombrarão seus algozes.

Esses regimes podem oprimir e matar aos milhares mas, até hoje, nenhum deles venceu a resistência e conseguiu calar definitivamente seus críticos. A Primavera de Praga foi sufocada, mas a Revolução de Veludo realizou seus desejos. O muro de Berlim é, hoje, uma referência histórica e uma coleção difusa de pontos turísticos. A profunda tradição confucionista talvez nunca permita que a China seja efetivamente uma democracia. O filósofo Jiang Qing afirma que o confucionismo, na sua expressão mais geral, filosófico-religiosa, é a única doutrina que se adéqua à especificidade histórico-estrutural da China. Talvez esteja certo. Essa doutrina não é democrática, nem liberal. É, por definição, hierárquica e elitista. O povo, para ela, é uma "coleção secularizada, limitada e estreita dos desejos humanos". Mas ele afirma que a moral confucionista demanda que o governante seja melhor que as pessoas comuns e assuma a responsabilidade de fazer bem aos outros e à sociedade. Nada disso impede que os direitos humanos reinem supremos. O confucionismo requer soberanos sábios e benevolentes. Os governantes chineses não são uma coisa, nem outra. Há muito não fazem o bem aos outros e à sociedade. As cinzas no vento escrevem essa sentença em todos os céus da China.

QUANDO SERÁ TARDE DEMAIS PARA SOAR O ALARME?

Em artigo recente, o escritor Ian Buruma, ex-editor do *The New York Review of Books*, retomou essa questão, olhando para os Estados Unidos de nossos dias. Para ele, o que era inimaginável há apenas alguns anos passou a ser normal em seu país. Um presidente que insulta seus aliados democráticos e celebra ditadores, chama a imprensa livre de inimiga, trancafia refugiados e separa-os de suas famílias. Ele pergunta: "Quando será tarde demais para soar o alarme?". Este não é um quadro estranho ao Brasil. Estamos vivendo algo semelhante, desde janeiro de 2019. O namoro de presidentes americanos com ditadores não é novidade. Todavia, no caso de Donald Trump há mais que conveniência geopolítica envolvida. Há uma afinidade com mentalidades autoritárias. Por isso ele se dá melhor com Putin do que com os governantes democráticos de outras potências europeias, tradicionais aliadas dos Estados Unidos. Ainda recentemente, na reunião do 70º aniversário da Otan, em dezembro de 2019, atritou-se com o primeiro-ministro canadense Justin Trudeau e com o presidente francês Emmanuel Macron. Trump e Putin tratam o resto do mundo com evidente desprezo e superioridade. O russo demonstra essa soberba na sua atitude de fria distância e na expressão imperturbável com que se dirige a seus interlocutores. Trump o demonstra sobejamente com o olhar e a carranca. Carrega toda a sua arrogância na linguagem corporal. Bolsonaro dá demonstrações explícitas de admiração por Trump. Mantém sua adoração mesmo quando Trump prejudica o Brasil e o menospreza. Suas expressões, o olhar, o ricto irritado, o corpo em tensão castrense, destilam autoritarismo e impaciência. Bolsonaro parece estar sempre à beira de um ataque de ira.

Linguagem corporal diz muito em política, às vezes mais que os discursos e a maioria das decisões. Trump, Putin e Bolsonaro levam no comportamento e nas expressões a marca de mentalidades autoritárias e intolerantes. Trump, limitado pelas regras da Constituição de seu país, não pode exercer tanto arbítrio quanto seu colega russo. Bolsonaro também tem encontrado dificuldades na ordem constitucional. Ambos, porém, forçam os limites institucionais o tempo todo. É deliberado. Putin é acusado de matar jornalistas que se opõem a ele. Reprime a oposição com dureza. O presidente americano pode muito. Investe contra a imprensa no Twitter, chama-a de inimiga, cerceia o trabalho de cobertura na Casa Branca. Ataca a promotoria, o FBI e o Judiciário que o investigam. Desmerece as agências de inteligência do país. Recusou-se a atender às intimações dos comitês da Câmara no processo de impeachment, abusando do "privilégio executivo" que protege questões sensíveis de Estado e de segurança nacional. Pede a governantes estrangeiros para investigar seus adversários domésticos. Dadas as condições institucionais específicas de cada país, os dois têm mais traços em comum do que diferenças. É certo, como diz Buruma, que o dano causado por Trump às instituições democráticas americanas é extenso e dá sinais preocupantes de persistência. Bolsonaro faz o mesmo com a imprensa. Está a desmontar agências que fazem políticas das quais não gosta, quer controlar o Ministério Público e, como Trump fez com a Suprema Corte, pretende nomear para o Supremo Tribunal Federal pessoas que defendam sua agenda reacionária. Também pode causar danos sérios à jovem democracia brasileira. Ian Buruma diz que é exagero comparar Trump a Hitler, embora os comentários do presidente sobre imigrantes e parlamentares Democratas tenham conotações de segregação étnica que convidam a essas comparações. Mas a principal questão levantada pelo escritor é que ninguém viu o nazismo tomar corpo, até que fosse tarde demais para evitá-lo. Trump tem cometido atos absurdos sem perder o apoio dos Republicanos. Como nunca antes. Talvez só no macarthismo. Putin age desimpedido, as leis não existem para ele. É um tsar plebeu. Bolsonaro diz o que quer e faz tudo que pode, por mais absurdo, e encontra plateia entre seguidores anônimos, empresários, militares, procuradores e juízes. Vai empurrando o país para o autoritarismo, com uma sequência de atos e atitudes antidemocráticos e inconstitucionais, em diferentes áreas de atividades, da educação à cultura, do meio ambiente à segurança pública, fiando-se no conformismo da sociedade e na inação do Judiciário.

Nessa era de movimentos tectônicos na sociedade global e em todos os países em particular, cria-se, como argumentei antes, um ecossistema propenso à polarização e a reações extremadas, de negação, de rejeição do outro, de intolerância. O medo foi, é e sempre será o pior dos conselheiros. Os Estados Unidos parecem estar entrando em um novo normal de intolerância étnica e arbítrio, que beira a aberração. Boris Johnson, que se junta ao clube das mentes autoritárias no governo, tenta forçar o Reino Unido a marchar para uma suicida saída da União Europeia. As dificuldades na negociação da Brexit não afastam a hipótese de uma crise econômica global. Principalmente quando eventos sucessivos contribuem, como vem ocorrendo, para o agravamento das fragilidades econômicas globais. Desde a aprovação definitiva da Brexit pelo parlamento, legitimada pela expressiva vitória eleitoral de Boris Johnson, o mundo mudou para pior. A Alemanha, passo a passo, aumentou as restrições à entrada de imigrantes. É difusa a fronteira entre a ojeriza ao estrangeiro entrante e o racismo. A maioria dos que chegam é de não arianos. Aumenta também a intolerância com os imigrantes na Escandinávia, onde vicejaram as mais avançadas social-democracias, a ponto de o historiador José Murilo de Carvalho considerá-las mais republicanas do que muitas repúblicas formais. No Brasil, a perda de qualidade da governança vem acelerando ano a ano. Vamos nos adaptando a padrões cada vez mais baixos de exigência na educação, na saúde, no comportamento das autoridades, da polícia e do setor público, na representatividade do Congresso e dos partidos. Com Bolsonaro o país passou a outro patamar de autoritarismo, beirando o obscurantismo no terreno cultural. Deseja a liberação de armas pesadas para civis, acopla interesses de denominações religiosas a agências estatais, faz a pregação da leniência com a violência policial e busca legalizá-la por meio do excludente de ilicitude, uma verdadeira licença para matar.

Quando será tarde demais para soar o alarme?

A democracia é um regime com fragilidades intrínsecas por sua própria natureza. Deve exercitar a tolerância ao limite do intolerável, dando amplo espaço para que seus inimigos se movam contra ela sob seu abrigo institucional-legal. A liberdade e os direitos democráticos jamais serão fortes o suficiente para ficar de pé por si sós. Sem a vigilância e a defesa intransigente e engajada da população, terminam por ser sufocados pelos autoritários. Não é possível aplicar esses valores unilateralmente, nem dirigir a uma só parte da sociedade a ação das instituições que lhe são correspondentes. Ou valem sempre e para todos ou, um dia, podem não valer mais para ninguém. A polarização envenena as democracias e as transforma em oligarquias autocráticas, no limiar do autoritarismo. Na hora em que não se pode mais defender esses valores como princípios universalmente aplicáveis, já é tarde para soar o alarme. Quando começamos a sofrer hostilidade, agressão, censura e repressão por defender o mesmo direito para todos, já podemos estar no crepúsculo do sonho republicano democrático.

Quando um abuso a mais fica demais?

Há muitos exemplos de eventos que se repetem, quase rotineiramente, em uma sociedade e, embora horríveis, acabam tolerados. Em alguns casos, uma repetição a mais levanta a sociedade, que parece protestar em uníssono. A gota d'água que faz o copo transbordar é um caso clássico para a aplicação da teoria do caos. Mas o tratamento matemático de eventos detonadores de mudanças radicais é ainda impossível para fatos sociais. A sociologia ainda não tem explicações suficientes para esses fenômenos, menos ainda capacidade de prevê-los.

Centenas de milhares de jovens formaram multidões, em numerosas cidades dos Estados Unidos, no sábado, 24 de fevereiro de 2018. Foram às ruas a chamado dos estudantes secundaristas da cidade de Parkland, na Flórida, que sobreviveram ao ataque na Marjory Stoneman Douglas High School. Nesse ataque, dezessete morreram. Falando friamente, foi mais um desses atentados loucos, facilitados pelo livre acesso a fuzis automáticos e outras armas de guerra. Mas para os adolescentes foi demais. Outros ataques anteriores não se transformaram em movimento de massa. Este sim. Foi a maior manifestação de protesto estudantil, desde a era da Guerra do Vietnã. Depois da chacina do colégio Marjory Stoneman Douglas, houve outros 23 incidentes desse tipo, com mais 158 mortos, até o momento em que parei de contar. Não há uma diferença suficientemente forte para singularizar o crime em Parkland dos outros. O que há de visível é o que eu chamaria de saturação. O contexto cada vez mais carregado de ódio. Um presidente carrancudo, mal-humorado, que parece se sentir permanentemente ameaçado e que reage com agressividade, por instinto, a qualquer coisa. Uma maioria de políticos claramente associada ao lobby das armas. Um lobby comandado por uma poderosa e milionária organização, a National Rifle Association (NRA). Os pontos de fadiga da tolerância vão se acumulando, até que o individualismo dominante entra em colapso e explode a revolta coletiva. Basta olhar as fotos das meninas e meninos carregando cartazes dizendo "*No more guns*", para ver que eles falam sério. Não suportam mais ver um sistema político incapaz de votar leis mais rígidas de controle de armas, submisso ao lobby da NRA. Não aguentam mais viver a espera aflita de que um dia chegue a vez da escola deles. Dois cartazes me chamaram a atenção. Um deles dizia: "Eu sou o futuro, por favor me protejam". Afirmava uma verdade simples: essas crianças, juntamente com as que morrem nos morros e favelas do Brasil, nos barcos naufragados dos refugiados, são o futuro. Seguia-se a ela um pedido educado aos governantes, "por favor, nos protejam". Essa combinação tem uma força enorme, porque são crianças lembrando aos adultos a obrigação que contraíram, ao serem eleitos, de proteger a sociedade, principalmente as crianças e os jovens. O governo democrático não foi pensado para proteger indústrias de armas, nem aqueles que se julgam no direito não apenas de portá-las, mas de as usarem, caso se sintam ameaçados. O outro cartaz completava o primeiro. Era levantado por um adulto e dizia: "Ouçam as crianças". Outro pedido educado, para que os políticos cumpram mais uma de suas obrigações primárias, ouvir a sociedade, sobretudo os jovens, que demandam garantias para construir o futuro deles. Bolsonaro quer, exatamente, criar esse livre-comércio de armamentos no Brasil. Basta-nos mirar no exemplo dos Estados Unidos para ver o que nos reserva o futuro, se o presidente tiver sucesso nessa empreitada absurda.

Por mais eloquentes, tocantes e significativos em volume de participantes, esses protestos não serão capazes de romper a muralha de interesses que protege o livre-comércio de armas pesadas nos Estados Unidos. Os jovens não serão ouvidos. Os políticos não cumprirão suas obrigações primárias com a sociedade. Eles estão capturados pelos interesses desses grupos ou deles fazem parte por convicção. Essa minoria tem o poder de desatender à maioria. De dar de ombros à massa de jovens pedindo vez. Os surtos de indignação podem até desestabilizar um ou outro governo, derrubar um ou outro mau governante. Mas não têm a capacidade de construir uma outra situação política durável. Faltam-lhes organização e politização. Só a política pode mudar a política. Ou a insurreição revolucionária. Esta, porém, traz quase tantos riscos à democracia quanto esse escorregar paulatino para a autocracia e o autoritarismo.

Os levantes de indignação têm algumas características comuns e outras singulares, ligadas à conjuntura de cada país. Autocracia aqui, crise econômica ali, corrupção acolá, chacina mais adiante. Muitas vezes, tudo isso junto. Em comum, têm a espontaneidade, o uso das redes sociais para alastrar a convocação e a articulação das manifestações, a insatisfação, a desconfiança, a ausência de lideranças e os alvos múltiplos: poder, imprensa, corporações. De todos se diz que não têm um objeto claro. Não têm mesmo; refletem pautas difusas de sociedades fragmentadas. As pessoas não se juntam porque seguem liderança coletiva ou para demandar itens de uma pauta coletivamente acordada em algum espaço institucionalizado. Não são movimentos políticos; muitos são manifestamente antipolíticos. Vão para as ruas por contágio. O espaço público se transforma em um palco onde pautas singularizadas promovem encontros espontâneos e transitórios entre indivíduos movidos por sentimentos, valores e visões diferentes. Essa individualização do movimento de massas desconcerta e espanta. Nesse espaço público ocupado por impulso, o risco de violência em descontrole é muito grande. A repressão policial tende a ser um gatilho para mais violência. Basta ver o que se passou em Hong Kong no último quadrimestre de 2019.

Pessoas que, no passado, seriam classificadas como dotadas de um espírito pequeno-burguês, comodista e conformista vão às ruas vociferar seus ressentimentos. Mas o movimento em si é autêntico e fundado em numerosas razões associadas aos tempos instáveis, mutáveis e insatisfatórios que vivemos no país e em todo o mundo. Há contornos semelhantes às manifestações de junho de 2013 no Brasil, ao movimento Occupy, que se alastrou por numerosas cidades do Estados Unidos, após ter começado em Nova York, em setembro de 2011. Aparentemente, o Occupy Wall Street tinha o propósito específico de contestação ao financismo hipercapitalista, gerador de bolhas e estouros, cheios de danos colaterais. Mas depois se viu que também tinha pauta difusa e plural. Ele se alastrou por algum tempo com a mudança na designação do local a ser ocupado — Occupy Berkeley, Occupy Oakland. Tornou-se, rapidamente, um genérico "Occupy", com pautas fragmentadas, sem objeto específico, mas fundado em uma pluralidade de razões individualizadas reais para protestar. A maioria esmagadora dos manifestantes, perguntada, sempre saberá dizer o porquê da indignação, da raiva, do desencanto, da desconfiança que leva cada um a se manifestar. Essas motivações individuais produzem a ação em massa, espontaneísta e transitória. Como os motivos não se dissipam, porque a pauta de demandas nunca é satisfeita, novos estopins podem levar as pessoas de volta às ruas e praças. Esses traços podem ser encontrados no Occupy, na ocupação da praça Tahrir, em Cairo, nos protestos de 2013 no Brasil e na revolta da praça Taksim, em Istambul, no mesmo ano. Contextos muito distintos, mas com características bastante similares na grande lógica do movimento de indignação.

"Ocorreu quando ninguém esperava. Em um mundo prisioneiro da crise econômica, do cinismo político, do vazio cultural e da desesperança, simplesmente ocorreu." Dessa forma Manuel Castells começa sua análise desses movimentos, em seu livro *Redes de indignação e esperança*. Ele também os vê como formados por contágio, no encontro de indivíduos compartindo dor e esperança no espaço público da rede, conectando-se entre si e imaginando projetos de origens distintas, unindo-se a despeito das opiniões pessoais ou filiações. As pessoas se colocam por fora e por cima dos governos, dos partidos e das outras instituições de representação ou agregação de interesses organizadas. Todas as organizações políticas, de partidos a sindicatos, se oligarquizaram, criaram barreiras à entrada e impuseram pautas autoconcebidas a pessoas cada vez mais descrentes e mais individualistas. Perderam legitimidade e representatividade. Descolaram-se de suas bases e não perceberam que o povo se fragmentava, perdia suas referências coletivas, ganhava mais identidades individualizadas, embalado em mudanças estruturais que estão transformando a sociedade contemporânea, substituindo paradigmas que deram objeto e rumo à sociedade, ao mercado e ao Estado por mais de um século. Nessa era de incertezas e riscos, esse movimento de oligarquização tem como resposta imediata a desconfiança, que pode se transformar rapidamente em raiva, rejeição e contestação radicais.

Um dos pontos que impressiona é que a reação social parece, às vezes, desproporcional à sua motivação aparente. Não existe, contudo, tal contrariedade. São muitas as motivações — algo como microagressões que provocam macrorreações. A soma de indignações individualizadas se transforma em uma arrasador tsunami coletivo de protestos. Evidentemente que as tarifas de ônibus foram e não foram causa da sublevação que ocupou as ruas das principais cidades brasileiras, em 2013. Qualquer aumento de tarifas, com a inflação em alta e preços essenciais, como os dos alimentos e dos serviços básicos subindo acima da média, provoca desconforto e irritação. Não é só a tarifa do ônibus, o preço do pão francês ou do tomate. Tem o engarrafamento. O ônibus, o trem e o metrô lotados. A desatenção dos prestadores de serviços. A má qualidade geral. A poluição. Tem o sistema de saúde que não funciona. O pronto-socorro atulhado, a fila das cirurgias, todas urgentes e atrasadas. A escola aos frangalhos, os professores desmotivados. O desemprego de jovens, mais que o dobro do desemprego médio. A instabilidade do trabalho sem emprego. O desalento da falta de oportunidade de emprego. A contradição entre a recusa do emprego e a vaga em aberto, não por falta de qualificação, mas por inadequação aos critérios de gênero, idade ou cor discriminatórios das empresas. A recusa de empregar e a reclamação de que falta mão de obra estão em incompreensível associação para quem passa o dia sonhando com uma entrevista para uma vaga, ávido por uma chance qualquer de ocupação. A reforma da Previdência, reduzindo a proteção da inatividade, sem oferecer alternativa. Tem o político sem reputação ou escrúpulo mandando e desmandando, impune e imune à rejeição majoritária. O marketing mentiroso, público e privado. O estádio superfaturado e de desenho mais elitista. As decisões ou ameaças de decisões ao avesso da opinião dominante na sociedade. O fastio com a corrupção impune. O desencanto com políticos que eram portadores da esperança de mudança e deram os braços aos oligarcas de sempre. Com os que prometiam o novo e se tornaram defensores do status quo e dos interesses dominantes, quando não em agentes reacionários, protagonizando retrocessos legislativos em vários campos. Com o oportunismo eleitoreiro. A polícia violenta. Enfim, motivo para indignação há de sobra, faz muito tempo. É um processo de saturação que leva ao rompante das massas, não um motivo específico. Governos, partidos e organizações andam de costas para a sociedade civil no Brasil e em muitas outras sociedades, fazendo ouvidos moucos a suas opiniões e demandas. Governantes incidentais reavivam o sonho da novidade, rapidamente transformado em pesadelo e decepção. Não é diferente em muitas partes do mundo, embora as ofensas às quais se reage possam ser outras. Desenraizamento de um lado, descolamento do outro. Indivíduos cada vez mais desenraizados da coletividade que se fragmenta e se transforma em alta velocidade. Representantes e governantes descolados da sociedade civil e atrelados a interesses de pequenos grupos, interesses organizados, muitos deles em declínio econômico e social, porém ainda com acesso assegurado aos canais de representação política.

Quando Manuel Castells chama de "redes de indignação e esperança" essas conexões que promovem encontros de massa, espontâneos e plurais nas suas motivações, ele salienta dois fenômenos que parecem polares, mas não são. A indignação somada à esperança pode ser sinal de uma sociedade que ainda tem alguma virtuosidade, alguma saúde social. As pessoas não estão conformadas nem descrentes. Mantêm expectativas de um futuro mais luminoso. Piores seriam o conformismo desencantado e a raiva desesperada, que leva às polarizações extremadas e perigosas para a democracia. Estes são sinais de agônica decadência social. Enquanto houver indignação e esperança, persiste a possibilidade de renovação, às vezes até de revolução.

Não sabemos o que detona o estímulo que empurra multidões às ruas para protestar, em geral por eventos similares a outros que as incomodaram igualmente, mas aos quais não reagiram do mesmo modo. Há outro mistério que escapa à nossa capacidade de explicação e predição. Qual será a resposta dessa maioria ao descaso da minoria no poder? Diante da inércia do Congresso, do Judiciário e do Executivo, o que farão esses jovens e adultos que tomaram as ruas no sábado de protesto contra a chacina na escola? Ou nas manifestações de agosto de 2013? Ou nos protestos pela educação de maio de 2019? Conformar-se-ão? Como se conformaram os que ocuparam a praça Tahrir, no Egito, que derrubaram o governo ditatorial e hoje vivem sob outro regime igualmente ditatorial? Ficarão calados, até o dia em que mais um descaso será demais e o protesto se transformará em rebelião? Reagirão pelo voto, apoiando, com a força da maioria, os candidatos que se posicionarem contra a poderosa NRA e se comprometerem a aprovar o fim do comércio civil de armas pesadas e regulação que restrinja a compra e o porte de armas? Ou, no Brasil, votando a favor dos candidatos que se comprometam com a democracia e contra os que apoiaram o retrocesso autocrático?

Não temos como prever o que farão. Se esse contágio que incendiou a juventude passará e o fogo da indignação se apagará, ou se ele terá efeitos duráveis, de longo prazo, que produzirão mudanças reais no poder, nas leis e nos comportamentos. Essa indignação, todavia, é cada vez mais necessária em todo o mundo, e o desafio é saber se criarão novas lideranças, se o espontâneo se politizará e dará forma a novas organizações políticas dispostas a resgatar, fortalecer e atualizar a democracia. O melhor cenário seria aquele no qual a reiteração dessas manifestações desaguasse no surgimento de novos tipos de liderança e novas formas de identidade e coletividade entre indivíduos com autonomia. E que a conjugação entre novas lideranças e novas identidades coletivas desse um rumo e um objeto mais direto e concreto à disputa política que levasse à mudança política real, fortalecendo a capacidade de adaptação da sociedade às mudanças saídas da metamorfose social.

O pior cenário seria a cristalização da opção pelo confronto que hoje anima vários governantes. Quando chefes de governo optam pelo confronto interno e externo como modo principal de ação política, estressam a democracia e aumentam exponencialmente os riscos geopolíticos. Desde o final da Guerra Fria, é a primeira vez que vários países têm governantes que usam a confrontação como estratégia política. Cultivam, dessa forma, seus seguidores mais radicais e agressivos e forçam os limites das instituições. É o caso de Donald Trump, de Boris Johnson, de Vladimir Putin, de Recep Tayyip Erdoğan, de Viktor Orbán e de Jair Bolsonaro. Vários são governantes incidentais a serem varridos pelas urnas futuras, por não conseguirem neutralizar os mecanismos de freios e contrapesos da democracia. Outros são autocratas que conseguiram usar os meios democráticos para neutralizar aqueles mecanismos e instaurar um regime autoritário, mantendo-se no poder até que a sociedade se insurja e a insurreição os derrube do poder conquistado com malícia. Não deixam de ser incidentais, embora não sejam breves.

A BOA SOCIEDADE E OS MAUS POLÍTICOS

As atitudes desses governantes têm um componente ostensivo de hostilidade a grupos específicos, sociais, ocupacionais, raciais e no relacionamento internacional. O mundo divide-se, para eles, entre aliados fiéis e inimigos desprezíveis. Os ataques racistas de Donald Trump a parlamentares eleitos e de Jair Bolsonaro a jornalistas e ao presidente da Ordem dos Advogados do Brasil são marcadores claros dessa atitude. Erdoğan intimida e persegue jornalistas e opositores. Putin persegue jornalistas e opositores com violência. Orbán também persegue jornalistas e artistas, adota uma postura discriminatória e xenófoba internamente e agressiva e confrontacionista nas relações externas. Trump provocou reações de ódio racial entre seus seguidores supremacistas brancos, xenofóbicos e chauvinistas que assustaram seus assessores pelo risco de uma escalada de violência étnica ao ofender parlamentares Democratas negros de alta visibilidade e com forte apoio em suas comunidades.

O padrão de conduta política adotado por Jair Bolsonaro é similar. Frequentemente convalida as violências cometidas pelo Estado durante o regime militar, como ao insistir em homenagear um notório torturador como herói nacional. Demonstra reiterado preconceito contra indígenas, "que vivem como homens da caverna", e intolerância com os que pensam diferente. No caso do presidente brasileiro há, também, quase sempre, um componente de retaliação pessoal nesses ataques diretos a indivíduos que o incomodam com suas críticas ou suas atividades profissionais.

Trump e Bolsonaro têm se mostrado inconformados com os limites a suas ações impostos pelo sistema de freios e contrapesos da democracia republicana, no Legislativo e no Judiciário, e na checagem da imprensa. Ambos atacam os fatos com fakes. Estressam as instituições e põem em risco a estabilidade democrática. Erdoğan transformou seu inconformismo em violação institucional e terminou por desmontar a democracia parlamentarista turca, transformando-a em autocracia presidencialista. Boris Johnson ameaçou a frágil estabilidade econômica europeia com sua promessa de Brexit sem acordo e o modelo de Westminster de monarquia parlamentarista, ao querer forçar o recesso mais longo do parlamento. Não teve sucesso. Buscou apoio chamando eleições parlamentares e com a vitória majoritária pôs fim à longa novela de aprovação da Brexit. As negociações para modulação da saída não afastaram o temor de que o acordo final não garanta a decisão sobre as fronteiras entre a Irlanda e a Irlanda do Norte da negociação da paz em 1998. Muitos analistas acreditam que não existe solução que preserve as fronteiras abertas da Irlanda. Já vivemos em um mundo muito interligado e interdependente. Mexe-se em uma parte do sistema global e não se consegue mais estimar suas repercussões no todo e nem mesmo na parte que se alterou. Johnson conseguiu mudar a correlação de forças no parlamento e aprovar a saída nos termos que desejava. Com a decisão favorável a Johnson, começou um novo estágio nas negociações com Bruxelas, mas ninguém pode ainda precisar quais serão as consequências dessa separação nos próximos anos. O Reino Unido não é um parceiro que se despreze e nem a União Europeia um mercado que se abandone.

Esses são todos marcadores fortes das turbulências e perigos da grande transição estrutural global. Essa política de confronto representa um risco concreto e presente à democracia e ao equilíbrio geopolítico global e regional. É também uma política do impasse, que se dá em situações de polarização radicalizada, em contextos nos quais o governante é institucionalmente fraco, ou, embora forte, precisa de uma coalizão multipartidária para governar e não consegue formá-la ou se recusa a tentar, como Bolsonaro fez no Brasil. O cul-de-sac é agravado pela polarização radicalizada. No Reino Unido, apesar de certa "presidencialização" do cargo de primeiro-ministro, que passou a ter mandato fixo e um pouco mais de estabilidade no cargo, em casos de perda flagrante da maioria, o governante continua a ser fraco. É uma característica inerente ao parlamentarismo. Ainda assim, a atitude de Johnson ao forçar o recesso parlamentar provocou inusitada judicialização. Ela terminou com a Suprema Corte decidindo que o recesso era ilegal. No caso dos Estados Unidos, a presidência tem poderes mitigados, exceto nas áreas de política externa e segurança nacional. O presidente americano só governa imperialmente quando tem maioria nas duas Casas do Congresso e sua agenda coincide com a agenda mediana do seu partido. Não era o caso de Trump quando tinha a maioria. Piorou quando perdeu o controle da Câmara, caracterizando o que chamam de "governo dividido". A polarização, sem matizes intermediários, cria um conflito de agendas praticamente intratável. Na ausência de uma terceira força para desempatar, o impasse termina em paralisia decisória e instabilidade. Não sendo possível uma saída de compromisso, todas as opções têm mais custo político para um dos lados ou para ambos. No caso, terminou em processo de impeachment. Trump abusa de decretos executivos e, no processo de impeachment, do privilégio executivo, que serve para proteger os interesses de Estado.

Os bons pilotos são mais do que nunca necessários para a travessia turbulenta em que nos encontramos. A ex-prefeita de Madri, Manuela Carmena, disse, em entrevista ao jornal *El País*, que a sociedade é melhor que os políticos. Discutia uma decisão local, ligada à agenda global. Para ela, seria impensável que os habitantes da capital da Espanha estivessem contra os esforços para mitigar a emergência climática. As pesquisas indicam que a maioria na Europa, nos Estados Unidos e no Brasil apoia a luta contra a mudança climática. Mas alguns governantes se opõem à política climática. Os governos Trump, nos Estados Unidos, e Bolsonaro, no Brasil, desprezam o pensamento majoritário e tentam desmontar a política de emergência climática que vinha sendo penosamente construída. Carmena tem razão: a sociedade é crescentemente melhor do que os políticos. E não apenas na questão climática. Não é por acaso que a sociedade é melhor do que os políticos, ou que os políticos sejam, cada vez mais, alheios à voz das maiorias. A política se atrasou no tempo, permaneceu analógica, enquanto a sociedade se digitalizou rapidamente. Esse atraso da política tem limitado a democracia na sua tarefa de representar a pluralidade social e retirar dela a posição majoritária. A sociedade se fragmentou e ficou mais difícil fazer o encontro da opinião pública majoritária com a maioria política. Os partidos, em vez de buscar o sentimento mais comum, procuram nichos onde possam maximizar suas chances de conquistar fatias de poder. Representam cada vez porções mais segmentadas e particulares da opinião coletiva. A maioria da sociedade, com razão, sente que não está representada no mosaico de partidos no poder.

O afastamento dos políticos das posições majoritárias da sociedade, a ausência na agenda política dos principais tópicos que inquietam a sociedade global nessa era de mutações profundas, produzem um divórcio que traumatiza a democracia. Pressionada por políticos alheios aos interesses coletivos e por cidadãos alienados da política, a democracia se torna vulnerável e disfuncional. Termina vítima de si mesma. Ela depende de certas formalidades e da adesão férrea a seus princípios fundamentais. Respeita os poderes constituídos segundo as suas regras, mesmo que eles desrespeitem seus princípios e a ameacem diretamente. Permite que seus inimigos cresçam no seu interior, deixando que se formem ondas populistas e antidemocráticas e que estas cheguem ao poder. Aqui e ali, esses governos antidemocráticos usam as instituições para sufocar a democracia e instalar autocracias pseudodemocráticas. É da natureza da democracia expor-se ao inimigo porque, de outra maneira, limitaria a liberdade de expressão, de votar e ser votado, e negaria a si mesma.

Estaremos, então, diante de um destino trágico, do fim inexorável da democracia representativa? Do colapso das liberdades duramente conquistadas ao longo dos séculos XIX e XX?

Não creio. Como a sociedade é melhor que os políticos, a democracia vingará, ainda que transformada para adaptar-se às mutações de seu macroambiente. A sociedade humana já mostrou em sua relativamente breve história contemporânea que, embora seja vulnerável ao sortilégio de pregadores tirânicos em tempos extremos, seu ecossistema funcional é o da liberdade. Há um momento em que a carência de liberdade e voz se torna insuportável e alimenta a rebeldia, a conjuração e a luta pelo restabelecimento e aprofundamento da democracia. Nas mais recentes eleições europeias, os extremistas e populistas viram seus votos diminuir e novas lideranças do centro democrático, de esquerda e de direita, avançar. Há sinais, em muitos lugares, de alianças entre centro-esquerda e centro-direita para neutralizar a vantagem momentânea dos extremistas. Aconteceu na Itália e na Alemanha, por exemplo. A sociedade é que tem a força para revigorar, aperfeiçoar e aprofundar a democracia. O alento da democracia está na perspectiva de renovação das lideranças com a emergência na sociedade de pessoas vocacionadas para a arena pública. A nova geração que se forma no mundo digital e se encontra, às vezes em lados opostos, nas ruas para manifestar seu descontentamento e sua inquietação, é mais capaz de entender e aceitar os novos modos nascentes. Todos nela têm uma história adulta comum, falam a mesma linguagem. Estavam entre a pré-adolescência e a idade adulta quando a internet surgiu. Têm uma vida digital muito mais natural e ativa do que as gerações hoje no poder. Seus filhos nasceram digitais. Estão mais aptas a atualizar as visões dos partidos, enquanto os partidos durarem. A renovação das elites com a chegada ao topo das novas gerações não resolve tudo. Mas atualiza as visões, muda a linguagem e pode criar condições mais propícias à inovação política e social. Sua chegada ao poder insere na agenda política visões mais contemporâneas, progressistas ou conservadoras. Em todos os lados do espectro ideológico, a circulação das elites gera condições mais convidativas à inovação e à experimentação. Pode permitir, por outro lado, que determinadas questões inevitáveis e inadiáveis, como a emergência climática, o êxodo migratório e as tensões geopolíticas, possam ter encaminhamento eficaz, embora diferenciado. Desta forma, o mundo poderia transitar da negação dos problemas para a discussão dos meios para lhes dar soluções estruturais que funcionem. No vórtice da transformação global, profunda, generalizada e vertiginosa, ousar inovar e experimentar faz mais sentido do que ficar repetindo as fórmulas habituais. Há um déficit de lideranças com essa visão por toda parte. Os melhores líderes surgem, muitas vezes, nas piores travessias. É na luta que se forjam lideranças dispostas a enfrentar as agruras do presente, olhando para as possibilidades do futuro. Os futuros não surgem do acaso. Surgem de escolhas coletivas que, por sua vez, nascem do conflito, da argumentação e da persuasão reforçadas pela necessidade e pela urgência em face das emergências. A história tem mostrado que as melhores soluções são aquelas que nascem de escolhas tomadas livremente, sob orientação de lideranças que encaram o futuro sem medo e preconceitos e com respeito à democracia.

A FRAGILIDADE DA DEMOCRACIA

Um país sai da guerra dividido, em crise, mergulhado em desigualdade crescente. Um líder populista emerge das sombras. O governo democrático abraça as ideias mais avançadas da época, um momento de enorme riqueza intelectual e artística. Grandes escritores, filósofos de ponta, inovadores de toda sorte, muitos no auge da sua criatividade, abrigam-se no clima de liberdade e abertura. Discute-se de tudo, em todos os lugares. Ideias políticas como sufrágio universal, igualdade de gêneros, o futuro do trabalho e dos trabalhadores, a possibilidade de construir um novo mundo, livre do domínio aristocrático, a participação popular. Era uma república premonitória, mais que uma realidade em si. Isso aconteceu há cem anos, na Alemanha. A República de Weimar nasceu em 1919, numa nação derrotada na Primeira Guerra, mas sonhando com o futuro. Mais que sonhar com o amanhã, gerou as ideias que permitiram construir o futuro, lá e em todo o mundo, embora vivesse as terríveis aflições da hiperinflação de 1922, que a desestabilizou.

Basta escrever alguns nomes para se ter a noção da riqueza cultural e da importância das cabeças reunidas em Weimar — o poeta e teatrólogo Bertolt Brecht, o movimento revolucionário de design e arquitetura Bauhaus, o psicólogo Wilhelm Reich, os filósofos Ernst Cassirer, Martin Heidegger, Karl Jaspers e Max Horkheimer, a atriz Marlene Dietrich, o cineasta G. W. Pabst, de *A caixa de Pandora*, os escritores Thomas Mann e Hermann Hesse, os compositores Arthur Schoenberg e Kurt Weill, o pintor Paul Klee. Weimar nasceu como a mais livre das repúblicas de sua época. Projetou a ideia da "nova mulher", politicamente ativa, dona de sua própria vida, que está na raiz do movimento feminista dos anos 1960. Hannah Arendt, a extraordinária figura do pós-Segunda Guerra, formou-se em Weimar.

O historiador Peter Gay escreveu que Weimar foi uma ideia buscando se tornar uma realidade. A República de Weimar morreu, oficialmente, em 30 de janeiro de 1933, quando o presidente Paul von Hindenburg nomeou Adolf Hitler, vitorioso nas eleições, chanceler da Alemanha. Benjamin Carter Hett, outro historiador, imagina que talvez a morte definitiva da democracia naquela Alemanha utópica tenha ocorrido quatro semanas após a posse de Hitler, quando nazistas puseram fogo no prédio do parlamento. Logo em seguida começou a caça, já planejada, aos comunistas, liberais, clérigos, advogados, artistas e escritores. Ele diz que naquela segunda-feira, 27 de fevereiro de 1933, deu-se a última noite de Weimar e da democracia. Até então, a posição de Hitler era politicamente quase tão fraca quanto a de seus antecessores. A partir daquele episódio montado por seu próprio grupo, ele virou o jogo, atropelando as liberdades. Seus dois inimigos principais foram os comunistas e os judeus, e ele se propôs a exterminá-los. Hett cita um eloquente trecho do repórter de Berlim Walter Kiaulehn, dizendo que primeiro ardeu o Reichstag, depois arderam os livros e, logo, as sinagogas. Hitler foi o mais sinistro dos governantes, o arquétipo do governante incidental.

Não importa se ideias similares agitavam outras partes do mundo ou que houvesse efervescência em muitas capitais inteligentes da Europa, como argumentam alguns. Weimar foi uma experiência singular, ao catalisar elementos culturais, artísticos, técnicos, gráficos, literários, políticos, sociológicos em uma realidade-síntese a apontar um caminho que nenhum outro país, até então, vislumbrara. Foi real enquanto durou. Não encontrou sua realização definitiva no período em que existiu concretamente, como ideia, cultura e governo. Era, porém, antecipatória em quase tudo, do design à emancipação feminina. Foi a república do movimento trabalhista, da construção da rede de proteção social. Elsa Hermann escreveu, em 1929, que a mulher moderna se recusava a ter uma vida de dama e dona de casa, preferindo sair da trajetória predeterminada e fazer seu próprio caminho. Essa visão da nova mulher espelhava, de muitas maneiras, o ideal da república nascente de Weimar. Weimar caiu para vencer. Foi no pós-guerra, com a derrota de Hitler e da extrema direita alemã, que as ideias que reuniu mostraram sua força real. O contraste com a Alemanha do Führer era eloquente demais. Sua Constituição serviu de base e inspiração para a Constituição da Alemanha contemporânea. O filósofo Karl Jaspers, um típico intelectual do existencialismo de Weimar, teve importante papel no debate da redemocratização no pós-guerra e foi um dos pensadores que ajudaram a transmitir os princípios e valores de Weimar para a nova Carta alemã. O sonho de Weimar alimentou o avanço social-democrata europeu após a Segunda Guerra. O centenário dessa república antes do seu tempo não celebra um sistema republicano politicamente inviável, que durou apenas catorze anos. Comemora a força vitoriosa das ideias progressistas do século XX. Um dos pontos altos de realização do sonho iluminista. O ideal de liberdade, justiça e igualdade de direitos que animou a avassaladora onda de democratização nos anos 1950, 1960 e 1970. O movimento da história mostrou o poder das ideias sobre a força das armas. O fim de Weimar foi o começo de sua vitória, o maior legado cultural do século XX. Hoje, a queda de Weimar e a morte da democracia, que ela mais intuiu do que realizou, marcam a agenda do presente. O espectro daquele ardiloso plano de morte das liberdades volta a nos rondar. Fantasmas são, todavia, para ser exorcizados. Nenhum evento histórico é predeterminado. Com certeza, a vitória nazista não foi predeterminada, ela nasceu das limitações e dos conflitos que minaram a própria República de Weimar. Não é, portanto, a queda de Weimar que deve nos aturdir; as visões que aquele rico momento do espírito humano nos legou é que devem nos animar a evitar outros desfechos trágicos. Seria, contudo, um erro celebrarmos essa herança intelectual sem levar em consideração o horror que se seguiu a seu colapso. Hitler é o fantasma que nos lembra permanentemente as fragilidades e a força de Weimar. Para resgatarmos o espírito de Weimar é preciso exorcizar o espectro de Hitler. Contraponho o espírito do bem e o espectro do mal para lembrar que é preciso ter em mente que a democracia é como Troia, sempre vulnerável a um ataque por dentro. Hitler é filho de Weimar, das contradições e fragilidades políticas daquela república. Nasce das vacilações de lideranças imprecisas e débeis, das escolhas erradas das elites e da estreiteza das visões da esquerda, de um contexto econômico e social depressivo, promessas vãs e esperanças frustradas. Como Thomas Mann explicava, quase em desespero, em seu ensaio "Sobre a República Alemã", a negação da legitimidade da república democrática, a confusão entre as falhas dos governos e a estrutura institucional das liberdades extinguiram as forças vitais da democracia. O filósofo Ernst Cassirer relembraria, depois, quantos intelectuais e pessoas bem-pensantes aceitaram a chegada de Hitler como resultado legítimo e verdadeiro do julgamento da história. Somos a um tempo testemunhas e agentes da grande transformação do século XXI. Podemos dizer, lembrando Goethe, que está para começar uma nova época na história mundial e que somos parte dela.

Mais do que uma coincidência temporal, o centenário de Weimar é uma oportunidade para relembrar sua história paradoxal. Fica-nos a memória de uma república que viu seu sonho democrático se tornar realidade nas cinzas de sua própria derrocada. Cassirer foi, desde o início, um entusiasta da república democrática e julgava que o idealismo havia enraizado firmemente a ideia republicana na cultura alemã. No seu discurso em celebração à fundação da república, em 1928, ele lembra Goethe ao dizer que a melhor coisa que se pode tirar da história é o entusiasmo que ela inspira. Não basta apenas olhar para trás. A retrospectiva deve servir para fortalecer nossas convicções e nos dar a confiança de que as forças das quais surgiu a Constituição democrática também podem nos ajudar a construir o rumo do futuro. Buscar as raízes histórico-culturais do autoritarismo e da democracia para encontrar a rota para um futuro mais democrático pode ser o caminho para criar instituições mais resilientes e mais eficazes.

Essas raízes podem se entrelaçar historicamente, umas podem ficar em recesso, enquanto outras prosperam. Mas, como acreditava Cassirer, as raízes da democracia podem estar fincadas em algum ponto da cultura, prontas para se tornarem dominantes, quando encontram terreno propício e agentes viabilizadores. A história alemã tem conhecidas raízes autoritárias, por exemplo, na força da aristocracia dos Junkers, na Prússia e, no império alemão, no nacional-estatismo de Bismarck. As raízes da democracia, eventualmente importadas da França revolucionária, floresceram originalmente em Weimar, em meio à enorme efervescência intelectual em todas as dimensões, fortalecendo-se para ressurgir com maior robustez após a derrota do nazismo. Importam mais a intensidade e a qualidade do legado republicano que sua dimensão temporal e quantitativa.

Considero particularmente importante essa combinação essencial entre a presença de raízes democráticas e republicanas na cultura histórica e a existência de agentes viabilizadores para o sucesso e a sustentação de longo prazo, seja da reconstrução da democracia, após o seu colapso, seja para o revigoramento da democracia debilitada. Se essas raízes já demonstraram o valor democrático em um regime concreto e se houver grande presença de agentes propiciadores, torna-se mais possível resgatar a democracia da crise de representatividade e legitimidade provocada pelos imponderáveis da metamorfose social. Retirei a noção de viabilizadores da leitura que Stephen Greenblatt faz de Shakespeare para desvendar a personalidade tirânica. Mas ele vai além, para mostrar que a ascensão de tiranos como Ricardo III é propiciada por aquela parte da sociedade e da elite que tem capacidade de viabilizá-lo com seu apoio. Os viabilizadores sabem que o tirano é inconfiável e autoritário, mas creem que tudo dará certo para eles no final. Estes seriam, digamos, os viabilizadores cínicos. Mas, por analogia, há de haver os viabilizadores cívicos, que apoiam ativamente o republicanismo democrático e se tornam agentes históricos fundamentais nos momentos de redemocratização ou de revigoramento da democracia.

Nem preciso dizer que "histórico" não se refere necessariamente ao passado. Um agente histórico no presente é aquele que assume o papel de construtor da história do futuro. Creio ser esta a razão por que os valores democráticos prosperaram tão rapidamente na Alemanha do pós-guerra. O legado de Weimar, com sua cultura cívica, humanística e filosófica, e os horrores do nazismo, que provocaram a aversão transgeracional à possibilidade de regresso, ativaram os agentes viabilizadores do republicanismo democrático em todo o espectro partidário e ideológico.

Vivemos globalmente um momento turbulento que cria espaço para as vãs promessas dos populistas. O maior erro que poderíamos cometer seria desprezar os sinais de risco à democracia, por mais que deles duvidemos racionalmente. A literatura acadêmica, com toda razão, vê com dúvida e olhos críticos as análises que tratam da possibilidade de uma derrocada da democracia, principalmente onde ela tem se mostrado solidamente implantada. Eu, ao contrário, vejo como um alerta o volume de publicações que tratam das fragilidades da democracia e dos riscos que corre contemporaneamente. Vários estudiosos levantam a mesma hipótese, à luz dos fatos correntes, oferecendo distintas explicações e avaliações do grau de perigo. Do meu ponto de vista, merecem consideração como um alerta de precaução. O que não deveríamos fazer é desprezar esses sinais e deixar de soar o alarme, até que seja tarde demais. Tenho sobre a mesa, ao lado do computador, dez livros sobre as ameaças contemporâneas à democracia, todos publicados entre 2017 e 2019. Não acredito em coincidências. A situação em que nos encontramos é aquela da pessoa diante do dilema de fazer ou não um seguro contra incêndio. A baixa probabilidade de ocorrência diz que não vale o custo.

As perdas envolvidas na eventualidade de ele ocorrer aconselham a pagar o prêmio por precaução. Quem já viveu sem o oxigênio das liberdades liberal-democráticas sabe que a proteção delas não tem preço. O Brasil criou aversão transgeracional já comprovada à inflação. Ela nasceu da traumática experiência hiperinflacionária e do sucesso da estabilização construída por agentes viabilizadores atuando tanto no plano intelectual quanto no político. Há sinais — preocupantes — de que pode não ter se desenvolvido aversão similar ao autoritarismo, apesar dos horrores do regime militar e de que há menos agentes viabilizadores nas diferentes correntes político-ideológicas no país do que o necessário para se tornarem agentes históricos do revigoramento democrático. Ainda preferem dedicar-se a rivalidades temáticas ou político-partidárias a formar uma coalizão cívica pela democracia. No momento, aparentemente, os viabilizadores cínicos predominam sobre os cívicos em muitos países, inclusive no Brasil.

O sociólogo Paul Starr chama a atenção, em seu último livro, para a necessidade de se examinar se os elementos constitutivos da democracia, suas regras fundantes, estão sob risco de ser substituídos por mudanças constitucionais que objetivam consolidar um regime iliberal e antidemocrático. Essas mudanças se fortaleceriam reciprocamente e poderiam se entrincheirar no sistema institucional por longo tempo. A ameaça vem de líderes e partidos populistas que se veem ameaçados por mudanças sociais e comportamentais e tentam, em reação, alterar de forma irreversível as leis e instituições públicas a favor de suas crenças. É uma ameaça que nos avisa da possibilidade de que a democracia se autodestrua ou seja transformada por dentro, usando suas próprias regras para deformá-la. O que parecia uma missão impossível há uma década hoje parece perfeitamente factível, e numerosos líderes e governantes têm exatamente este objetivo político. Eles querem demolir os fundamentos constitutivos dos regimes liberal-democráticos usando as ferramentas da própria democracia. Para isso, não hesitam em manipular eleições, lançar mão de fake news para assustar maiorias já abaladas pelas mudanças estruturais, fabricar fatos, similares ao incêndio do Reichstag, para a eles reagirem e saírem ao encalço dos inimigos que eles mesmos criam e definem. Não importa a inclinação ideológica, o enquadramento analítico dos autores que têm escrito sobre a possibilidade de declínio das democracias. Todos examinam a mesma suspeita de que a democracia corre riscos hoje, como não corria desde o colapso da República de Weimar, no caso das democracias maduras, e desde os golpes militares dos anos 1960, no caso das democracias latino-americanas.

DEMOCRACIA LÍQUIDA

O mundo transita veloz para outros modos. A revolução digital, científica e tecnológica, entrelaçada com a globalização, vai superando os modelos econômicos, políticos e sociais. Mudam comportamentos, valores e oportunidades. A política frequentemente responde aos impulsos pouco inspiradores das incertezas e dos medos das pessoas. Polariza-se, radicaliza-se, abre-se a forças reacionárias, que sonham com passados idealizados e irrealizáveis. Olhando-se a política da perspectiva da sociedade, ela parece não se mover, ou andar muito lentamente. Ela é analógica, a sociedade é digital. Os impasses estão quase todos na política. Na sociedade, experimenta-se muito, em busca de novos modos de interação, novos modelos econômicos e de negócios, novos formatos de geração e distribuição de conteúdo. No momento em que o mundo conhecido desmorona e os novos mundos não são ainda identificáveis no turbilhão de novidades experimentais, predominam os comportamentos defensivos, reativos e agressivos. É neste ponto que o perigo de colapso democrático atinge seu auge.

É significativo o número de analistas a escrever e dizer que há riscos iminentes e concretos para a democracia, em quase todos os países democráticos do mundo. Pode-se discutir se as explicações desses analistas estão certas, se seus modelos se comprovam, se escolheram os melhores indicadores para os fatores de risco. Um exercício acadêmico necessário, mas cujo prazo não coincide com as urgências do tempo em que vivemos. Até que cheguemos ao melhor modelo explicativo, as democracias já podem estar quase todas em recesso forçado. Diante da premência deste momento de processos vertiginosos, que envelhecem jornais ainda na rotativa, tornam tuítes obsoletos em questão de segundos, prefiro a precaução. São tantas as boas cabeças impressionadas com a possibilidade de recessão da democracia, que prefiro partir da premissa de que o perigo existe e é real. Portanto, não é hora de calarmos e esperar os resultados das análises que destrincham a teoria e a metodologia dos alertas. Insisto: essas análises são fundamentais, absolutamente necessárias. Porém, no entrementes, se há dúvida, toda proteção é pouca.

Nesse ambiente movediço e incerto, os políticos agarram-se ao poder como cracas no casco dos navios. O mundo todo se oligarquizou. Os canais para ascensão de novas lideranças estão fechados. Onde não há circulação de lideranças há conflito, paralisia. Não há inovação. Basta uma breve mirada mundo afora. Imaginar que Donald Trump ou Jair Bolsonaro sejam novas lideranças políticas é tomar a ruína pela construção. Trump é neófito no ramo da política, mas suas ideias e atitudes são anciãs, historicamente ultrapassadas. O Partido Democrata tem muitas estrelas ascendentes, mas nenhuma se destacou como a aposta da vez para derrotá-lo. Theresa May agarrou-se ao cargo de primeira-ministra do Reino Unido, embora tivesse perdido toda autoridade e atolado o país nas dúvidas sobre a Brexit. Jeremy Corbyn atracou-se ao comando do Partido Trabalhista, embora esteja claro que não tem a visão necessária para renovar a esquerda democrática. Boris Johnson sucedeu May como uma encarnação na vida real do personagem trapalhão Johnny English, ou mesmo do Mr. Bean. Mas, ao contrário de English ou Bean, não tem graça alguma e ameaça o Reino Unido e o mundo com a teimosa insistência numa Brexit a seu modo. O Reino Unido, sob liderança Conservadora cada vez mais reacionária, isola-se do continente e debate-se em dúvidas sem sentido. Sair da União Europeia só lhe assegura uma solidão muito diferente e mais danosa do que aquela que viveu nos seus tempos de império. A decisão de promover a saída britânica é parte da crise da UE. Mas a maior contribuição para os problemas da Europa está na incapacidade dos governantes das duas potências dominantes da federação, Alemanha e França, de oferecer soluções novas. Elas andam se desentendendo, reavivando as desconfianças históricas que já as separaram. França e Itália protagonizaram recentemente o maior confronto diplomático desde o final da Segunda Guerra. As esquerdas democráticas estioladas, prisioneiras de ideias e propósitos superados historicamente, têm enorme responsabilidade no fortalecimento das direitas irresponsáveis. Na Alemanha, Merkel vive os últimos momentos de longa e razoavelmente bem-sucedida estadia no topo do poder governamental, sem deixar herdeiro natural. Não há líderes a despontar com credibilidade em nenhum dos grandes partidos tradicionais. Sua sucessora na liderança do CDU, partido de Merkel, Annegret Kramp-Karrenbauer, conhecida como AKK, sofreu oposição entre os principais aliados, desde que assumiu a liderança e terminou por renunciar, diante das evidências de que não tinha o controle efetivo do seu partido. Na França, Emmanuel Macron teve vitória fulgurante, renovou quase toda a Assemblée Nationale e empacou em suas próprias contradições. Ficou meses sitiado pelos *gilets jaunes*, os coletes amarelos, incapaz de negociar saídas para o confronto e escalando na repressão, que aumentou a violência de lado a lado. Terminou por absorvê-los relativamente. Mas ainda há focos de tensão. A explosão de protesto contra a reforma da Previdência, pouco tempo após o levante dos coletes amarelos, foi outro exemplo das contrariedades nascidas dos solavancos da transição. Portugal votou favoravelmente, no ano de 2019, ao desempenho da "geringonça", dando a vitória ao Partido Socialista e reconduzindo António Costa à chefia do governo. Costa e sua geringonça conseguiram oferecer uma alternativa progressista para a gestão fiscal responsável com a preservação das políticas sociais. A primeira vitória socialista foi uma reação à austeridade imposta ao país pela ortodoxia de Bruxelas. Durante a gestão de António Costa, agora aprovada nas urnas, Portugal cresceu mais que a média europeia, e o desemprego caiu onze pontos percentuais. A Itália, desde a operação Mãos Limpas, não encontra caminho para formação de lideranças políticas democráticas duráveis. Na China, Xi Jinping ameaça perpetuar-se no poder como novo grande líder. Na Rússia, Putin não tem rivais visíveis. Argentina, Chile, Brasil e México vivem a mesma a escassez de talentos políticos capazes de promover renovação, inovação e sintonia entre seus países e a contemporaneidade.

São assim mesmo as grandes transições. As mudanças tectônicas se manifestam primeiro como uma série de crises, gerando angústia, perplexidade e medo. Sentimentos antagônicos à boa política. A democracia está em risco e precisa ser socorrida com urgência. Um caminho possível é a rebelião democrática. Não só contra a onda de governantes autocráticos e o avanço insidioso das mentalidades autoritárias sobre o poder, mas, principalmente, em casa, nos partidos e movimentos democráticos. Rebelião das esquerdas democráticas contra suas oligarquias que impedem a renovação do seu pensamento. Revolta das direitas democráticas contra os extremistas que tomaram de assalto o campo do liberalismo e do conservadorismo. Vivemos um momento em que a única convocação possível é "democratas de todos os partidos, uni-vos", pois tudo o que podem perder é a democracia. O mundo está cheio de sereias agônicas enfeitiçando eleitores e cidadãos, levando-os para águas das quais não há retorno. Rumam para o naufrágio coletivo. As sereias encantam porque do outro lado há apenas o silêncio do passado e a teimosa adesão a ideias fracassadas.

Nesses tempos de desagregação política, líderes cheios de si apostam no conflito e no impasse como forma de impor sua vontade, inconformados com a resistência propiciada pelos canais da democracia. Aproveitam as falhas inevitáveis dos respectivos modelos políticos para seus objetivos pessoais. Enquanto o impasse político se agrava por toda parte, a economia global não decola, prisioneira dos problemas da conjuntura e sacudida pelas transformações estruturais que retiram dinamismo de setores ainda centrais. No Reino Unido, a economia patina e seu peso geopolítico definha. A Alemanha, a principal máquina econômica europeia, engasga e perde capacidade de crescimento. A institucionalidade da União Europeia é insuficiente para lidar com os desafios e dilemas que enfrenta. Será preciso rediscutir o papel do Parlamento Europeu, da estrutura de regulação macroeconômica, comercial e de imigração entre países-membros. Nos Estados Unidos, a política errática de Trump e sua guerra comercial particular com a China prejudicam o desempenho econômico doméstico, afetam negativamente as empresas mais inovadoras e integradas globalmente do país e ameaçam uma recessão global. A China, ensimesmada, abandonou o crescimento "para fora", fortemente quantitativo, e adotou um modelo de crescimento "para dentro", com ênfase mais qualitativa do que quantitativa. Já não puxa a economia global como antes e dificilmente voltará a fazê-lo. Os tropeços da economia agravam os impasses da política, aumentam o desencanto e o descontentamento e reforçam a convicção de que o regime político perdeu sua efetividade e representatividade. Criam a ocasião para a chegada dos arrivistas do populismo. Não existe modelo político democrático que não tenha suas disfuncionalidades e que não possa ser manipulado por governantes com tendências autocráticas e mentalidades autoritárias. Não existe um estágio final de democracia. Democracia é um alvo móvel, que pede aperfeiçoamento e aprofundamento recorrentes, num processo sujeito a avanços e retrocessos.

O escritor Richard Reeves, fellow da Brookings Institution, lembrou em artigo recente que as preocupações contemporâneas sobre a desigualdade são formuladas em termos estritamente econômicos. É compreensível. Renda e riqueza dão boas medidas das distâncias entre os ricos e os outros. Mas, argumentou, a desigualdade vai muito além. Está certo. A ideia democrática de igualdade alcança desde a falta de respeito e consideração para com o outro, sobretudo o outro divergente, passa pelo desigual tratamento diante da lei e pela destituição material absoluta e relativa, até incluir o respeito à opinião, à vida e à dignidade de todos. Hoje, é impossível falar em desigualdade sem falar em privação digital e oportunidades de acesso aos meios para integrar-se plena e ativamente ao mundo cem por cento digital do futuro. O pensamento democrático de todos os matizes contém, necessariamente, o legado liberal do respeito à igualdade diante da lei, no direito de ser tratado com humanidade e dignidade, além dos direitos fundamentais à vida, de ir e vir e de opinião. Nas posições mais progressistas, incorpora direitos sociais e políticos de igualdade de oportunidades e retificação de privações, mediante políticas afirmativas que assegurem vias de acesso à educação, ao mercado de trabalho e aos cargos eletivos. Nesse sentido, a democracia está sob ameaça em todo o mundo. Mas comporta gradações. Está mais ameaçada em alguns lugares do que em outros. A democracia liberal, a democracia social e o socialismo democrático não são ferramentas mágicas que resolvem tudo, nem um estágio final de desenvolvimento político. São um alvo móvel, a cada nova conquista descortina-se um novo horizonte de possibilidades de avanço. A maior ameaça que sofrem é a visão parcial dos valores humanos, a polarização fundada em ódio e intolerância, a cegueira de cada um às violações cotidianas e sistemáticas aos direitos da pessoa humana. Nesse mundo líquido, todos os nossos valores serão submetidos a enorme pressão. Muitos se mostrarão obsoletos. O perigo é que abandonemos, em nome de causas efêmeras, os valores permanentes, expressos no sonho republicano de liberdade, igualdade e solidariedade.

A esquerda investe contra o lado liberal da democracia e a direita quer deletar seu lado democrático. Mas, sem o componente liberal, a democracia tende a sufocar o indivíduo em nome da sociabilidade. O Iluminismo liberal buscou desenvolver as salvaguardas das liberdades individuais, para evitar que se fechassem demais os limites impostos pela sociabilidade. O Iluminismo democrático vai além, ampliando e cimentando o lado democrático da liberal-democracia para assegurar a sociabilidade e o interesse coletivo, para que não sejam eliminados pela exacerbação do individualismo possessivo. O legado liberal demanda menos restrição; o legado democrático, mais representação, isto é, mais povo e pluralidade de vozes. Um assegura o ser livre, o outro regula o ser social e consolida a cidadania. É um equilíbrio delicado, dinâmico e necessário. As virtudes da democracia aparecem com maior clareza no confronto com as ditaduras. Os regimes autoritários e totalitários suprimem as liberdades individuais e os recursos coletivos de representação, mobilização, participação e ação coletiva. A supressão tanto dos elementos liberais quanto dos elementos democráticos da tradição iluminista deixa evidente como eles são complementares e indissociáveis. Sem os dois lados da democracia liberal, a democracia sem povo dos ultraliberais é, na melhor das hipóteses, a tecnocracia de Fareed Zakaria. A democracia dos socialistas sem direitos civis, individuais, é, também na melhor das hipóteses, uma autocracia distributiva. A questão é saber se o regime econômico que sucederá o capitalismo, ao cabo da metamorfose global, será compatível com a democracia, ajustada às transformações estruturais que estão a ocorrer e ainda ocorrerão. A metamorfose global cria, ainda, a possibilidade de um novo socialismo democrático em substituição ao capitalismo que está se transformando no fluxo de mudanças que ele próprio engendrou. Um regime cosmopolita de igualdades, aberto à diversidade.

Desembarquei em South Bend, Indiana, em 1982, para uma temporada na Universidade de Notre-Dame, como senior visiting fellow do Helen Kellogg Institute for International Studies. Atendia a convite de um amigo, já falecido, o politólogo argentino Guillermo O'Donnell. No início da carreira, recém-doutorado, era uma oportunidade impossível de recusar. Aceitei e não me arrependi. South Bend é uma pequena cidade do estado de Indiana, com pouco mais de 100 mil habitantes, no condado de Saint Joseph, assim denominado por deitar-se às margens do rio de mesmo nome. Ao me preparar para uma temporada de quase um ano na cidade, perguntei a um amigo que conhecia a universidade como era a cidade. "Uma cidadezinha perdida no meio do milharal", definiu. "Mas tem a vantagem de ficar a três horas de Chicago", completou, como para me consolar. Naquela época, a cidadezinha vivia a mais esplendorosa decadência. Os casarões dos outrora abastados haviam se transformado em repúblicas para estudantes. Encontravam-se mais espaços vazios nos prédios do que lojas e escritórios funcionando. Uma loja de material de desenho e pintura, a rivalizar em qualidade e estoque com as melhores que visitara em Nova York, parecia um oásis. Era um refúgio colorido em meio à decadência em preto e branco. Tão atraente que, por causa dela, vi-me motivado a aprender a desenhar sanguíneas e pastéis. A economia local não havia se recuperado da falência da Studebaker, célebre empresa automotiva, cujo auge se deu na primeira metade do século XX. Ela entrou em crise em meados dos anos 1950 e, após infrutíferas tentativas de recuperação, deixou de operar em 1979, 127 anos após sua criação em 1852 e 71 anos após o lançamento de seu primeiro modelo de automóvel, em 1908. A cidade vivia da universidade católica, Notre-Dame, cuja riqueza é simbolizada pela cúpula de ouro de sua igreja. Além de universidade da elite católica do *Corn Belt*, o milharal que abastece os Estados Unidos do produto central de sua dieta, Notre-Dame é uma das três maiores potências do football universitário. Em seminário que organizei, de um grupo de estudos comparados da democracia que coordenava à época, testei, pela primeira vez, a ideia de que a democracia é um regime móvel, não um estado final de progresso do sistema político. Um alvo em movimento, que nos permite sempre ir um pouco mais além nas conquistas de representatividade e eficácia distributiva. Quando cheguei aos Estados Unidos, nos anos 1970, saindo do sufocante regime militar brasileiro, a democracia americana me pareceu excelente. Bastaram alguns dias para que começasse a ver suas limitações. Muito melhor, quando comparada a um regime autoritário; insuficiente, quando examinada à luz dos meus ideais democráticos.

South Bend me surgiu na lembrança ao ler trecho de uma entrevista de seu jovem prefeito, Pete Buttigieg, concedida a Chuck Todd, da NBC. Buttigieg foi catapultado para o cenário das celebridades nacionais ao se inscrever para as primárias do Partido Democrata para escolher o candidato a presidente na eleição de 2020. O que me interessou nele não foi ter sido eleito em 2012 para reerguer South Bend, mais de trinta anos depois que a conheci já descaída. Nem foi o fato de ser gay e ter anunciado sua disposição de disputar as primárias ao lado do marido. Também não me espantou ele ter se tornado uma celebridade instantânea, entrevistado obrigatório dos talk-shows na TV e nas páginas políticas dos jornais. Nisso tudo, Buttigieg é um ser contemporâneo. Pós-pós-moderno, diriam alguns. O que me atraiu nele foram suas ideias sobre o capitalismo e a democracia. Chuck Todd perguntou-lhe, em certo momento da campanha, ainda em 2019, se era capitalista. Ele respondeu que claro que era, pois os Estados Unidos são um país capitalista. Mas, ponderou, é necessário que seja um capitalismo democrático. Seu raciocínio é impecável para um social-democrata e anátema para os adeptos do livre mercado. O capitalismo, sem os freios e contrapesos, os limites e incentivos da democracia, argumenta ele, deixa de ser um modelo econômico que promove a prosperidade do país como um todo e assegura a mobilidade social. A regulação democrática do capitalismo é o meio de garantir que ele se mantenha como uma economia geradora de oportunidades para todos. O escritor Michael Tomasky usa essa afirmação para concluir que os Estados Unidos se transformaram em uma oligarquia. A oligarquização, diz ele, se expressa no domínio político dos endinheirados. A oligarquia como modelo político tem um componente econômico. A democracia também tem um. Ela seria incompatível com o aumento exponencial da desigualdade no capitalismo contemporâneo, particularmente nos Estados Unidos. O capitalismo democraticamente regulado manteria a desigualdade sob relativo controle. Não haveria, nessa versão do capitalismo democrático, uma dimensão igualitária, nem uma aspiração coletivista. Ele continuaria individualista e concorrencial. Mas os extremos de riqueza e pobreza seriam falhas de mercado a ser corrigidas pela regulação. A riqueza extremada, por exemplo, pode ser mitigada pela via da tributação progressiva, principalmente sobre a herança. A mais condenável riqueza, nada republicana, é a hereditária. A pobreza pode ser aliviada por transferências de renda e reduzida com a renda mínima permanente para a base da pirâmide. Desta forma, realizar-se-ia o capitalismo de classe média. Reduzindo-se os excessos de riqueza até o topo da classe média e elevando-se a base pobre até a mediana remediada chega-se ao capitalismo democrático, majoritariamente de classe média.

O socialismo democrático aproxima-se do modelo de capitalismo de classe média, mas admite maior regulação social da economia, é mais redistributivo e aposta mais na pulverização da propriedade e nas formas cooperativas de organização econômica. A democracia representativa também vai mais além, no socialismo democrático, para obter o máximo de autogoverno possível, deixando a regulação para o plano macropolítico. No campo do governo representativo, o que se busca é o máximo de representação e o mínimo absoluto de discricionariedade.

O que é ser classe média? Sociologicamente, é pertencer a uma classe de pessoas sem riqueza herdada, sem propriedade de capital, educadas, que ascendem socialmente pelo trabalho em atividades administrativas, gerenciais e intelectuais. Poupam para educar os filhos, para que possam ter mobilidade igual ou maior que a dos pais. O prestígio social se assenta no status, na reputação social e profissional, não na riqueza. Nesse modelo, a sociedade de classe média vota pela manutenção do capitalismo democrático, situando-se esmagadoramente entre centro-esquerda e centro-direita. Estatisticamente, seu voto formaria uma curva normal. Não é um mau prospecto para uma sociedade que nunca foi de esquerda e, muito provavelmente, jamais o será. Está de acordo com o sonho dos fundadores de sua república. Contudo, na sociedade individualista, nas quais as profissões estão a desaparecer tragadas pelas mudanças estruturais, firma-se uma cultura de propensão ao consumo de bens que reflitam o status alcançado pelos indivíduos. As pessoas perdem a visão de realização pela reputação e prestígio profissionais. Passam a medir o sucesso social pela ostentação. Ostentam as marcas e os gadgets como se fossem medalhas de mérito. O modelo republicano da sociedade de classes médias tornou-se utópico diante das mudanças estruturais avassaladoras que vivemos e viveremos pelas próximas décadas. Especialmente nesta fase de desmoronamento do velho mundo capitalista manufatureiro, a riqueza se tornou financeira. A acumulação de enorme riqueza financeira é muito mais rápida e intensa do que era a acumulação de riqueza patrimonial do passado. Ela é, portanto, capaz de aumentar brutalmente as desigualdades. Por ser infinitamente mais ágil, é também mais efêmera. Fortunas impensáveis, construídas quase instantaneamente, viram pó em poucas horas. É um motor de desigualdades e colapsos econômico-financeiros, instalando um movimento cíclico de afluência e austeridade, que acompanha o crescimento e o estouro das bolhas financeiras. Na afluência, gera felicidade concentrada em poucas mãos e, na austeridade, sacrifício e dor para a maioria. Esse ciclo destrói negócios tradicionais, aventuras tecnológicas e milhões de empregos. Retorna porções da classe média para a planície da baixa renda. Pode ser fatal para a democracia.

A política nas ruas, na prática dos cidadãos, não respeita as fronteiras desenhadas pela academia. Não faz distinção entre governo e Estado e, menos ainda, entre governo e democracia. O cidadão julga pelo desempenho concreto, não pelo conceito abstrato ou pelo valor intrínseco das pessoas no comando eventual delas. O mesmo ocorre com a representação. Se os parlamentares desprezam seus eleitores, trabalham apenas em proveito próprio e dos grupos de interesses — em geral financiadores das campanhas —, a sociedade condena a instituição parlamentar e a representação. Culpa a democracia representativa. Uma sucessão de governos ruins, de legislaturas descoladas da representação e de mau desempenho econômico continuado pode levar à condenação não apenas dos mandatários, mas da Política e da Democracia. Não há escapatória. Nos países onde o Judiciário se curva às circunstâncias do momento, se politiza e julga de forma arbitrária aos olhos do povo, também passa a ser contestado ativamente. O quadro se complica quando, além de elites ineptas, corrompidas, insensíveis às agruras e aspirações da sociedade, tudo está em transformação hiperacelerada. Ocupações desaparecem. Conhecimentos ficam obsoletos da noite para o dia. O futuro é mais incerto do que jamais pareceu ser. O presente é fluido, mutante. Tudo está mudando no impulso do rápido avanço da ciência, da tecnologia e da digitalização da vida cotidiana. O tempo da vida acelera e o tempo de vida aumenta. Multiplicamos a quantidade de coisas que fazemos por hora, sem percebermos a sobrecarga de tarefas e informações, que eleva nosso estresse. A globalização anula parte das capacidades dos Estados nacionais para lidar com os problemas que surgem. As economias falham, entre o colapso das atividades superadas e o funcionamento tentativo das formas emergentes. A velha economia não tem vigor para manter empregos, pagar salários, nem para gerar lucros na economia produtiva. A nova economia emprega menos e demanda pessoas com habilidades muito diferentes das tradicionais. As escolas não ensinam o novo. As instituições não representam os segmentos deslocados pela transição, mais numerosos do que aqueles que têm representação. Vivemos entre o local e o global, sofrendo a incompetência e as limitações dos que tentam dirigir a sociedade de uma perspectiva nacional. A quem culpar?

Não há muita dúvida sobre como o povo distribuirá as culpas: ao governo e à representação que não dão respostas estruturais à altura das aflições. Como não reconhece as fronteiras da abstração, culpará junto a democracia representativa. Governos e parlamentos podem ser dissolvidos sem trauma, ou com abalos suportáveis. A democracia só se perde com muita dor e destituição dos direitos fundamentais. Vai-se, com ela, o direito de opinião, expressão, imprensa e escolha. Perde-se a liberdade. É demorado e penoso o caminho da recuperação das liberdades perdidas. A condenação da democracia, todavia, não decorre de erro de visão do povo. Se os governos falham serialmente, se a representação trai os representados, a democracia perde qualidade e a legitimidade popular. O desencanto com a democracia é geral e crescente. Atinge sociedades desenvolvidas e sociedades emergentes. É visível em todos os continentes. O desencanto, como a vida, globalizou-se. Ele se propaga digitalmente e em tempo real. A perplexidade, a incerteza, o medo foram socializados à escala global. Cada vez mais pessoas se reconhecem nesse espelho digital, refletindo os sentimentos aflitos causados pela escassez de respostas concretas e satisfatórias. O convencimento democrático desfalece.

Uma pesquisa do Pew Center em 27 países de diferentes partes do mundo fez a radiografia do abatimento geral das crenças democráticas. Apenas 45% se dizem satisfeitos com o funcionamento da democracia em seus países. A pergunta em si é reveladora: quer saber a satisfação com a maneira pela qual a democracia está funcionando no país do entrevistado. Não trata de valores democráticos gerais, mas do desempenho de uma democracia específica, em um país determinado, para uma pessoa em particular. Não é a crença que está em questão, é a vida vivida. E é dela que se alimenta o convencimento democrático coletivo. O que não está funcionando? Os políticos eleitos que não consideram o que as pessoas comuns pensam, lamentam 61%. Para 60%, não interessa quem ganha as eleições, porque nada muda o suficiente, e, para 54%, a maioria dos políticos é corrupta. O sistema judiciário não é justo para todos, reclamam 53%. Nem tudo vai mal. O direito de expressar opinião publicamente ainda anda bem para 62%. As possibilidades de melhorar de vida estão abertas à maioria, para 52%.

O povo julga no concreto. Acredita no que vê e sente. Com a conversação digital, o cidadão, que vivia solitariamente suas decepções, descobre que não está só. Apenas abandonado pela política. Sem representação. De que adianta ter o direito de se expressar livremente em público se não será ouvido por quem toma as decisões? A política ainda se organiza analogicamente, a velocidade de suas respostas é mecânica, não digital. A inércia dos mecanismos eleitorais deixa parcelas cada vez maiores sem representação e não permite a renovação das elites no mesmo ritmo das mudanças na sociedade. O desalento se propaga. A insegurança provocada pelas mudanças reforça o medo no futuro e a desconfiança no presente. É um povo vulnerável à pregação enganosa dos populistas que lhe prometem proteção e felicidade, à custa da sua autonomia e liberdade.

O desencanto com a democracia se alastra como epidemia. É um termômetro de risco para os governantes e de alerta para a sociedade. A diferença mediana na insatisfação com a democracia entre economias emergentes, 60%, é dez pontos maior do que nas economias avançadas, onde ela é de 50%. Mas, na Europa, seis dos dez países investigados estão mais insatisfeitos do que satisfeitos. A insatisfação é maior no sul, onde Itália, Espanha e Grécia têm índices acima de 70%. Na Espanha, cujo eleitorado se fragmentou e andou sem rumo há quatro anos, o desagrado com a democracia aumentou sete pontos e chegou a 81%. Já na Suécia e na Holanda, a insatisfação atinge um terço ou menos dos cidadãos. No México, a contrariedade com a democracia diminuiu oito pontos. Era altíssima e havia se tornado consenso nacional, com 91% de descontentes, num país dominado por narcocartéis sanguinários. São agora 85%. Só em dois outros países ela caiu. Na Coreia do Sul, a queda foi espantosa, de 69% para 35%. Na França foi menor, porém expressiva, passando de 65% para 51%. Na Tunísia, que chegou recentemente à beira de uma nova convulsão, a decepção com o regime cresceu sete pontos. A reprovação do desempenho da democracia chegou a 70%. No Brasil, que, no final de 2018, elegeu um presidente sem qualquer convicção democrática, o desgosto com a democracia subiu dezesseis pontos em relação a 2017. Os eleitores insatisfeitos com o seu funcionamento eram 67% e chegaram a 83%. Maior do que na Tunísia e na Espanha. Só o México passa o Brasil nesse infortúnio político.

As transformações que aumentam as tensões democráticas levarão a uma verdadeira metamorfose das sociedades atuais. Os contornos do que virão a ser são imprevisíveis e, por ora, imperceptíveis. Os sociólogos, politólogos e economistas não detêm o poder de prever que espécie de sociedade teremos. Se os analistas não conseguem imaginar o futuro, o que dizer do povo? Ele constata que as coisas não vão bem e sente o descaso ou a incapacidade dos governos de responderem adequadamente a seus temores. A incerteza e o medo são conselheiros diabólicos. Misturados à insatisfação com a democracia, podem levar o eleitor a, como Fausto, arriscar um pacto com o mal. No impulso das angústias diárias, quando se der conta de que a sedução de Mefistófeles não lhe trará felicidade alguma, só a democracia lhe permitirá corrigir o erro. Se ela ainda tiver forças.

A filósofa social-democrata e feminista Martha Nussbaum procura mostrar em seu novo livro, *The Monarchy of Fear* [A monarquia do medo], como sentimentos de insegurança e impotência podem transformar emoções importantes para a vida humana, como a indignação ou o desejo de justiça, em sentimentos tóxicos e vingativos. Ela tem se dedicado ao estudo do papel das emoções na política. A política, neste quadrante do século XXI em que vivemos, parece dominada por sentimentos extremados no mundo todo. Quando leio nas redes uma agressão gratuita contra amigos ou parentes por pessoas que sei terem bons sentimentos e inteligência para se comportarem de forma mais positiva e afetiva, sempre penso nessa conversão nociva do bem em mal. Em grande medida, a alquimia das emoções, que trava a empatia e transforma a justa indignação em ofensa, se deve a filtros que operam de forma muito distinta em cada indivíduo. Os filtros mais comuns para transformar emoções boas em sentimentos maus são o medo, a insegurança, o ressentimento e a raiva. Formam um amálgama que impede o exame das causas dos problemas e conduz as pessoas à rejeição e ao ataque. Mas para rejeitar e atacar é preciso achar culpados. Isto está acontecendo no mundo todo e entre nós. Vivemos um período no qual o presente nos assombra e domina e o futuro é opaco. Isso distorce nossa visão dos avanços em favor das perdas.

Por que as pessoas vivem assombradas pela ameaça de colapso em várias dimensões da vida social que estão muito melhores do que há duas décadas? As informações e os eventos com carga positiva são rapidamente assimilados e incorporados a nosso cotidiano. Nunca ficamos saciados com os bons acontecimentos de nossas vidas. As informações e eventos com carga negativa persistem por muito mais tempo na memória, como alertas de risco ou como ressentimento. O que de ruim se passa conosco fica gravado em fogo na lembrança. Nossa capacidade de compreender e perdoar escasseia em ambientes saturados de negatividade. É uma ameaça comportamental à democracia e à convivência democrática, não bastassem as mudanças estruturais que abalam as instituições. A estreiteza dos mecanismos de representação política, diante do alargamento acelerado da diversidade social, lança dúvidas sobre a capacidade de ampliar-se a democracia representativa e resgatar sua credibilidade. Ampliar é um verbo que sempre se imagina conjugado "contra". Isto pode ser verdade quando se fala em processos distributivos. Ampliar a participação na renda, mesmo que ela esteja em expansão, sempre vai requerer redistribuir, para fazê-la mais justa. Mas com a representação não é assim. A justa representação é aquela que dá voz a todas as vozes, não a que cala algumas delas para que outras falem mais alto. Ela se amplia "a favor", incorporando, não excluindo, nem substituindo. A distribuição da representação não é um jogo de soma zero. Não é um perde-ganha. É um jogo de soma positiva. Um ganha-ganha.

Com certeza acumulamos dívidas sociais imensas e, para resgatá-las, precisaremos mudar muito — e rápido — nossas prioridades. A mudança, porém, vai requerer mais que enfrentar os conflitos. Para ser democrática, justa e durável, precisará de cooperação, persuasão e visão de futuro. Estou pronto a admitir que há, no presente, mais carga negativa do que positiva. Mas não se constrói o futuro apenas ajustando contas com o passado, mesmo quando esse ajuste é indispensável. Nas transições, vivemos sempre entre o colapso e o futuro além do possível. É complicado acertar o passo. O agora é muito diferente do seu passado e ainda não contém o suficiente de seu futuro. Há uma inquietante contradição entre esses dois momentos cronologicamente unidos e historicamente dissociados, a decadência e a emergência. Um olha para trás, o outro mira adiante. Esse "por enquanto" é um tempo de muitas dúvidas e poucas respostas, de espanto das pessoas ao não conseguirem mais estabelecer um vínculo que faça sentido entre o seu presente e o seu passado na fronteira difusa do futuro. Há muito pouco no acervo de nossa experiência que nos permita responder aos desafios singulares com que nos deparamos a cada novo dia. Mas teremos que decidir se queremos retroceder ou avançar. Diante do medo avassalador, é mais fácil negar ou acusar do que assumir riscos e pôr em dúvida nossa crença em velhas soluções — a aposta de que ainda funcionam. O caminho do conservadorismo e do reacionarismo, à esquerda e à direita, é mais fácil, porque é reativo, instintivo. Os reacionários não têm dúvida, trata-se de retroceder e encastelar. A falta costumeira de respostas embaralha, porém, as expectativas progressistas e desorienta os ponteiros que nos indicariam a direção do novo. Diante das alterações bruscas e recorrentes de nosso cotidiano, manter a mente aberta significa abandonar os comportamentos e respostas habituais. Experimentar, encarar novas vias que desorganizam o fluxo conhecido de nossas vidas é difícil e desafiador. Mas é o único caminho aberto ao progressista. Ao buscar novos padrões de respostas para nosso cotidiano encrespado, alteramos nossos pontos de vista e nos tornamos agentes conscientes da construção da história de nosso futuro.

Diante da insegurança, da raiva e do ressentimento, a preferência geral é por ver nas ideias e ações do outro a razão de todas as mazelas. Não que o passado esteja livre de erros e culpas. Muito pelo contrário. Há erros de séculos e falhas de conduta gerais e recentes. Não se constrói o futuro, contudo, vingando os erros, e sim aprendendo com eles e buscando vida nova. Precisamos de respostas ousadas e inovadoras para evitar mais do mesmo. A vingança, usando o mesmo padrão de comportamento do "outro lado", não passa de um ataque à imagem do inimigo no espelho. Os maus sentimentos, ainda que derivados das mais nobres emoções, movem a rosca sem fim no torniquete repressivo e discriminatório. É dessa mesma mistura que nasce a confusão entre conflito e violência. Daí nascem as rejeições imediatas e cada vez mais violentas à presença dos "outros", vistos como ameaça a ser eliminada. Nesse clima tóxico, a primeira vítima sempre será a democracia.

As democracias são, a um só tempo, frágeis e resilientes. Implica-se muito com o uso indiscriminado do conceito de resiliência, tomado de empréstimo da física para tratar da adaptabilidade, da maleabilidade dos regimes políticos. Mas não vejo melhor forma de caracterizar esta intrigante construção iluminista, inspirada nas experiências clássicas da Grécia e de Roma. Ambas conceitualmente ricas, porém concretamente limitadas. Dos ecossistemas resilientes diz-se que têm a capacidade de retornar à condição original de equilíbrio após suportar alterações ou perturbações ambientais. Resiliência é a habilidade para resistir, lidar e reagir de modo positivo em situações adversas. A democracia tem essa capacidade plástica de amoldar-se, absorvendo os choques para reencontrar o equilíbrio após as perturbações. É um sistema institucional capaz de dar respostas positivas, de se reorganizar em situações desfavoráveis à sua estabilidade e permanência. Ela muda, reconstrói-se, reequilibra-se, em alguns casos pode até entrar em recesso, mas restaura-se após os traumas e surtos autoritários. Democracias vivem sob risco. É possível falar-se em variações no grau de risco que enfrentam a cada momento histórico. Por sua própria natureza, esse regime peculiar cria perigos para si mesmo, uma vez que as democracias abrigam seus inimigos, deixando que votem e sejam votados. Um modelo de governabilidade com tal grau de abertura e tolerância é, necessariamente, contraditório. Ele dá aos adversários das liberdades democráticas o direito de atuar, nos seus generosos limites institucionais, contra seus próprios princípios fundamentais e usando seus canais de acesso ao poder.

A democracia se nutre da incerteza eleitoral. Suas características fundadoras, assentadas nas liberdades e na representação, não resistem ao domínio longevo, previsível de governantes. Cada ciclo eleitoral, fonte de energia democrática, deve alimentar a dúvida não só apenas sobre quem ocupará o posto central do governo, presidente ou primeiro-ministro, mas também sobre quem deterá a maioria parlamentar. A alternância no poder é um antídoto contra as tendências autocráticas embutidas na possibilidade de perpetuação dos governos. Governos democráticos são, por natureza, precários, marcados pela provisoriedade inscrita no calendário eleitoral. Democracia é um regime avesso às maiorias imutáveis, aos votos previsíveis. O encanto e a força da democracia estão na agregação das escolhas individuais, idiossincráticas, em um produto de deliberação coletiva, numa alquimia que busca fazer o todo melhor do que as partes. Nem sempre consegue. Faz parte dos azares democráticos. A imprevisibilidade do resultado das deliberações parlamentares é outro importante mecanismo de freio e contrapeso às autocracias. O princípio da indeterminação gera um processo de pressões e contrapressões, incentivos e desincentivos, que tende a resultados negociados, nos quais a maioria que se forma, para ser viável, deve considerar os interesses das minorias. É um sistema que busca o equilíbrio possível, dinâmico, sempre precário. Boa parte da resiliência da democracia decorre desse sistema de forças que indica, como melhor resultado possível, aquele que é mais pluralista, isto é, contempla o maior número possível de preferências, evitando gerar danos incapacitantes a qualquer parte. O máximo de bem com o mínimo inevitável de mal. Nem é preciso adicionar que tal sistema ideal depende do exercício generalizado da tolerância e da simpatia. Sem aceitação do outro e certa compreensão da perspectiva do outro, não há como esforçar-se para minimizar os sacrifícios dos não contemplados nas decisões coletivas, com proteção garantida aos mais vulneráveis socialmente. Exatamente por ser assim, a democracia não é capaz de garantir resultados numa mesma direção sempre. O processo eleitoral pode falhar e levar a resultados adversos à sociedade e ao regime. Se a polarização afetiva extremada domina a política, é sempre muito alta a probabilidade de maus resultados.

O politólogo americano Edward Burmila alertou na revista *The Nation* sobre os perigos que as instituições democráticas correm no seu país com a guinada dos Republicanos para a direita não democrática. Aquela que não respeita as minorias, nem busca a melhor agregação possível dos interesses da maioria social. Ele argumentou que o risco institucional só não é maior porque

Trump é um autocrata incompetente. Já há evidência suficiente de que as instituições e normas mais estimadas não salvarão os Estados Unidos no dia em que um autoritário carismático emergir na direita, alertou. Com Trump, diz Burmila, o Congresso e o Judiciário já demonstraram que podem se dobrar à vontade até mesmo de um presidente impopular e inepto como ele. Imaginem com um autocrata polido, sedutor e competente. A democracia pode mesmo entrar em recesso diante de lideranças populistas autoritárias, capazes de dobrar o sistema. Um recesso que causará dores severas e perdas talvez irreparáveis à sociedade. A fragilidade das instituições, quando autocratas ludibriam os freios e contrapesos que as protegem, neutralizando os princípios da liberdade e da incerteza, é, também, sua força. Exatamente porque a democracia não é sólida, ela não se desmancha facilmente no ar rarefeito. A democracia é difícil de quebrar porque ela se amolda. Uma vez eliminada a força que a deformava, ela recupera sua forma, seu estado saudável. Ressurge, modificada com a criação de novos freios e contrapesos para evitar a recorrência de um recesso pelo mesmo caminho, mas essencialmente a mesma. No recesso, o ideal democrático alimenta a resistência, as insurreições e a rebeldia. Pressionada no topo, ela escorre para a sociedade e dá força à voz das ruas. Regimes de liberdade não comportam solidez. A mentalidade democrática é uma propriedade exclusiva das mentes abertas. A mente fechada é que abriga mentalidades autoritárias. Regimes abertos, compatíveis com a democracia, não discriminam nem mesmo seus inimigos. Regimes fechados, próprios ao autoritarismo, discriminam até seus aliados e simpatizantes. Por serem duras e fechadas, as autocracias sofrem rachaduras estruturais e, no limite, desmoronam. As ameaças à democracia, que antes chegavam pela força das armas, hoje podem ser regurgitadas pelas urnas. Eleições democráticas têm uma virtude que, às vezes, parece um defeito. Elas são sujeitas a surpresas. Eleições com resultados sempre previsíveis são sintoma de que algo vai mal na democracia do país. O fator surpresa pode revelar fragilidades e fissuras na sociedade, produzindo resultados inesperados contra a própria democracia ou reduzindo a possibilidade de boa governança. Estados Unidos e Brasil votaram democraticamente contra a democracia. Lideranças autoritárias se elegem e tentam se impor ao parlamento, manipular as maiorias no Judiciário, para eliminar o princípio da incerteza. Essa manipulação busca assegurar que as decisões sigam sempre a vontade do governante, e não mais a fluida composição das maiorias instáveis. Foi o que se deu na Venezuela, na Hungria, na Turquia e na Polônia. Pode acontecer nos Estados Unidos e no Brasil. Enquanto os eleitores exercerem seu direito de escolher o governante e acreditarem que, em algum momento, seu voto pode fazer diferença e mudar o poder em seus países, a democracia persistirá, apesar do desencanto generalizado. O movimento da história tem sido pela democracia. Mesmo quando ela submerge, por desencanto e erro, como ocorreu com a queda da República de Weimar, ela ressurge vitoriosa. Foi Weimar que deu os fundamentos para a redemocratização da Alemanha pós-nazista.

3. A crise do presidencialismo de coalizão

MOMENTO DE RISCO

No Brasil, vive-se um momento político sem precedentes e de muito risco, decorrente das incertezas da mudança global e de sérias contrariedades no plano nacional. Rompeu-se o eixo que organizou a vida político-partidária no últimos 24 anos, desde a eleição de FHC, em 1994. O presidencialismo de coalizão, nesse período, foi marcado pela disputa presidencial polarizada entre PSDB e PT. Ela organizava e articulava governo e oposição. Esse duopólio partidário nunca foi ameaçado nas últimas seis eleições. Ao mesmo tempo, nenhum presidente conseguiu eleger a maioria no Congresso com seu partido. Dificilmente algum presidente o conseguirá no futuro. Sem poder competir pela presidência, os outros partidos miravam a coalizão. Buscavam fazer a maior bancada possível para compartilhar o poder pela via do apoio parlamentar ao presidente eleito. Ao se concentrarem na conquista de fatias do poder parlamentar, os partidos passaram a orientar o jogo político para a formação de coalizões majoritárias, independentemente do partido vencedor da disputa presidencial. O MDB, por exemplo, conseguiu ser pivô em todas as coalizões entre 1994 e 2018. Esse sistema começou a naufragar com a revelação de corrupção político-empresarial abrangente, que atingiu as principais lideranças, tanto dos partidos presidenciais, PT e PSDB, quanto da maioria dos partidos parlamentares, em particular o MDB — processo que o PSDB e o PT negaram ou não quiseram ver. A negação e a vista grossa continuam a dominar a maioria nos dois partidos. Diante da incapacidade dos partidos organizadores da vida política do país de dar respostas à indignação da sociedade com a corrupção e da perda de qualidade das políticas públicas, prenunciava-se um realinhamento partidário. Ele começou na eleição presidencial de 2018. O PT perdeu doze deputados. Deixou de eleger senadores importantes e ficou confinado ao Nordeste. Manteve-se, todavia, precariamente como a primeira bancada na Câmara. Embora a qualidade de primeira minoria lhe permitisse estruturar a oposição, tem sido uma bancada puramente reativa. O vazio deixado pelo silêncio eloquente dos dois partidos em relação às ansiedades centrais da população foi ocupado pela voz mais estridente de Jair Bolsonaro. Desalojou o PSDB do eixo presidencial e, ajudado por uma forte onda antipetista, se elegeu no segundo turno, superando por ampla margem o candidato do PT, Fernando Haddad. Foi o pior desempenho petista nas presidenciais, apenas superado pelas candidaturas de Lula no início de sua trajetória, em 1989 e 1994.

O realinhamento de 2018 foi incompleto e desorganizou o sistema político-partidário que sustentou o presidencialismo de coalizão desde 1994. Não alterou a composição das forças partidárias o suficiente para que um novo padrão de competição pudesse organizar governo e oposição daí em diante; apenas exacerbou a polarização extremada na sociedade e no sistema partidário. A polarização social é perigosa. Alimenta impulsos extremos. Pode gerar desordem e violência. Só o presidente teria poder para conter seus seguidores e desativar o confronto polarizado. O discurso de Bolsonaro, todavia, abriga sempre visões extremadas. Ele não demonstra nenhuma intenção de desmobilizar os sentimentos polares, acomodando-os nos limites institucionais da democracia pluralista. Ao contrário, tem alimentado essas divisões, adotando uma atitude de permanente confrontação com setores da sociedade, do Legislativo e com as próprias instituições. Tem mostrado, desde o início, inconformidade com os limites institucionais que a democracia impõe aos poderes do presidente da República. Milícias digitais orientadas por pessoas do círculo presidencial se dedicam a manter a polarização nas redes sociais e a desqualificar e difamar adversários ou quem emita opiniões críticas ou diferentes daquelas sancionadas por ele. Não se pode menosprezar os sinais de risco, nem desconsiderar o que as urnas disseram. É uma situação delicada. A democracia brasileira passa por um teste inédito. Ela mostrou resistência a provações, choques e traumas até agora. Creio que os constituintes desenharam um sistema institucional robusto e maleável para evitar rupturas democráticas. Mas essa resiliência tem medida, não é elástica ao infinito.

Ao repassar a literatura para escrever o livro *Presidencialismo de coalizão: Raízes e trajetória do modelo político brasileiro*, surpreendi-me ao verificar que eu era classificado entre os autores pessimistas em relação ao futuro do nosso modelo político. Mas eu não tinha razão nem fundamento para ser otimista ou pessimista à época em que escrevi o artigo original, no qual caracterizava nosso modelo político como presidencialismo de coalizão. O artigo foi publicado antes da promulgação da Constituição, e escrevi minha análise sem ter observado o modelo em operação, portanto tomando por base a Segunda República (1946-64) apenas. Hoje, mais de trinta anos depois, consigo detectar algumas disfuncionalidades importantes no modelo político brasileiro: perda de qualidade das políticas públicas; inércia e *muddling through* decisório em áreas críticas como educação e saúde pública; perda de representatividade dos partidos e do sistema político como um todo; incentivos ao clientelismo embutidos em nossa estrutura orçamentária, tributária e federativa; uso do impeachment como mecanismo para afastar presidentes enfraquecidos, sem apoio popular.

Teremos que discutir melhor nosso modelo político à luz dos desafios à governabilidade e à governança impostos por nossa realidade estrutural interna e pela grande transição estrutural global. Mas há um desafio novo, mais urgente, que requer atenção imediata. Ele nasce da polarização que despolitiza a sociedade, movendo-a para o terreno das reações emocionais, afetivas, e que se cristaliza com o governo Bolsonaro. Os eventos recentes colocaram nossa democracia em risco muito mais presente e iminente do que qualquer outro acontecimento ou conjuntura dos últimos anos. Vivemos, certamente, o momento mais perigoso das últimas três décadas de nossa história contemporânea. Bolsonaro escolheu uma presidência de confrontação desde a posse. Não foi surpresa. Ele anunciou sua disposição ao enfrentamento já na campanha. Recusando o enquadramento institucional do presidencialismo de coalizão, extrapola suas atribuições legislativas, fere a divisão constitucional entre os Poderes, incentiva um protagonismo retaliatório do parlamento e a reiterada judicialização de suas decisões. No seu primeiro ano de governo, ele teve o maior número de vetos rejeitados pelo Congresso. Tem usado medidas provisórias e decretos, de forma autocrática, revelando sua verdadeira personalidade autoritária. O Legislativo tem rejeitado medidas provisórias em número significativo e aprovado decretos legislativos para anular decisões do presidente. Só não editou mais decretos legislativos porque, diante da ameaça de ter medidas anuladas, Bolsonaro recua. Mas não abandona as ideias que as inspiraram, todas lesivas à institucionalidade democrática, aos direitos constitucionais, à proteção dos povos indígenas e à preservação da biodiversidade. Tem insistido em muitas delas, até agora sem sucesso. No vácuo de poder, o Legislativo assumiu a iniciativa de aprovar a reforma da Previdência e adotar outras medidas da agenda reformista. As propostas do Executivo que chega a analisar têm sofrido profundas alterações, para retirar delas todo tipo de conteúdo contrário à cultura democrática que se formou nos últimos 35 anos. Em confronto com instituições e práticas de freios e contrapesos, que garantiram a governança e a governabilidade desde a redemocratização, o presidente segue arriscado caminho limítrofe ao autoritarismo.

Desde o início da Terceira República, com a Constituição de 1988, a coalizão se tornou um imperativo da governabilidade e um requisito essencial para a boa governança. Está ficando mais difícil formar alianças majoritárias e politicamente consistentes. O eleitorado brasileiro é muito heterogêneo, social e regionalmente. A correlação eleitoral de forças entre os partidos varia muito ao longo da Federação. A fragmentação partidária tem sido excessiva há vários ciclos eleitorais. Houve, também, uma ruptura político-ideológica relevante. A vitória de Bolsonaro levou à presidência, pela primeira vez, uma agenda antagônica, tanto à adotada pelo PSDB nos governos FHC, quanto à implementada pelo PT, nos governos Lula e Dilma, nos campos dos direitos, da proteção social e do meio ambiente. Opõe-se, na retórica, às pautas econômicas de ambos, embora na prática as reproduza. O programa de incentivo ao emprego de jovens, por exemplo, é uma réplica do programa Primeiro Emprego, do PT. Aproveitou-se, também de programas e projetos de reformas desenvolvidos no governo Michel Temer, depois do impeachment de Dilma Rousseff. Boa parte da agenda de Bolsonaro — a que lhe é mais cara — diverge, porém, radicalmente das pautas dos governos anteriores. E também não coincide com a visão mediana do Congresso, mesmo com a composição mais conservadora resultante das eleições de 2018, em áreas sensíveis como direitos humanos, liberdade de expressão e cátedra (educação, ciência e cultura), meio ambiente, uso de armas, direitos e saúde da mulher, liberdade de gênero.

O sistema partidário, que assegurou a governabilidade e permitiu a governança desde 1994, sofreu profunda fratura nas eleições de 2018. Todos os partidos perderam densidade. Na Câmara, onze partidos conquistaram bancadas de 28 a 56 deputados. Outros dezenove partidos elegeram entre um e treze deputados. O PSDB, cujas bases sempre foram menos sólidas que as do PT, elegeu uma bancada anêmica para o Congresso. Nesta configuração partidária, as grandes bancadas de mais de setenta deputados desapareceram. Isso poderia ter originado um processo de realinhamento partidário, mas ele foi abortado ou adiado. O que temos hoje é uma crise geral do sistema de partidos. A recusa do presidente em governar de acordo com o modelo institucional agravou o quadro e estimulou uma dinâmica dispersiva no Congresso. Ele se recusou a formar uma coalizão com novos critérios, sem o condenado toma lá dá cá e sem corrupção. Sem base majoritária no Congresso, continua, porém, a distribuir alguns cargos e a liberar emendas orçamentárias para partidos mais próximos de sua agenda. O protagonismo do Legislativo continuado é uma quimera dos que apoiaram Bolsonaro no mercado financeiro e se inquietam com as limitações pessoais do presidente e seu reduzido espaço de manobra política como presidente minoritário. Lideranças do Legislativo conseguem expandir seu poder no vácuo deixado pela incapacidade presidencial de usar seu poder de agenda. Mas o escopo dessa ampliação é reduzido. O protagonismo dura enquanto durar o consenso mediano em torno de determinados temas. No restante, o Legislativo tende a ser paralisado pela fragmentação interna dos interesses político-partidários. A reforma da Previdência foi impulsionada pela emergência econômica e pelo consenso que se formou, progressivamente, entre os partidos conservadores de que o custo eleitoral de mexer nos direitos previdenciários seria compensado pelo alívio fiscal que lhes permitiria atender melhor a seus redutos. É bom lembrar que o Congresso tem discutido e aprovado reformas da Previdência desde o governo de Fernando Henrique Cardoso. Mudanças similares às aprovadas agora deixaram de ser adotadas por diferença ínfima de votos, naquela ocasião. Foi uma derrota mais por descuido do que divergência. Salvou o dia aprovando o fator previdenciário. No governo Lula, o tema voltou a ser discutido e votado, com alterações na Previdência do funcionalismo. No governo Dilma, novamente entrou em pauta, para criar uma alternativa ao fator previdenciário, a fórmula 85/90 evoluindo para 90/100. No governo Temer, a reforma só não entrou na ordem do dia porque o presidente perdeu o poder de agenda, ao precisar da Câmara para bloquear pedidos do Supremo Tribunal Federal para processá-lo por corrupção. Ainda assim, a reforma foi atrasada por lideranças parlamentares para forçar o governo a fazer concessões e só foi promulgada onze meses após sua entrada no Congresso. A pauta comportamental, que constitui a prioridade de Bolsonaro, teve oposição da maioria no Congresso. A proposta anticrime do ministro da Justiça, o ex-juiz Sergio Moro, foi revista, vários itens foram muito alterados, e outros engavetados ou rejeitados. Entre eles, o excludente de ilicitude, que não passa de um disfarce para dar à polícia o direito de matar por razões inapreensíveis, com "forte emoção". Era uma das peças mais caras a Bolsonaro e Moro.

Bolsonaro representou uma inflexão perigosa na política da Terceira República (1988 em diante), não por ser de direita, nem por sua inépcia pessoal e política, mas por sua mentalidade autoritária e intolerante. Ele tem conseguido desgastar as instituições democráticas e está demolindo agências de regulação e mecanismos penosamente institucionalizados, que são peças-chave da governança e do sistema de freios e contrapesos. Nunca esteve na sua agenda construir uma nova base organizacional para a governança, e por isso tem tanta dificuldade para formular políticas coerentes e relevantes. Causará muito dano com a demolição do arcabouço de governança que vinha sendo construído desde 1988 na política social, na política científica, tecnológica e cultural, na educação e no meio ambiente. Mesmo na economia, ele vem insistindo na demolição do aparato regulatório, de defesa da sociedade e do consumidor. A entrega do Estado principalmente a ruralistas atrasados e a setores em declínio da economia pode causar danos coletivos enormes e persistentes no tempo. Bolsonaro é o que chamo de governante incidental, como Donald Trump, nos Estados Unidos, ou Volodymyr Zelenski, na Ucrânia. Lideranças ou governantes incidentais são aqueles que jamais chegariam ao poder em circunstâncias normais e eleições-padrão. Saem da periferia ou de fora da política para o centro do poder. Conquistam o governo em função de um conjunto imprevisto e irreprodutível de fatores. Passam, mas não sem causar danos significativos na institucionalidade democrática, na sociabilidade e na qualidade da governança. O pior legado desses governos casuais é que contribuem para agravar o desencanto com a democracia, pioram a governança e elevam os riscos de crises mais sérias de governabilidade nos períodos subsequentes. Eles surgem das reações de um eleitor perdido, volúvel, assustado e descontente com as mudanças estruturais que se manifestam como crises, antes de gerarem novos caminhos para a economia e a sociedade. Eleitores dispostos a apostas extremas, na esperança de que sejam capazes de romper a fase de incertezas e insegurança. Uma reação muitas vezes ao desgaste ou à desatualização de lideranças dos partidos democráticos entre a direita e a esquerda. Há, também, uma dimensão que chamo de desrepresentação. O sistema político tradicional não acompanha as transformações sociais e deixa faixas crescentes da população desprotegidas, despossuídas e desrepresentadas. A governança se torna disfuncional; os governos, capturados por interesses historicamente ligados ao partido no poder, focalizam demais suas ações, perdendo apoio e legitimidade. As políticas públicas perdem qualidade e atendem quase exclusivamente a interesses entranhados no sistema de poder, deixando à margem parcela crescente da população. No limite, atendem a uma minoria provisoriamente vitoriosa, em desfavor de uma maioria deixada por conta própria.

As ações governamentais se tornam menos efetivas também porque os paradigmas de política econômica e social ainda dominantes não são mais capazes de responder com a mesma eficácia aos problemas emergentes. As soluções encontradas são cada vez menos produtivas e mais efêmeras. Quando o governo tem à frente uma liderança que não sabe operar os mecanismos de governança democrática e produz sucessivos impasses políticos nas relações com o Legislativo, essa perda de eficácia se agrava exponencialmente. Tudo isso provoca crescente desencanto com a democracia. O resultado mais provável é uma crise de legitimidade e a reação indignada da maioria. Todos os que pensaram seriamente as relações entre sociedade e política, a começar por Gramsci, pela esquerda, e por Lipset, pela direita, concordam que governos e regimes perdem a legitimidade se não conseguem dar respostas estruturais às necessidades da população ou do povo. A frustração e a consequente raiva dos eleitores têm levado a dois tipos de situações. Parlamentos sem maioria, levando a coalizões precárias e instáveis. Ou maiorias efêmeras em torno de lideranças incidentais.

Volto à mentalidade autoritária. Ela não se assenta, necessariamente, em uma ideologia. Não requer um sistema coerente de valores e princípios normativos. Prescinde da associação a um setor organizado da elite ou da contraelite. Em princípio, não estabelece um regime autoritário. Forma um governo orientado pela vontade de uma liderança isolada e personalista. A personalidade autoritária é cabeça-dura, compulsiva, impulsiva, exasperada e intolerante. Um governo liderado por essa mentalidade corresponde à cristalização política de determinados valores excludentes e discriminatórios por uma liderança autocentrada e agressiva.

Bolsonaro não tem resquício de liberalismo ou neoliberalismo. Apoia momentaneamente políticas liberais de seu ministro da Fazenda, o economista Paulo Guedes, por conveniência e oportunismo, porque elas agradam à elite econômica que o sustenta. Esse apoio durará enquanto encontrar utilidade no apoio do mercado e do empresariado. Seus valores são reacionários, ligados a um passado idealizado, que mistura elementos do regime militar ditatorial, com visões castrenses de patriotismo, um nacionalismo irrealizável e de supremacia branca e masculina. Um nacionalismo capenga, porque de alinhamento e submissão aos Estados Unidos, pelo menos enquanto ele estiver sob o governo incidental de Trump. A história registra muitos casos de mentalidades autoritárias no governo, que buscam um pretexto crível para endurecer o regime. É o que Bolsonaro está a fazer, solapando gradualmente, por ataques focalizados embora sem sutileza, os fundamentos institucionais da democracia brasileira. Esses ataques têm ferido preliminarmente a liberdade de expressão. Eliminou praticamente todas as instâncias de decisão colegiada ou funções consultivas com participação de organizações da sociedade civil.

Países com maiorias precárias, assentadas em coalizões instáveis, tendem a enfrentar sérios problemas de governabilidade. A intensidade dessas dificuldades depende da qualidade e da estabilidade das instituições e da disposição à resistência ativa da sociedade. Governantes incidentais aumentam as chances de crises de governança e governabilidade. Nos Estados Unidos, as atitudes abusivas de Trump terminaram em processo de impeachment aprovado pela Câmara de maioria Democrata. Impeachment é um processo que se sabe como começa, mas não como termina. No caso, terminou favoravelmente para Trump. O Senado rejeitou o impeachment votado pela maioria da Câmara. Mas a vitória política não reverteu a tendência negativa da avaliação popular de seu desempenho na presidência. No Brasil, os problemas que podem abalar a governabilidade e paralisar a governança se agravaram desde o impeachment de Dilma Rousseff. As disfunções estão cada vez mais evidentes e graves. O Judiciário está perdendo o rumo. O presidente desrespeita sistematicamente os limites institucionais da presidência. Há um grau irredutível de fricção com o Congresso. A paralisia nas áreas mais críticas de políticas públicas indica piora significativa das condições objetivas de bem-estar da população. A crise econômica, herdada porém grave e sem grandes perspectivas de melhora rápida, não obtém respostas à altura e sofre as perturbações da má governança. O quadro socioeconômico ameaça seriamente as condições de vida da maioria e agrava os riscos para a governabilidade.

O primeiro desafio da governabilidade no Brasil é encontrar meios institucionais de resistência a esse deslizamento rumo ao autoritarismo. É por meio dele que Bolsonaro pode passar de um governo incidental de mentalidade autoritária a um governo autoritário. Uma vez instalado, o governo autoritário pode, eventualmente, originar um regime autoritário, se encontrar meios para assegurar sua durabilidade. Não é possível dizer se estamos longe ou perto desses momentos políticos caracterizados pela ruptura democrática. Não creio que seja, mesmo, possível estimar com precisão quando um governo dominado por uma mentalidade autoritária, como o de Bolsonaro, se fixa como um governo abertamente autoritário, como os de Recep Tayyip Erdoğan ou de Nicolás Maduro. Mas é preciso resistir de todas as formas, por meio de todos os recursos institucionais, a esse avanço do autoritarismo. Ele não ruma para a ruptura ou um golpe. Caracteriza-se pelo deslocamento gradual e pelo desmonte gradual das instituições democráticas. Se conseguirmos estancar este processo, teremos dois desafios fundamentais de médio prazo. O primeiro, reconstruir o que foi demolido, para restabelecer condições mínimas de governança funcional. O segundo se desdobra em dois, nada fáceis. Uma parte dele diz respeito à formação de consenso mínimo sobre as disfunções principais do nosso presidencialismo de coalizão e o desenho de mecanismos institucionais que possam corrigi-las ou, pelo menos, mitigá-las. A outra corresponderia à criação de condições políticas de governança que habilitem o país a enfrentar o desafio da preparação de nossa sociedade e nossa economia para enfrentar a tremenda tarefa de atravessar a transição estrutural global, de modo a poder alcançar níveis mais equânimes de bem-estar e progresso coletivo, na segunda metade do século. Será preciso saber tirar vantagens do atraso que acumulamos até agora em relação a outros países emergentes, como China e Índia.

FIM DO PRESIDENCIALISMO DE COALIZÃO?

No debate para lançamento do livro *Democracia em risco? 22 ensaios sobre o Brasil hoje*, no qual publiquei um artigo sobre a hiperpolarização política e a ruptura eleitoral, uma pessoa me perguntou se o presidencialismo de coalizão acabou. Respondi que não. O modelo político brasileiro continua sendo o presidencialismo de coalizão. Mas, acrescentei, o presidente tem desconsiderado as regras do modelo. Embora não exija, como se imagina frequentemente, um espúrio toma lá dá cá, ele demanda a formação de uma coalizão majoritária. A negociação dessa coalizão requer uma articulação política experiente, confiável e eficaz. A desconsideração do presidente pelas regras do jogo tem um preço alto. Uma hora, a conta inteira chega. Para a parcela militante e politicamente crente de seu eleitorado, o presidente e seu grupo, particularmente o núcleo familiar, precisam continuar a campanha que divide o país entre "nós cá" e "eles lá", e insistir que o pecado está do lado de lá. É preciso mantê-los mobilizados e agressivos. Para os eleitores simpatizantes de uma ou outra causa defendida pelo governo, mas não militantes, nem adeptos fervorosos do grupo do "nós cá", a virtude tem que ser mostrada nos atos e fatos, não nos memes da campanha digital. O presidente e seu governo caminham aceleradamente para produzir uma grande frustração na maioria do seu eleitorado. O eleitor frustrado, sobretudo quando a campanha foi polarizada e a expectativa grande, tende a provocar rápida queda na popularidade presidencial. No caso de Dilma Rousseff, por exemplo, o eleitor desapontado migrou direto para a rejeição. Não foi a popularidade da presidente que caiu. Foi o aumento da impopularidade pela rejeição generalizada que comeu a popularidade. Não é impossível acontecer algo assim com o novo presidente, na toada em que ele vai. Teve o maior índice de reprovação popular no primeiro ano de governo entre todos os presidentes da Terceira República. Em geral, dá-se mais ênfase aos índices de apoio e de indiferença ("regular"), em torno de um terço, cada um, que amortecem o grau de reprovação. Presidente impopular não emplaca agenda no Congresso. Empaca o processo legislativo. A militância urra contra a imprensa, que ele acusa de inimiga e parcial. Mas cresce a multidão que desconfia. Na militância tudo se resume a uma conspiração da esquerda ou dos comunistas, rótulos que abarcam todos os tons de oposição, crítica e descontentamento. Fica mais fácil agrupar sob um só estereótipo todos os que mostram seu desconforto com o governo e desaprovam a conduta do presidente e identificá-los como "o" inimigo. O restante da opinião pública, fora a oposição de esquerda, olha o desempenho corrente, nas questões que são mais importantes para ela.

Bolsonaro devia conhecer, após 27 anos como deputado federal, o significado da palavra "mágoa" no dicionário parlamentar. Ele está produzindo um reservatório até o topo de mágoas, prestes a transbordar a qualquer momento. Os ingredientes de uma crise política de considerável gravidade já estão presentes. Para que ela se concretize, basta que seja alimentada por incidentes sucessivos, aumentando progressivamente o grau de estresse. Há um ponto em que a fadiga do material de sustentação política leva a seu rompimento. Como nas barragens, dado o grau de tensão já existente, não é preciso um grande temporal ou um terremoto para que ocorra o vazamento. Basta ir adicionando mais dos mesmos ingredientes para que se dê a ruptura.

O padrão político brasileiro já mudou. É preciso levar a sério os dois componentes de nosso modelo político, o presidencialismo e a coalizão. No plano do presidencialismo, a vitória de Jair Bolsonaro representou uma ruptura. Não foi uma sequência da dinâmica política determinada pela sucessão de Fernando Henrique Cardoso por Lula. Os dois ex-presidentes eram rivais, mas a distância ideológica entre eles era muito menor do que a distância entre Bolsonaro e qualquer um dos dois. Bolsonaro não se cansa de nos lembrar disso. Pela primeira vez, nos últimos 24 anos, nem PSDB nem PT ocupam a presidência da República. Também não foram substituídos por alguém que estivesse no miolo de suas coalizões. Foi eleita a periferia extrema da direita. Do lado da coalizão, acelerou-se o realinhamento partidário do qual já havia sinais nas eleições anteriores, com o declínio de alguns partidos e crescimento de outros. Isso alterou significativamente o cálculo para formação das coalizões governistas. A subida do PSL para a posição de segunda bancada, um partido praticamente inexistente nas últimas eleições presidenciais, e a perda pelo MDB da posição de pivô das coalizões representaram uma alteração radical.

A eleição geral de 2018 foi disruptiva. Ela encerrou o ciclo político do presidencialismo de coalizão brasileiro dos últimos 25 anos e iniciou o processo de realinhamento partidário que já se esboçava, pelo menos, desde 2006. Rompeu o eixo político-partidário que organizou governo e oposição nas últimas seis eleições gerais e que era movido pela disputa polarizada entre o PT e o PSDB pela presidência da República. Os demais partidos disputavam posições no Congresso para garantirem assento na coalizão de governo. Mas não estamos observando um processo de realinhamento clássico, em que um sistema partidário substitui o anterior em uma rodada eleitoral. Ele está se fazendo por meio de um progressivo desalinhamento do sistema de partidos. Uma crise, portanto, que ainda não tem solução emergente. Cumpriram-se, contudo, algumas das condições que caracterizam o realinhamento: uma alteração clara e forte no equilíbrio de forças entre os partidos e uma troca radical no poder governamental, no caso, da esquerda tradicional para a direita reacionária. O PSDB entrou em fase de declínio acentuado, com a derrota de Geraldo Alckmin. Se não promover profunda reciclagem de lideranças, comportamento e visões, tende a se tornar parte do centrão intermédio e gelatinoso do Congresso. O choque fatal para o partido foi o ocaso da liderança de Aécio Neves com a revelação de atos vulgares de mau comportamento cívico e ético. Perdeu a parte que sobrava de apoio da centro-esquerda ao participar do governo Temer. Na presidência Bolsonaro, perde o que lhe restava de credibilidade na centro-esquerda por ter se tornado o viabilizador do governo no Congresso. Não tem bancada, mas tem parlamentares experientes e com liderança para tanto. O partido mostrou sua anemia política ao apresentar apenas três nomes para disputar as últimas cinco eleições. Sua leniência com os escândalos de corrupção, que atingiram várias de suas principais lideranças, somada à incapacidade de renovar seus quadros superiores, determinou seu declínio. O PT, embora em melhor situação que o PSDB, pois ainda conseguiu manter-se na disputa do segundo turno, chegou a seu limite nessa eleição. Haddad teve o terceiro pior desempenho eleitoral do partido e voltou aos patamares com os quais Lula perdeu a presidência para Collor, no segundo turno de 1989, e para Fernando Henrique, no primeiro turno de 1994. A sombra de Lula impede que cresçam lideranças alternativas com apelo eleitoral nacional. Exauriu-se o modelo partidário com dois partidos mirando a presidência e entre quatro e cinco partidos com bancadas entre sessenta e cem deputados controlando o processo de formação de coalizões majoritárias no Congresso. Além de uma taxa sem precedentes de novatos e da demissão de lideranças que expressavam o controle oligárquico dos principais partidos — sobraram algumas —, formou-se um Congresso com bancadas médias e pequenas.

Quando olhamos as cinco maiores bancadas que dominaram a Câmara nos últimos 24 anos, considerando-se os deputados eleitos e não o resultado das adesões ad hoc, vê-se bem a mudança ocorrida. Este G5 partidário controlava 79% das cadeiras da Câmara, no seu auge, em 1998. Em 2014, já havia caído para 51% das cadeiras e, em 2018, respondia por 41% delas, e entre eles já não estavam mais o PSDB e o DEM, substituídos pelo PSD e pelo PSL, um partido tão incidental como foi o PRN de Collor.* As

* Em 1998 estes partidos eram, pela ordem, PFL/DEM, PSDB, PMDB/MDB, PP e PT. Em 2018, eram PT, PSL, PP, PSD e MDB.

eleições legislativas revelaram ampla rejeição aos partidos tradicionais. O PT conquistou a maior bancada na Câmara, mas perdeu catorze cadeiras, confirmando um declínio que começou em 2006. Ficou muito longe do seu auge, quando chegou a ter entre oitenta e noventa deputados. O PSL, de Bolsonaro, que havia eleito apenas um deputado em 2014, passou a segunda maior representação, com 52. O PSDB perdeu 25 cadeiras e deixou de fazer parte das cinco maiores bancadas, entre as quais esteve desde 1994. O MDB perdeu 32 representantes e caiu da segunda maior bancada para a quarta, ficando do mesmo tamanho que o PSD, de criação bem mais recente, ambos com 34 cadeiras. O tamanho médio dos cinco maiores partidos representados na Câmara caiu de 72 deputados, em 1994, para 43, em 2018. Um nítido desalinhamento partidário, com redução acentuada do tamanho médio das bancadas e aumento de 30% da fragmentação. Os partidos que disputavam a presidência estão em crise e os que se mantinham como pivôs da coalizão, particularmente o MDB, foram desinflados. O tamanho médio das bancadas na Câmara diminuiu muito também. O aumento da fragmentação partidária, medida pelas bancadas eleitas, indica ainda maior complexidade de coordenação entre a agenda parlamentar e a presidencial na formação de coalizões de governo. A fragmentação aumentou tanto na Câmara quanto no Senado. Na Câmara popular, o número de partidos efetivos, medida usada pelos politólogos para verificar a fragmentação, subiu de 7,1, em 1998, para 16,4, em 2018. No Senado, esse número passou de 4,2, em 1998, para 13,5, em 2018.

A formação de coalizões hipermajoritárias, capazes de aprovar emendas constitucionais, ficou bem mais difícil. O jogo político-partidário se desorganizou. O fim do ciclo PT-PSDB na presidência da República e a hiperfragmentação das bancadas desarticularam o jogo que assegurou a estabilidade democrática e o funcionamento do presidencialismo de coalizão por quase um quarto de século. Esse sistema, todavia, dava sinais de estar no seu ocaso, com a perda acelerada de qualidade das políticas públicas, com o desalinhamento partidário progressivo e com a contaminação generalizada do sistema político pela corrupção partidário-empresarial. A polarização competitiva PT/PSDB foi substituída por uma polarização radicalizada entre direita e esquerda. Este novo quadro gera incerteza, instabilidades e fricções, com risco não desprezível de crises políticas. Jair Bolsonaro preferiu ser um presidente minoritário e sem coalizão. Enfrentará desafios seguidos para manter a estabilidade governamental.

A confusão sobre o presidencialismo de coalizão tem sido grande. O centro das incompreensões é a coalizão. Esse tem sido o nosso modelo político desde 1946. Foi quando o Brasil optou pelo presidencialismo, por uma Federação com muitos estados, pela eleição de deputados pelo voto proporcional e pelo mesmo número de senadores por estado, eleitos pelo voto majoritário, em um sistema multipartidário aberto a número ilimitado de partidos políticos. Essa combinação de elementos institucionais tornou objetivamente impossível aos presidentes fazerem a maioria no Congresso com seus partidos. Eles precisam de outros partidos para alcançar a maioria e governar e, para tanto, negociar uma coalizão multipartidária. Presidentes têm, em geral, a capacidade de negociar com vantagens uma coalizão majoritária alavancados pela vitória eleitoral. Não é, necessariamente, cooptação, conchavo, toma lá dá cá, nem corrupção. Podem formar alianças com base em programas, princípios e valores. Se um presidente fez uma campanha com um projeto claro e viável de governo, ele pode usá-lo como base dessa negociação. Pode negociar a pauta e os princípios para formulação de políticas e, legitimamente, compartilhar o poder, nomeando ministros qualificados, indicados pelos partidos da coalizão, selecionados por critérios fixados pelo Executivo. A participação no governo consolida o compromisso dos partidos com as políticas acertadas. A Constituição de 1988 remodelou o presidencialismo de coalizão e deu ao presidente mais poderes para controlar a agenda de políticas públicas. Mas o Congresso multipartidário manteve a capacidade de bloquear a agenda presidencial e concentrou poderes de coordenação política na presidência das Mesas e nas lideranças partidárias. A principal força do Congresso vem do fato de praticamente todas as políticas públicas precisarem de leis para serem instituídas. As políticas mais relevantes, como a Previdência, foram inscritas na Constituição, requerendo maioria de três quintos (60%) dos votos para regulá-las ou modificá-las. Presidentes precisam, portanto, de maioria ampla e coesa para implantar políticas públicas novas, mudar as existentes ou fazer reformas.

Negociar uma coalizão majoritária não é escolha, é um imperativo. Um presidente não governa sem ela, não aprova suas medidas no Congresso, e o governo, no limite, fica paralisado. Além disso, arrisca-se a ver o Legislativo aprovar medidas contrárias à sua agenda, como aconteceu, recentemente, com a ampliação das emendas orçamentárias impositivas. Jânio Quadros e Fernando Collor não negociaram coalizões majoritárias e não governaram. Presidentes tem três recursos básicos para negociar uma coalizão legitimamente: a força do voto popular nacional que os elegeu, a liderança política e a persuasão. Com esses três recursos na mão, eles e seus liderес têm condições de conduzir a articulação política para formar a coalizão. O voto lhes dá força de atração. Todos querem estar bem com um presidente popular, ungido pelas urnas. A liderança lhe dá capacidade de definir a agenda prioritária e o que é inegociável. A persuasão decorre de sua capacidade de argumentação política e defesa de sua agenda. É uma negociação, mas não precisa ser um troca-troca espúrio. Negociar é conversar, acertar pontos em comum e compartilhar o poder governamental, sem abrir mão da primazia presidencial.

Qual o problema? O Congresso ficou mais fragmentado. Não há partidos-pivô, como foram o PFL, no governo FHC, cuja aliança com o PSDB constituía uma base robusta para consolidar uma coalizão. Ou como o PMDB, no governo Lula, que, em união com o PT, também constituía um alicerce sólido para coalizões. Eram bancadas com mais de setenta deputados, chegando, às vezes, à centena. Bolsonaro deixou o seu capital eleitoral se dissipar, insistindo em miudezas, e não apresentou uma agenda clara e relevante, capaz de unir o país. Fixou-se em questões menores, que dividem muito. Não demonstrou ter liderança. Nem mostrou ter capacidade de persuasão. É personalista e usa o viés pessoal para decidir em quase todos os temas. Descartou indicações políticas, mas nomeou ministros visivelmente ineptos, em áreas fundamentais, como educação, meio ambiente e relações exteriores. Afinal, deixou o partido que o elegeu e resolveu criar um outro, à sua imagem e semelhança. É a marca típica do aventureiro político. Preferiu hostilizar o Congresso a dialogar politicamente. O resultado é a paralisia decisória progressiva e impasses políticos recorrentes. Momentos de trégua nas relações com o Legislativo, mais breves, alternam-se com momentos de atrito, mais longos.

O presidencialismo de coalizão não está necessariamente no fim. Mas está em crise e entrará em mutação. Parte da crise se deve à recusa do presidente em formar uma coalizão e à sua incapacidade de formular uma agenda de prioridades em sincronismo mínimo com a agenda mediana do Congresso, em particular dos partidos que têm oferecido lideranças para viabilizar o governo. Mas estas escolhem articular apenas aquelas questões da agenda que são de seu interesse e lhes dão direção distinta da que o presidente daria. Mudanças institucionais, como o fim do financiamento empresarial de campanha, a adoção da cláusula de barreira e o fim das coligações proporcionais, terão impacto não desprezível e de difícil previsão na própria lógica do regime, a partir das eleições de 2020. Devem, provavelmente, acelerar o processo de realinhamento partidário. Não se pode ainda determinar os efeitos da crise política no regime, nem como se dará a interação do modelo político em crise com o governo Bolsonaro.

O IMPERATIVO DA COALIZÃO

Nada há de errado na busca de alianças para formar uma coalizão majoritária de apoio ao governo. A política de coalizões é mais comum nas democracias parlamentaristas multipartidárias, sobretudo nas democracias proporcionais, embora não seja desconhecida das democracias parlamentaristas majoritárias, como a francesa ou a britânica. Governos de coalizão têm permitido a ascensão de novas forças aos centros de poder. No quadro de multipartidarismo fragmentado, mesmo de baixa ou moderada fragmentação, os governos de coalizão são inevitáveis e dominam a dinâmica política, sobretudo se o Executivo precisa de maioria para ter condições de governança e governabilidade. Os Estados Unidos, onde governos de minoria não são infrequentes, são a exceção. Quando a governança se sustenta em coalizões multipartidárias, o chefe de governo precisa calibrar a visão de seu próprio partido com uma lógica de ação voltada para a estabilidade e a eficácia da coalizão. Quando deixa de fazê-lo ou fracassa na tentativa, no parlamentarismo o governo cai. No presidencialismo de coalizão, há o risco de uma crise de governança e de paralisia decisória e, no limite, ruptura política, via renúncia ou impeachment presidencial. O dilema político brasileiro não está no presidencialismo, e sim na coalizão. O desenho constitucional e institucional do presidencialismo brasileiro não assegura governança nem governabilidade a um governo em minoria no Congresso. Executivo e Legislativo são interdependentes no Brasil e não independentes, como nos Estados Unidos. Os parlamentares precisam do Executivo para atender às demandas de seus redutos eleitorais. O Executivo depende do Congresso para aprovar as políticas públicas, tendo em vista as severas limitações constitucionais aos decretos presidenciais. Essas limitações têm história e justificativa, dada a traumatizante experiência com os "decretos-leis" do regime militar, que esvaziavam o Congresso de boa parte de suas funções. Por causa dessa interdependência, presidentes sem maioria no Congresso não conseguem governar plenamente e enfrentam inevitável crise de governança. Some-se a isso o fato de que nosso sistema partidário e eleitoral não é propício à conquista da maioria parlamentar pelo partido do presidente (nem por um partido na oposição), tornando inexorável a coalizão. O problema não está na exigência de uma coalizão de governo. Ele está no tamanho da coalizão e no modo de formá-la.

Há, basicamente, dois tipos possíveis de coalizões majoritárias: as coalizões de maioria simples, ou naturais, e as grandes coalizões, que excedem em menor ou maior grau a maioria das cadeiras de cada Casa parlamentar. Prefiro chamá-las de excedentes, porque excedem a maioria simples, e as coalizões brasileiras, em geral, têm sido grandes, reunindo mais de cinco partidos e abarcando mais de 60% das cadeiras do Congresso. Considero que o termo "grande coalizão" seja reservado para designar coalizões que reúnem os dois partidos que se opõem tradicionalmente, como é o caso da aliança entre Democracia Cristã (CSU) e os Social-Democratas (SDP), na Alemanha. No Brasil somente a improvável a união PT/PSDB seria considerada uma grande coalizão. Na Terceira República, os presidentes são compelidos a formar coalizões excedentes, por causa da necessidade de emendar a Constituição. Isso quanto ao número de parceiros. Quanto ao método de formação de coalizões, elas podem ser formadas por negociação programática, as chamadas coalizões programáticas

— padrão dominante nas democracias parlamentaristas europeias —, ou por cooptação, baseada na partilha de cargos e verbas, que tem sido a prática dominante no Brasil, as chamadas coalizões clientelistas. As coalizões programáticas envolvem compartilhamento do poder no gabinete entre os partidos que a formam em função do programa negociado. Os parceiros que se aliam ao partido líder passam a controlar os ministérios encarregados dos pontos por eles inseridos no programa de governo.

Um caso ilustrativo disso foi o da grande coalizão entre a coligação CDU/CSU de Angela Merkel e o SDP, em 2013. Com 41,5% dos votos, Merkel ficou cinco cadeiras abaixo da maioria. Só os social-democratas, rivais históricos dos conservadores, que haviam obtido 25,7% dos votos, podiam completar a maioria, formando uma coalizão que controlaria 503 das 630 cadeiras (80%). O ultraliberal FDP, parceiro menor da preferência dos conservadores de Merkel, não havia passado a cláusula de barreira, ficando fora do parlamento pela primeira vez desde o fim da Segunda Guerra. A terceira bancada ficou com o Die Link, partido muito à esquerda, e as restantes com o Partido Verde, que recusou a aliança que lhe foi oferecida pelos conservadores. Após dois meses de intensa negociação, o SDP aceitou entrar na coalizão liderada por Merkel, formando a "grande coalizão" (*große koalition*), porque constituída de partidos que se situam nos polos ideológicos à esquerda e à direita. Para Merkel, o ponto fixo das negociações era o equilíbrio fiscal e a meta de zerar a dívida pública sem aumento de impostos. O SDP aceitava a austeridade, desde que se estabelecesse um salário mínimo nacional, tema central de sua campanha. Além disso, pediam ajustes pontuais na Previdência, para facilitar o acesso à aposentadoria de algumas categorias específicas, e vetavam qualquer medida para reduzir a rede de proteção social. No fundo, isso significava que o acordo somente seria viável em um quadro de crescimento econômico, que elevasse receitas, dado que a redução de despesas seria menor com a presença dos social-democratas na coalizão. Esses pontos, mais a defesa incondicional da União Europeia, foram o centro do "contrato de coalizão" assinado pelos partidos. O SDP recebeu um número de ministérios mais que proporcional em relação a suas cadeiras no parlamento. Os ministérios principais foram divididos igualmente entre os conservadores e os socialistas. O líder do SDP, Sigmar Gabriel, foi nomeado vice-chanceler e ministro da Economia e Energia. O partido ficou, ao todo, com seis ministérios, entre eles Relações Exteriores, Justiça e Proteção ao Consumidor e Trabalho e Assuntos Sociais. As grandes coalizões na Alemanha são vistas como temporárias e para atender a emergências. A que se formou em 2013 mostrou-se resiliente, apesar das tensões com a crise dos refugiados. As eleições para o Bundestag, em 2017, repetiram o resultado. Merkel tentou uma coalizão com o FDP, que conseguiu ter representação, sem sucesso, e a "grande coalizão" com o SDP foi refeita. Os social-democratas ficaram, pelo acordo negociado, com seis ministérios, entre eles as estratégicas pastas das Finanças e das Relações Exteriores.

Em 2010, no Reino Unido, após eleições que levaram a um parlamento dividido, sem maioria de um dos partidos, o Conservador David Cameron negociou uma coalizão com os liberal-democratas, liderados por Nick Clegg. Foi a primeira vez, desde a Segunda Guerra, que o governo foi compartilhado. A aliança se baseou em um programa de governo tornado público antes da posse do ministério. Os social-liberais obtiveram algumas concessões importantes, principalmente no plano tributário. O "parceiro menor" ficou com o posto de vice-primeiro-ministro e outros quatro dos 22 postos no gabinete pleno. Foi, igualmente, uma coalizão programática. Nesses dois casos, não houve concessões que não fossem estritamente programáticas. Além disso, o compartilhamento de postos ministeriais não envolveu a distribuição de recursos clientelistas associados aos cargos. O acesso ao ministério garantia o cumprimento de políticas públicas contempladas no programa de governo negociado entre os parceiros. Na Europa, dada a polarização ideológica de muitos sistemas partidários, a maioria das coalizões teoricamente possíveis é politicamente inviável. Como é o caso, também, de uma coalizão PT/PSDB no Brasil. Mesmo quando os limites ideológicos são mais difusos, os partidos não são atores unitários, e seu fracionamento interno em várias facções — ideológicas, políticas ou regionais — aumenta a complexidade da formação e gestão de coalizões.

No Brasil, as regiões são marcadamente distintas entre si, na demografia, na economia, na sociedade e na política. Não é trivial organizar o governo nacional com base em ampla composição de forças partidárias. A correlação nacional de forças político-partidárias frequentemente difere muito de suas contrapartidas regionais. Os diferentes partidos na coalizão tendem a se comportar como aliados à distância e adversários próximos. A agenda presidencial e a agenda do Congresso derivam de movimentos eleitorais e da configuração de interesses muito distintos. Uma vez formada a coalizão, o chefe de governo tem como principal e mais árdua tarefa a de administrar as permanentemente tensas relações entre os partidos da coalizão. A micropolítica da coalizão é baseada em uma lógica que leva à hierarquização dos objetivos da ação partidária independentemente das prioridades do país. A competição inerente ao cálculo partidário restringe tanto as escolhas de aliados quanto a eficácia das coalizões. É da natureza do partido político o instinto de luta pelo poder e pela sobrevivência. Todo partido tem como objetivo maximizar poder, maximizar o número e a importância dos cargos que controla e, na impossibilidade de fazê-lo, sobreviver ao lado dos mais poderosos. Este padrão de comportamento faz parte da sua própria natureza e leva invariavelmente a uma disputa entre os concorrentes mais próximos. No superjogo da política só há caçadores de prêmio, e o prêmio são os eleitores, o poder e o acesso aos cofres públicos. Predadores de territórios políticos vizinhos sempre entram em conflito, pois cada um tem por objetivo transformar o outro em presa. Para isso recorrem ao alinhamento com o governo, a momentos de independência e a vetos a partes da agenda do governo, conforme a necessidade e a conveniência.

A distribuição de cargos e de poder é um dos elementos primordiais do funcionamento da coalizão em toda parte. A literatura sobre a lógica e a dinâmica das coalizões mostra que os partidos sempre buscam maximizar o seu poder no governo e manter a coalizão a menor possível. Isso porque a rivalidade entre partidos afins, que disputam poder na mesma base territorial e eleitoral, é inerente à vida político-partidária. Toda coalizão vive permanente estresse causado pela competição de tipo soma zero (perde-ganha) entre os aliados mais próximos, determinada pela motivação irresistível dos partidos a maximizar seu poder e minimizar o dos outros. Se o poder é a motivação primal dos partidos, a garantia da sobrevivência é o motivo de última instância que faz dos partidos atores fortemente adaptáveis.

Há, portanto, limitações ao número de coalizões possível a que um presidente ou um primeiro-ministro pode recorrer para formar sua base de sustentação parlamentar para constituir o governo. A literatura política contemporânea mostra que o conjunto possível de coalizões é reduzido por uma série de constrangimentos. Os resultados eleitorais, as regras de funcionamento dos parlamentos, as rivalidades locais, estaduais ou nacionais, as ideologias ou posicionamentos programáticos, a micropolítica interna dos partidos e a própria dinâmica do relacionamento político interpartidário são todos fatores condicionantes relevantes. Eleições nem sempre geram maiorias claras. Muitas vezes nem dão espaço para a formação de coalizões naturais, nas quais a maioria se forma por afinidade entre partidos próximos. A administração da coalizão pelo presidente ou primeiro-ministro objetiva manter em nível aceitável o estresse entre os parceiros e evitar que a concorrência entre eles se transforme em um conflito de predadores, que pode levar ao colapso da coalizão.

O caso da Espanha ilustra bem essa situação e a única via para sair dela. As eleições do final de 2015 geraram tal distribuição das cadeiras parlamentares que nem um entendimento entre os dois partidos de centro-direita e direita, PP e Ciudadanos, nem o entendimento entre os dois partidos de centro-esquerda e esquerda, PSOE e Podemos, alcançava a maioria. Desde os Pactos de Moncloa, a correlação de forças nas Cortes foi bipartidária. PSOE e PP se alternaram no poder. Mas o contexto sociopolítico mudou, vieram os movimentos de rua, alimentados pela indignação, e essa correlação se alterou. Do movimento dos Indignados surgiram o Podemos à esquerda e o Ciudadanos, pela centro-direita. Pela primeira vez, os dois partidos mais tradicionais se viram forçados a negociar uma coalizão para governar. Mas em uma situação que lhes dava poucos graus de liberdade. O PSOE vetou a coalizão com o PP, de Mariano Rajoy, então no governo. A aliança entre PSOE e PP daria uma coalizão excedente. Diante do fracasso de Rajoy, o rei passou a Pedro Sánchez, do PSOE, a incumbência de tentar formar um governo. Atemorizado com a presença nas ruas do Podemos, ele fechou um acordo com o Ciudadanos, com base em um programa liberal-social. Mas, como os dois não conseguiam a maioria, tentou trazer o Podemos como coadjuvante desse projeto PSOE-Ciudadanos. O Podemos o considerou conservador demais e, além de se recusar a aderir como parceiro secundário, vetou qualquer aliança com o Ciudadanos. Todas as outras coalizões passíveis de gerar maioria eram ideologicamente inconsistentes e bloqueadas por vetos de pelo menos um dos parceiros. O resultado foi o impasse. Como a Espanha é parlamentarista, a saída foi convocar novas eleições gerais. Mas as eleições gerais de junho de 2016 e de abril de 2019 não geraram maiorias sustentáveis nem por coalizão, resultando em nova eleição, em novembro de 2019, a quarta em quatro anos. Delas também não surgiu maioria estável. Pior ainda, o mau desempenho político do Ciudadanos praticamente o retirou do parlamento e permitiu o crescimento do Vox, de extrema direita, que se tornou a terceira força parlamentar. Repetiu-se o quadro de impasse, mas, desta vez, PSOE e Podemos, agora Unidas Podemos, chegaram a um acordo de coalizão, com apoio também da IU (Izquierda Unida). Será a primeira coalizão de esquerdas consolidada em um acordo escrito para um "governo de coalizão progressista". O acordo inclui a vice-presidência do governo para o Unidas Podemos e a proteção dos direitos sociais. Vários vetos do Unidas Podemos nas negociações anteriores foram retirados. O que mudou? O avanço da extrema direita e o colapso do Ciudadanos, cujo líder fundador, Albert Rivera, renunciou à presidência do partido e anunciou sua saída da política. Dois alertas das urnas que mudaram a disposição de negociação política, sem que houvesse mudado a agenda de questões. Para chegar a ele, Pedro Sánchez aceitou as premissas propostas por Pablo Iglesias, que retirou vetos, entre os quais aos termos para a questão da autonomia da Catalunha. Sánchez disse que os espanhóis falaram e lhes deram a responsabilidade de superar o bloqueio. Querem mais pluralismo do que aquele oferecido pelo bipartidarismo do passado. Iglesias definiu o acordo para o governo de coalizão progressista como a melhor vacina contra a extrema direita e reconheceu que os dois aliados precisavam ampliar a aliança para outros partidos, a fim de alcançar a maioria. É, de qualquer modo, uma coalizão frágil, cuja estabilidade requer, mais que habilidade política, a aquiescência de pequenos partidos que não confiam muito no PSOE. Mesmo a relação entre o primeiro-ministro e o vice Iglesias, do Unidas Podemos, é arestosa.

As coalizões inchadas tendem a conter mais facções e a ser mais instáveis em comparação às de maioria simples. Seus prêmios de participação são distribuídos de maneira desigual, aumentam a instabilidade da aliança e a propensão à dissidência. Se os prêmios são proporcionais à quantidade de votos que trazem, essa desigualdade é tolerada, não provocando maiores perturbações. Há mais pontos de veto nas coalizões excedentes. As pressões por vantagens para permanecer na coalizão são mais frequentes e mais variadas. Quanto menor a coalizão e mais próximos os interesses dos seus parceiros, menor a instabilidade e vice-versa. O "núcleo duro" da coalizão, formado pelos partidos maiores, tende a ser mais coeso, mesmo quando os parceiros não são ideologicamente contíguos. O parceiro maior, ou segundo partido da coalizão, é o pivô central desse arranjo, e seu papel é decisivo nas votações. A coesão dessas coalizões é bem menor se houver facções intrapartidárias fortes e ativas. Por isso coalizões mais enxutas garantem melhor governança e custos de gestão política mais baixos. Aquelas entre partidos com forças mais ou menos equivalentes são mais manejáveis. O equilíbrio entre forças parecidas e parelhas tende a ser mais estável. Há menos grupos com poder de veto. O custo político e fiscal tende a ser menor. É claro que coalizões entre partidos que têm uma história de rivalidade, chegando à hostilidade, são mais difíceis de administrar. Este era o caso da relação entre PT e PMDB, principalmente nas respectivas bases eleitorais locais. O tamanho da coalizão e a natureza dos parceiros são o principal dilema de sistemas políticos como o brasileiro e o ponto-chave da gestão política pelo presidente. O resultado das eleições de 2018 criou um quadro de bancadas médias e pequenas. A única vantagem do ponto de vista da formação de coalizões seria a contiguidade ideológica entre os partidos que poderiam fazer parte de uma coalizão de apoio a Bolsonaro. Isso se ele tivesse optado por governar em coalizão. A contiguidade ideológica dos partidos do centrão foi um dos fatores que permitiram ao presidente da Câmara, Rodrigo Maia, aprovar projetos de reforma, como a da Previdência, sem a participação do governo e sem uma coalizão governista.

No caso de regimes parlamentaristas, o resultado imediato do enfraquecimento da coalizão é a dissolução do gabinete e a tentativa de recomposição de uma coalizão de governo. Caso esta fracasse, recorre-se a eleições gerais, na busca de uma nova maioria. No caso do presidencialismo de coalizão, é o próprio presidente quem deverá demitir o ministério e buscar a recuperação de sua base de apoio, em um momento em que enfrenta uma oposição mais forte e que sua autoridade está enfraquecida. Nas reformas ministeriais, no Brasil, a troca de ministros em geral termina por romper o equilíbrio entre partidos, facções partidárias e grupos regionais obtido com muito custo aproveitando o momento gerado pela vitória eleitoral. A crise da coalizão pode se agravar e romper em definitivo o frágil equilíbrio. Uma vez que este se rompe, restabelecê-lo é tanto mais difícil quanto mais longe da "lua de mel" estiver o presidente. Mais difícil ainda no caso de coalizões excedentes, porque elas absorvem todo o campo político no qual o presidente poderia extrair aliados. Ele fica sem margem para descartar partidos que estão se tornando parceiros dificultosos e atrair os que permaneceram independentes, equidistantes do governo e da oposição. As coalizões naturais, que agregam os partidos por afinidade e até o limite necessário à maioria simples, deixam aliados potenciais fora do governo, abrindo espaço no centro para o presidente trocar alianças. O rompimento da coalizão, na falta de espaço para troca de alianças ao centro e para recomposição de uma base majoritária, pode levar a uma crise terminal, com impeachment, renúncia ou outro tipo de afastamento do presidente. O governante tende a perder força de atração política quando o desempenho do governo é prejudicado pelos impasses na coalizão. A ausência de *swing parties*, partidos volantes, dificulta o manejo político das coalizões.

O presidencialismo de coalizão é cíclico. Os ciclos políticos determinam a capacidade do presidente de exercer liderança política e manter a estabilidade da coalizão. O movimento cíclico está associado ao desempenho corrente do governo, principalmente econômico, que se reflete na popularidade presidencial. O sinal e a intensidade da popularidade explicam os ciclos. Se o sinal é positivo e forte, dá-se o ciclo de atração, mais facilmente observável nas chamadas "luas de mel". O presidente com sinal fortemente positivo, no ciclo de atração, precisa até de menos habilidade e menos concessões para obter a adesão da coalizão a seu projeto de governo. Quando esse sinal enfraquece, ficando ligeiramente positivo, dá-se o ciclo de dispersão, as forças da coalizão começam a se dispersar, afastando-se do centro da coalizão e demandando mais concessões do presidente e maior capacidade de articulação política para manter a coalizão coesa. Quando o sinal se torna fortemente negativo, com rejeição de 60% ou mais, passa-se ao ciclo de fuga e as forças da coalizão fogem do centro ocupado pela presidência da República, e essa fuga se acentua na proximidade das eleições. As forças em fuga vão em busca de um novo polo de liderança e atração, em torno do qual tendem a se agregar. Durante muito tempo prevaleceu a ideia de que os governos de coalizão em sistemas multipartidários são inerentemente instáveis. No caso dos governos parlamentares, a estabilidade ou instabilidade do governo se mede pela sobrevida do gabinete (ministério). No caso do presidencialismo, embora se possa medir a longevidade ministerial, o governo se define pelo mandato presidencial.

O politólogo Octávio Amorim Neto estudou muito bem essa relação entre gabinetes ministeriais e estabilidade governamental. O presidencialismo de coalizão distingue-se do parlamentarismo de coalizão pelo fato de que o governo não é do parlamento, embora a governança dependa da maioria parlamentar. Ele se distingue, também, dos casos de presidencialismo multipartidário nos quais o presidente logra formar a maioria parlamentar apenas com seu partido. No parlamentarismo, o governo é do parlamento, por isso se confunde com cada gabinete, inclusive quando a mesma liderança é convocada a formar um novo governo. No presidencialismo, o governo é do presidente, eleito majoritariamente, com mandato fixo. No presidencialismo de coalizão, o governo continua sendo do presidente, com mandato fixo, mas sua estabilidade depende do jogo parlamentar. O processo decisório para a formulação da agenda de prioridades e implementação das políticas de governo ocorre dentro do Executivo. É lá que se dá forma aos projetos e se decide se serão encaminhados como projetos de lei ou medidas provisórias. Já o processo político é um jogo parlamentar. Essa dominância do jogo parlamentar na base da governança se deve à interdependência entre os Poderes. Portanto, a capacidade do chefe do Executivo para participar com autoridade desse jogo é essencial.

Governos de maioria foram a regra na Primeira República (1889-1930), uma república oligárquica. O primeiro governo da Segunda República também foi de maioria presidencial. O partido do presidente Eurico Gaspar Dutra, o PSD, conseguiu a maioria parlamentar nas eleições de 1945, as primeiras desde 1930. Mas era, claramente, um governo de passagem para a democracia, no final da ditadura de Vargas. A Constituição de 1946 ainda não havia produzido seus efeitos. Foi um governo marcado pelas especificidades e limitações do imediato pós-Segunda Guerra. O governo foi, todavia, de coalizão, com partilha de ministérios entre os três partidos então existentes (PSD, PTB e UDN). Todos os governos que se seguiram — Vargas, JK, Jânio (e Jango) — foram de coalizão e tiveram ainda maior participação dos partidos no ministério. A "Nova República", governada por José Sarney (vice de Tancredo Neves, morto antes de tomar posse), que fez a ponte entre o regime militar e a democracia republicana da Constituição de 1988, foi dominada pelo PMDB, que teve vitória arrasadora no embalo do Plano Cruzado, fez a maioria da Câmara, do Senado e todos os governadores menos o de Sergipe, eleito pelo PFL. Na Terceira República, iniciada em 1988, todos os governos foram de coalizão, até Bolsonaro. A fatia do partido do presidente na Câmara tem sido sistematicamente menor do que na Segunda República, ficando em torno de 10% a 20% das cadeiras. Se comparamos a Segunda República com a Terceira, do ponto de vista da estabilidade governamental, medida em mandatos presidenciais, a diferença também é grande e mais interessante. Foram quatro mandatos regulares na Segunda República, dois dos quais interrompidos: o de Getúlio, pelo suicídio, e o de Jânio, pela renúncia. Nos dois, a sucessão pelo vice-presidente (Café Filho e João Goulart, respectivamente) gerou crise e a consequente destituição do sucessor. Foram vários os pronunciamentos militares, em um crescendo que terminaria no golpe que instituiu a ditadura rotativa militar em 1964. Na Terceira República, tivemos, até agora, oito mandatos regulares, dois interrompidos por impeachment. A primeira diferença é que as duas interrupções se deram de acordo com um mecanismo constitucional (suicídio e renúncia são atos unilaterais e pessoais, não recurso institucional) e sem qualquer pressão militar ou de instituição estranha ao processo político. A segunda é que, nos dois casos, a sucessão pelo vice se deu pacificamente. Itamar Franco terminou o mandato do qual Fernando Collor era titular sem embaraços senão aqueles do cotidiano político. Michel Temer terminou o mandato de Dilma Rousseff. O que distingue os dois governos, de Itamar e Temer, é que o primeiro conseguiu debelar rapidamente a crise política resultante do impeachment e deu início ao programa que suprimiu o processo hiperinflacionário. O governo Temer não conseguiu superar a crise política iniciada nos primeiros dias do segundo governo de Dilma Rousseff, nem a polarização radicalizada. As eleições de 2018 foram marcadas pela crise política e pela polarização radicalizada. O governo Bolsonaro tem sido de tensão institucional e crise política.

Houve apenas duas sucessões regulares na Segunda República, nas quais o presidente eleito para o mandato que findava passou o cargo ao presidente eleito para sucedê-lo. Dutra transmitiu o cargo a Getúlio Vargas. Juscelino Kubitschek de Oliveira passou o cargo a Jânio da Silva Quadros. Na Terceira República, foram sete sucessões de governo, desde que Itamar Franco passou a faixa presidencial a Fernando Henrique. Cinco delas se deram entre governantes diretamente eleitos para o cargo: FHC-FHC; FHC-Lula; Lula-Lula; Lula-Dilma; Dilma-Dilma. Em duas, o vice promovido a presidente transmitiu o cargo ao eleito, Itamar-FHC e Temer-Bolsonaro. Não há muita dúvida de que a Terceira República tem sido muito mais estável do que a Segunda. Ela enfrenta, agora, a mais grave crise de sua história. Essa estabilidade fica ainda mais relevante quando se considera o contexto parlamentar: as coalizões eram menores nos governos da Segunda República, e o grau de fragmentação partidária, moderado. Analisei a fragmentação na Segunda República no estudo original sobre o presidencialismo de coalizão. Na Terceira República, a fragmentação foi alta (em torno de oito partidos efetivos) até chegar à hiperfragmentação (perto de catorze partidos efetivos e mais de 25 legendas representadas na Câmara). As coalizões foram todas excedentes, ultrapassando em muito a maioria simples da Casa parlamentar, para garantir o mínimo de 60% dos votos, a maioria exigida para aprovar reformas constitucionais. São coalizões mais heterogêneas, mais complexas e mais difíceis de administrar politicamente. Todavia, os mecanismos institucionais de governança na Terceira República se mostraram mais efetivos na estabilização do processo político nos limites estritos do estado democrático de direito do que o foram na Segunda República.

O primeiro mandato de Fernando Henrique Cardoso se deu, até a reeleição, em um ciclo de atração, alimentado pelo sucesso do Plano Real. No segundo mandato, com a desvalorização do real e o surto inflacionário que se seguiu, deu-se a passagem para o ciclo de dispersão e queda da popularidade, e o governo terminou quando entrava no ciclo de fuga. O PSDB foi derrotado na eleição. Lula, no seu primeiro mandato, viveu pleno ciclo de atração. Após o mensalão, experimentou um ciclo de dispersão, que ele venceu com sua capacidade de apelo direto à população, revertendo a queda de popularidade e assegurando a reeleição. O segundo mandato foi marcado por um ciclo declinante de atração que, em vários momentos, beirou o ciclo de dispersão. Ainda assim, fez Dilma Rousseff sua sucessora. Dilma, porém, apesar da alta popularidade, jamais viveu um ciclo de atração forte. Sem liderança político-partidária pessoal e sem capacidade de articulação política, teve dificuldade permanente para gerir sua coalizão. A coalizão, montada sob a força de atração do lulismo, nunca foi realmente sua. Foi forçada, desde o começo, a governar em um ciclo de dispersão, durante todo o primeiro mandato. Para segurar a popularidade, congelou preços públicos e recorreu a expedientes impróprios na gestão orçamentária. Conseguiu se reeleger, em pleito polêmico, dominado pelos truques do marketing político, com resultado apertado no segundo turno. As raízes da crise política que vivemos são evidentes. A instabilidade e o conflito estão correlacionados à recessão, ao desemprego e à perda de renda real. A deterioração do quadro econômico e social, sobretudo a partir do momento em que começou a afetar seriamente a renda real disponível das famílias, erodiu o apoio social do governo Dilma Rousseff. A frustração de expectativas criadas pela campanha publicitária na eleição acelerou e aprofundou essa corrosão do apoio da sociedade à presidente. O resultado foi a perda de popularidade, de tal modo acelerada, que Dilma saiu da alta aprovação para a alta reprovação em questão de semanas, após a vitória apertada no segundo turno de 2014. A continuação e o aprofundamento da crise determinaram forte mudança de ciclo na dinâmica do presidencialismo de coalizão. O governo Dilma passou rapidamente do ciclo de dispersão, no qual as forças políticas mantinham distância cuidadosa do governo, para o ciclo de fuga, no qual essas forças se apartaram definitivamente da presidência. Nesse processo de fuga do centro presidencial, as forças políticas desgarradas começaram a buscar um outro ponto de atração, que oferecesse promessa mais crível de poder ao qual pudessem se agregar. O segundo mandato de Dilma já começou em um ciclo de fuga, terminando com seu afastamento por impeachment. A partir do exame pelo Congresso da denúncia para o impeachment por crime de responsabilidade, a vice-presidência da República passou a ser o ponto de atração das forças desgarradas. Temer nunca foi popular e seu governo foi de crise. Bolsonaro dissipou rapidamente sua popularidade, mas não tem coalizão, por isso não é possível avaliar o quanto ele já provoca de dispersão entre seus potenciais aliados. Tem havido, todavia, seguidos atritos entre o presidente e o Legislativo, culminando no rompimento com seu próprio partido, o PSL. Desde o início do governo, ele encoraja a persistência do confronto polarizado por meio de manifestações pessoais, de seguidores convictos e milícias digitais operadas por assessores e filhos do presidente. No ambiente de polarização radicalizada, de tensão permanente, não há ponto de concordância possível. Na política, este é um fato inarredável.

A despeito da maior estabilidade da Terceira República e da eficácia dos mecanismos de estabilização institucional, há problemas e disfuncionalidades no desempenho concreto do presidencialismo de coalizão. O principal deles é a hiperfragmentação partidária, pois dificulta a formação das coalizões e afeta diretamente o seu tamanho, a probabilidade de que sejam estáveis e o custo de sua gestão política. Isso aumenta o número de partidos com poder de veto e impõe maior número de partidos na coalizão, mesmo para se chegar a uma coalizão natural, de maioria simples. A cooptação como método dominante de formação de coalizões leva à preferência por benefícios fiscais e aumenta o risco de uso de propinas para partidos e pessoas como bônus de participação na coalizão, em detrimento de aspirações programáticas.

As campanhas exclusivamente de marketing, sem conteúdo programático algum, são outra evidente disfuncionalidade de nosso sistema. Iludem o eleitor e o impedem de fazer escolhas concretas sobre prioridades para o país e, aos partidos, de definir afinidades programáticas. Substituem o contato direto com o eleitor e a exposição dos candidatos à sociedade sem o artifício do teleprompter pela declamação dos textos e a maquiagem dos marqueteiros. Pior ainda, nos programas, atores profissionais dominam, aparecendo mais que o próprio candidato e, muitas vezes, substituindo-os no esforço de persuasão dos eleitores. Essa disfuncionalidade, que ficou cada vez mais evidente nas campanhas majoritárias, está associada a uma distribuição generosa e excessiva do tempo de televisão gratuito para os partidos, em horário nobre — muito caro para qualquer empresa ou cidadão —, que desincentiva o desenvolvimento de mecanismos de recrutamento direto, mobilização e envolvimento dos partidos na comunidade. A mercantilização (*commodification*) de partidos e candidatos promovida por esse padrão de campanha na TV e no rádio distorce a relação entre eles e os eleitores, transformando estes em meros consumidores de promessas. A mercantilização dos partidos leva necessariamente à clientelização e, portanto, à preferência por coalizões clientelistas sobre coalizões programáticas. O critério de distribuição do tempo de TV nas campanhas, como se sabe, é proporcional às bancadas eleitas nas eleições anteriores, introduzindo um elemento adicional de reprodução do status quo e oligarquização partidária. O tempo de TV, seja nas campanhas, seja fora delas, é excessivo. Esta prática incentiva a mercantilização, dá hegemonia ao marketing político e promove a reprodução do status quo. O critério de distribuição nas campanhas é disfuncional para o surgimento de novas lideranças e induz à multiplicação de legendas fora do período eleitoral. Cria um "mercado de segundos" altamente pernicioso e com elevado potencial de corrupção.

O papel das redes sociais digitais nas eleições é uma questão que ainda demanda pesquisa. Foi, em parte, um efeito colateral imprevisto da decisão pelas oligarquias dos grandes partidos de compensar a proibição do financiamento empresarial de campanhas. Os políticos que desenharam o fundo partidário com esse objetivo concentraram os recursos públicos e o tempo de TV nos maiores partidos, para distribuição por suas cúpulas, mas não previram que as redes seriam usadas como alternativa. Candidatos sem acesso aos recursos tradicionais migraram para as redes sociais digitais e contribuíram para aumentar a rejeição à política tradicional. Muitos se elegeram e retiraram do Congresso várias oligarquias e seus representantes. A campanha de 2018 foi a primeira efetivamente digital. A principal característica das campanhas digitais, no estágio de incipiente digitalização da política em que nos encontramos, é que elas não permitem controle da trajetória, do conteúdo e da intensidade das mensagens disseminadas. A disseminação, que tem origem organizada, com impulsões por agências profissionais usando *bots* e *sockpuppets*, avança de forma descentralizada e independente, espalhando-se por contágio. Mesmo que o centro da campanha queira mudar o tom, ou deter fake news específicas que tiveram efeito bumerangue, não consegue. O contágio só cessa quando não há mais receptores que possam ser infectados. Não existe, ainda, vacina prévia, nem forma de combate eficaz às epidemias de memes e fake news. O crescimento do papel das redes e mídias sociais nas campanhas não eliminou a mercantilização e introduziu um elemento de radicalismo extremado e devoto, que alimenta o tipo de polarização mais danoso à democracia. Daí uma campanha polarizada e radicalizada, com alta carga emocional, que levou a uma eleição disruptiva. Abriu um período de trânsito para um novo ciclo político e nova conformação do sistema partidário. Ele se manifestou primeiro como crise do sistema de partidos que dominou o período de 1993 a 2018. Os indícios de efeitos disfuncionais da reeleição nas decisões do primeiro mandato são fortes. O chamado ciclo político-econômico, que leva presidentes a manejar a política macroeconômica para influenciar as eleições, agrava-se muito quando há reeleição, sobretudo quando dominam as coalizões clientelistas. Estou convencido de que a reeleição não é um bom mecanismo institucional no presidencialismo. As sucessões na Terceira República têm se dado sem crises institucionais, em eleições bastante regulares e tranquilas, a despeito das distorções promovidas por nosso estilo de campanha. A regularidade das eleições e a normalidade das trocas de governantes mostram que não há risco em se ter maior rotatividade na presidência. Temos mecanismos institucionais para evitar crises políticas disruptivas nas sucessões. Há quem argumente que a insatisfação com o resultado de 2014 provocou o pedido de impeachment de Dilma. Não há evidências suficientes para atestá-lo. Todavia, é sempre alta a probabilidade de impeachment no ciclo de fuga do presidencialismo de coalizão. Na nossa exígua experiência, os dois casos de impeachment ocorreram no auge de ciclos de fuga. A insatisfação com o resultado das eleições pode ter justificado a adesão do PSDB ao impeachment, mas o processo dificilmente prosperaria se o governo não estivesse em estágio avançado de rejeição pelo centro. Quando se examinam os ciclos nos governos FHC, Lula e Dilma, se observa que a probabilidade do ciclo de fuga aumenta no segundo mandato.

A análise dos custos da governabilidade, ou custos associados à gestão da coalizão, feita por Carlos Pereira, Frederico Bertholini e Eric D. Raile, é a meu ver um argumento adicional contra a reeleição. O segundo mandato de Fernando Henrique Cardoso foi politicamente mais instável e a gestão de sua coalizão custou mais em termos fiscais e concessões clientelistas do que o primeiro. O segundo mandato de Lula também foi menos eficiente e a manutenção da coalizão custou mais caro. O segundo mandato de Dilma Rousseff começou em crise e terminou em impeachment. Ou seja, a reeleição só gerou custos e crises para o país. São várias as razões para esse incremento de custos, mas me satisfaço com a mais geral: o desgaste natural, pelo tempo, da força presidencial no segundo mandato. Uma espécie de fadiga de material, que reduz a popularidade e a força de atração presidencial. Além disso, a reeleição dificulta a renovação da coalizão governante, e ela se torna instável e mais difícil de manejar. Geralmente, o efeito da reeleição é de apenas ampliar o número de partidos participantes e a heterogeneidade da coalizão. Aumenta a adesão dos partidos parasitários. Novas eleições implicam negociar novas coligações eleitorais e, posteriormente, novas coalizões de governo à luz da correlação de forças no Legislativo resultante das escolhas eleitorais.

Não é garantido que eleições produzam maiorias claras, em qualquer sistema eleitoral. É o que mostram os exemplos recentes do Reino Unido e da Espanha. No caso britânico, após um período de governos de coalizão, com o parlamento sem maioria, em 2017 e em 2019, a eleição convocada por Boris Johnson para dezembro de 2019 gerou uma maioria Conservadora inconteste, e o sistema retornou ao bipartidarismo. Na Espanha, um sistema proporcional com a regra D'Hondt, a mesma que usamos, as eleições deram fim ao bipartidarismo dominante, porém geraram uma composição parlamentar que exige a negociação de coalizões majoritárias entre os partidos mais afins. Vetos cruzados, por razões ideológicas, bloquearam todas as coalizões possíveis, resultando em impasse, convocação de novas eleições e dissolução do parlamento. Finalmente, a saída do impasse foi dada pela mudança de posição dos negociadores à esquerda, para chegar a uma coalizão. Em sistemas multipartidários fragmentados, se por um lado maiorias partidárias simples são praticamente impossíveis, há mais opções de coalizões. Principalmente se, como é o caso do multipartidarismo brasileiro, as fronteiras ideológicas entre os partidos forem mais difusas, reduzindo as barreiras ideológicas à entrada na coalizão de governo. O problema é que essa indefinição ideológica, principalmente no centro do espectro partidário, incentiva a formação de coalizões clientelistas, mais ainda quando se buscam coalizões excedentes. Diante da inexistência de bônus ideológicos ou programáticos que atraiam esses partidos, as concessões clientelistas se tornam a única forma de cooptar parceiros. Quanto maior a percepção dos partidos sobre a disposição do presidente a fazer concessões materiais, maior a demanda por elas. O custo marginal para a expansão da coalizão aumenta, e o custo de manutenção da coesão da coalizão cresce em paralelo. Nessa escalada, é previsível que sistemas de "bônus de adesão" e "prêmios de coesão" resvalem para a distribuição de recursos de campanha e para a corrupção.

Nenhum modelo político é à prova de falhas e disfuncionalidades, nem imune a crises. Todos os modos de governança e todos os regimes eleitorais apresentam falhas e disfuncionalidades. A questão é determinar qual o melhor arranjo para o contexto de cada país. O contexto histórico-estrutural é dinâmico e, no longo prazo, muda em direções que justificam a reforma constitucional para alterar o modelo político-eleitoral. Não estou convencido de que o presidencialismo de coalizão se tornou inviável entre nós. Também não estou convencido de que o parlamentarismo funcionaria no nosso federalismo extenso e heterogêneo, com governadores eleitos pelo voto direto e grande ascendência sobre as bancadas federais. Não há formato de voto que assegure, no contexto sociopolítico brasileiro, maiorias unipartidárias que tornassem desnecessárias as coalizões.

OS LIMITES DA JUDICIALIZAÇÃO DA POLÍTICA

O desenho republicano de nossa democracia sempre deixou espaço para uma ação moderadora sobre o conflito entre Executivo e Legislativo. É, possivelmente, um legado de nossa experiência monárquica. No Império, o imperador detinha o Poder Moderador, que de moderador tinha muito pouco. Era um poder acima de todos os demais Poderes, tinha a prerrogativa do veto inarredável. A moderação era um ato de arbitragem autocrática do monarca. Esse poder transferiu-se para os militares nas Constituições republicanas, como tem alertado José Murilo de Carvalho. Na Segunda República, ele foi exercido na forma imperial, como veto absoluto. Na Terceira República, os militares se afastaram do papel de mediadores, embora ele continue inscrito na Constituição, como também tem observado o historiador. Em recente entrevista, o ex-comandante do Exército, general Eduardo Villas Bôas, deixou claro que o poder de intervenção vale para garantir a lei e a ordem e em casos de instabilidade social e política — todas hipóteses que levam a juízos interpretativos. Em outras palavras, o espectro do Poder Moderador dos militares não foi eliminado de nossa ordem constitucional e continua a existir na mesma amplitude das Constituições passadas. A Suprema Corte tem feito a mediação institucional quando há contrariedade entre Executivo e Legislativo, e mesmo nos conflitos entre partidos no Congresso em torno do processo legislativo. Exerce um Poder Moderador relativo. A propensão de nosso sistema político ao conflito entre Executivo e Legislativo aumenta em relação direta à instabilidade das coalizões. O presidencialismo de coalizão, como todo regime no qual o governo depende de uma aliança multipartidária majoritária, tem que lidar com as alterações nos humores dos partidos que compõem a coalizão governista. Mas, ao contrário dos regimes parlamentaristas, não dispõe de mecanismos políticos ágeis para enfrentar impasses previsíveis entre o governo e o Legislativo, entre a União e os estados, com reflexo nas relações Executivo-Legislativo e no próprio processo legislativo. Daí o impasse muitas vezes desembocar em crises políticas e na paralisia decisória. Na Segunda República, da Constituição de 1946 até o golpe civil-militar de 1964, esses impasses, ao chegarem ao ponto crítico, tendiam a ser resolvidos por pronunciamentos militares. Foram vários, desde a crise do governo de Getúlio Vargas. Na Terceira República, da Constituição de 1988, esse papel de moderação tem sido exercido pelo Supremo Tribunal Federal. Mas a Suprema Corte o exerce constrangida por limitações constitucionais e pelos ritos de procedimento essenciais ao processo judiciário, ao contrário do que ocorria com o imperador e com os militares. Nosso extenso desenho constitucional tem ampliado o espaço para intervenções do Judiciário no campo próprio da política, criando dilemas sérios de legitimidade e para a própria democracia.

O papel acrescido da Suprema Corte na função mediadora escapa do âmbito dos mecanismos de vigilância e fiscalização ("*checks*") e se enquadra no plano dos mecanismos de contrapeso democrático ("*balance*"). As instâncias de mediação de conflitos não são, neste caso, parte do controle jurisdicional e da vigilância no senso estrito, e sim elementos do processo político. É essa dimensão política da ação do Judiciário que tem legitimidade bem mais restrita e deve se dar nos limites mais estritos da democracia. Os ministros podem agir monocraticamente, não são eleitos, têm margem relativamente ampla de interpretação do texto legal e, ao decidirem questões políticas, o fazem sob o mesmo rito de procedimentos e com a mesma lógica decisória que utilizam na função judicial de controle da constitucionalidade. Em uma situação de contencioso, decidem no mérito quem ganha e quem perde. É o que chamamos de solução de soma zero. Uma das partes ganha e a outra perde a disputa. Na política, o que se busca o mais das vezes é uma solução ganha-ganha, na qual cada uma das partes cede para se chegar a uma decisão em que todas têm seu interesse satisfeito ainda que o mínimo possível. Essa busca da solução mediana não se enquadra nos procedimentos judiciais. Quando a judicialização leva os juízes a esse ponto, a imposição da soma zero lhes confere um papel de decisores substantivos, função típica da formulação de políticas, em lugar do seu papel próprio de árbitros de procedimentos. O trânsito do procedimental para o substantivo é regulado pelos limites constitucionais da ação do Judiciário. Mas esses limites não são inequívocos, nem absolutos. Deixam, portanto, margem de discrição interpretativa ao STF, que termina por criar normas (função do Legislativo), em vez de julgar a validade delas. Essa preocupação tem sido manifestada por politólogos, juristas e políticos e também tem frequentado as sessões do Supremo Tribunal Federal. Vários ministros vêm mostrando, em votos e debates, que têm consciência do dilema posto à sua ação nesse espaço que se poderia, por analogia, chamar de uso do Poder Moderador.

A judicialização da política, muito além das questões tipicamente constitucionais, cria o risco de politização do Judiciário. O Supremo Tribunal Federal tem mecanismos intrínsecos de mitigação desse risco. A intersubjetividade inerente à decisão colegiada talvez seja o mais importantes deles. As decisões monocráticas, todavia, aumentaram significativamente nos últimos anos. A substituição da decisão colegiada por decisões pessoais torna a Suprema Corte vulnerável à politização. Neste sentido, foi preocupante a politização recente da presidência da Suprema Corte pelo ministro Dias Toffoli. Seu envolvimento em relacionamentos políticos escapou, em muito, do protocolar. Chegou a cogitar de um pacto entre Poderes que gerou o temor de que proporia a isenção, ainda que parcial, de exame jurisdicional de políticas públicas. Isto comprometeria seriamente o papel da Suprema Corte no processo de equilíbrio de Poderes republicanos. Já bastou a simples possibilidade de rompimento da divisão de Poderes em um esdrúxulo pacto político entre Poderes republicanos, que subverteria gravemente a natureza do Poder Judiciário.

Chefes de Poderes se reúnem em democracias? Chefes do Executivo e do Legislativo costumam se reunir para discutir impasses e formas de promover a agenda de políticas públicas. Esta é uma questão afeita particularmente ao presidencialismo. No parlamentarismo, ela não faz sentido, porque o chefe de governo responde sistematicamente ao parlamento. É parte dele. Nos regimes presidenciais, nos quais há separação de Poderes, o entendimento entre os chefes do Executivo e do Legislativo é comum e desejável, sobretudo para eliminar impasses em temas que implicam ação cooperativa, como a aprovação do Orçamento. Mas é de estranhar que o presidente do Supremo Tribunal Federal participe de uma reunião para discutir a agenda política, seja no parlamentarismo, seja no presidencialismo. O que pode prometer, em um pacto político interinstitucional, o chefe do Executivo? Pode se comprometer a negociar pontos da agenda e se eximir de vetar alterações propostas pelo Legislativo. Pode prometer rever prioridades de cortes e liberações de gasto, para ajustar as metas do Executivo aos interesses legítimos do Legislativo. São muitos os poderes do presidente da República, e há amplo espaço para ele negociar legitimamente com o Congresso. O que podem prometer os presidentes da Câmara e do Senado? Podem assumir compromissos em relação à celeridade do processo de exame da agenda do Executivo, esforçar-se para evitar obstruções excessivas e remover bloqueios. No caso de sistemas multipartidários, em que os chefes do Legislativo podem ser eleitos por coalizões distintas daquela que apoia o presidente, eles podem buscar trazer para o entendimento forças que os apoiam, mas que se opõem ao chefe do Executivo ou têm posição independente. Podem usar seu poder de agenda para dedicar a ordem do dia ao exame urgente e prioritário dos projetos negociados com o Executivo. São vários os poderes dos chefes do Legislativo e há muito espaço para negociações legítimas que aproximem os interesses dos parlamentares aos do Executivo.

Mas o que pode prometer o presidente do Supremo Tribunal Federal? Nada, além de fazer cumprir a Constituição, independentemente dos caprichos da política, e respeitar a decisão do colegiado. Ao STF não cabe mais do que cumprir suas obrigações constitucionais, equidistante das disputas políticas. O Judiciário não tem a mesma natureza dos outros Poderes. É evidente que o chefe do Judiciário não pode se comprometer a deixar de julgar uma medida inconstitucional, porque está na pauta politicamente pactuada.

A reunião entre o presidente Bolsonaro, os presidentes da Câmara, Rodrigo Maia, e do Senado, Davi Alcolumbre, e o presidente do STF, Toffoli, que ocorreu em 2019 supostamente com o objetivo de fazerem um pacto político pelas reformas, foi um sério sintoma de anomalia político-institucional. Os presidentes das duas Casas do Congresso compareceram sem ter respaldo da maioria de deputados e senadores. Fato posteriormente reconhecido pelo presidente da Câmara, Rodrigo Maia, para dizer que nada poderia assinar sem consulta a seus pares. Já havia circulado na imprensa que Dias Toffoli anelava a ideia de um pacto institucional pelas reformas. A estranha reunião entre os chefes dos Poderes suscitou reações imediatas. A expectativa do presidente do Supremo Tribunal Federal, Dias Toffoli, de um pacto escrito entre os Poderes pelas reformas foi denunciada por seus vícios de origem e sua presença na reunião dada como inadequada por seus pares. Ministros da Suprema Corte lembraram que ele não tem delegação do plenário para tanto e que o STF é um colegiado. Seu presidente não tem poderes para cumprir o papel que Toffoli se atribuiu. Mas ele tem manipulado a agenda do colegiado, incluindo e retirando processos para julgamento, de acordo com seu único juízo. Associações de magistrados chamaram a atenção para o fato de que o presidente do STF não tem nem autoridade nem legitimidade para comprometer a Corte com uma agenda que terá que examinar no exercício de sua função jurisdicional, como guardião da Constituição. A participação do presidente da Câmara, Rodrigo Maia, provocou resposta imediata de várias lideranças e deputados que alertaram para o fato de que o Congresso representa todos os partidos nele presentes. Maia recuou e disse que não poderia assinar pacto algum sem a anuência da maioria dos líderes na Câmara. A ideia do pacto naufragou democraticamente no Legislativo, nas conversas fora da Ordem do Dia, na qual as lideranças fazem acordos de procedimentos, e na Suprema Corte, nos encontros entre os ministros fora das sessões televisionadas. Um pacto dessa natureza seria um tema apropriado apenas a partidos políticos, eventualmente com a mediação política dos chefes do Executivo e das Casas do Congresso. Para chegar a ele, deveria haver um rito democrático de consulta ampla aos plenários, sem o qual os chefes dos Poderes se transformariam numa troika autocrática e antirrepublicana. O desenho republicano da democracia requer que o chefe do Judiciário se limite às suas funções jurisdicionais de defesa da ordem constitucional. Não seria razoável sequer entrar em negociações para evitar ameaças de suposto fechamento do Judiciário feitas na rua por militantes favoráveis ao presidente da República. A integridade da Suprema Corte é inegociável na democracia. Se houvesse ameaça concreta e crível, não seria ela que estaria ameaçada, mas a própria democracia. Não faria sentido um pacto para respeitar os limites da democracia. Este já existe — é um suposto da convivência sob o pacto constitucional de 1988.

A democracia não discrimina quem tem o direito de manifestar suas opiniões, mesmo quando elas são adversas aos valores democráticos. Ela não impede que cidadãos se reúnam para fins políticos. Ela impõe limites apenas a atos concretos que visem à derrubada do regime constitucional, do estado democrático de direito. Mas é estranha à democracia a presença do chefe do Judiciário em manifestações, reuniões ou negociações de teor político. Não se trata de um cidadão, mas de um magistrado com deveres e obrigações distintos. Se descumpre os limites impostos pelo posto, ele politiza o cargo que, por determinação constitucional e regimental, não é político. O próprio critério de eleição simbólica para a presidência do STF despolitiza a escolha. A presidência é ocupada por um rodízio pelo critério de antiguidade. É eleito o ministro mais antigo que ainda não ocupou a presidência. A ideia, hoje quase em desuso no Brasil, de que o juiz fala somente nos autos faz todo sentido. Significa que magistrados se limitam a se manifestar na sua função institucional e constitucional. Quem se manifesta politicamente são os políticos. O aumento das decisões monocráticas em detrimento das decisões colegiadas e a politização da presidência do STF indicam anomalias institucionais que podem comprometer o equilíbrio entre os Poderes republicanos imprescindível à normalidade democrática. Na divisão e no equilíbrio constitucional entre eles, o Supremo tem a última palavra para garantir a observância da Constituição e da lei. Exatamente porque ele pode errar, dado que se vale do juízo de pessoas falíveis, e tem a última palavra, suas decisões devem ser colegiadas e por maioria eficaz, usando a intersubjetividade como fator de minimização do erro. O recurso frequente a decisões monocráticas contraria o imperativo da intersubjetividade inerente à decisão colegiada. A prerrogativa de errar por último obriga os juízes da Suprema Corte a observar disciplinadamente a regra da decisão colegiada que pode diluir os erros pessoais no juízo coletivo.

VALORES REPUBLICANOS

No Brasil, criou-se o hábito de recorrer ao adjetivo "republicano" para identificar práticas políticas que não seriam corruptas, quase sempre com certa hipocrisia. Ninguém duvida que a corrupção mina os fundamentos republicanos da democracia. Mas a ideia da "política limpa", além da ênfase moralista, não expressa com clareza as "virtudes republicanas". Esse mau uso impede que se perceba corretamente o que se passa com os valores republicanos em todo o mundo e entre nós. Há uma onda antirrepublicana global que tem levado ao poder populistas ultraconservadores, quando não reacionários, na Europa e na América. Começando na América do Norte, pelos Estados Unidos, com a eleição de Donald Trump, a onda chegou à América do Sul e ao Brasil. É antirrepublicana, mas não é monarquista, embora haja monarquistas entre as forças retrógradas que animam essa investida em alguns países. Há monarquias, como as nórdicas e mesmo a espanhola, mais respeitosas dos valores republicanos do que muitos regimes formalmente republicanos. Populismos de esquerda, como o chavismo, também são antirrepublicanos, atacam os princípios da república. É um ataque à direita e à esquerda, contra os valores republicanos fundamentais. Que valores são estes?

A referência a condutas "republicanas" popularizou o uso impreciso da linguagem e dos conceitos, como se para esconder seus verdadeiros conteúdos, em lugar de esclarecer os propósitos. O recurso corriqueiro ao adjetivo "republicano", no cotidiano político brasileiro, sempre me traz à mente as monarquias parlamentares escandinavas. Elas são e parecem ser mais honestas e democráticas que muitas repúblicas mundo afora. Nem a honestidade nem a corrupção na política são monopólios das repúblicas. Na França, berço da revolução republicana, o ex-presidente Nicolas Sarkozy foi processado por corrupção eleitoral. Nem o general De Gaulle, ícone da seriedade pública, escapou de escândalos sobre financiamento velado a seu partido pela Dassault e pela Bouygues. Por causa das relações sempre obscuras entre políticos franceses e ditadores africanos, é comum ver na crônica política francesa expressões como "as contas secretas da Françafrique". Françafrique é o nome que os franceses deram ao sistema promíscuo de relações entre a França e suas ex-colônias na África, que vão desde fluxo ilegal de recursos até o controle monopolista dos recursos naturais. Escândalos político-financeiros associados à Françafrique assombraram De Gaulle, Pompidou, Giscard d'Estaing, Jacques Chirac e Sarkozy. É o mais longo escândalo de corrupção política da Quinta República francesa.

No Portugal republicano, o escândalo de corrupção envolvendo propinas, lavagem de dinheiro e fraude fiscal levou à prisão o ex-primeiro-ministro José Sócrates. Há outros casos de corrupção, como da Expo-98, da Euro-2004, dos submarinos, do Banco Português de Negócios (BPN) e do Banco Privado Português (BPP). Na Alemanha, dois ex-executivos da empresa Ferrostaal foram condenados pelo pagamento de propinas a políticos e funcionários de Portugal.

Na Espanha, uma monarquia parlamentar, o escândalo de corrupção relacionado a financiamentos públicos irregulares à ONG Instituto Nóos atingiu a própria família real. A ONG era presidida pelo marido da princesa Cristina, Iñaki Urdangarin. Seu sócio no Instituto Nóos, Diego Torres, foi acusado de desvio de recursos públicos. O próprio rei Juan Carlos I se viu envolvido em um nebuloso affair que passava por caça de elefantes em Botswana na companhia de Corinna zu Sayn-Wittgenstein, jovem dinamarquesa de origem plebeia, que mantém o sobrenome nobre do ex-marido e o título de condessa. A aristocracia alemã vale pouco. Desde que o país se tornou uma república, foram eliminados os privilégios de estirpe. Corinna é uma mulher de negócios, acostumada a transitar no mundo das altas finanças europeias, representando magnatas ou o principado de Mônaco, na intermediação de investimentos. Esse affair acabou convergindo para o caso Urdangarin, quando a própria Corinna revelou que Juan Carlos teria lhe pedido que desse emprego ao genro na Fundação Laureus. O rei abdicou em função desse imbróglio todo e assumiu o filho com o título de Felipe VI. Ao abdicar, Juan Carlos perdeu a imunidade. O PP, partido então no poder sob comando de Mariano Rajoy, apresentou emenda a projeto de lei em trâmite no Congresso, assegurando foro privilegiado ao ex-monarca, para que fosse julgado apenas pela Suprema Corte, em processos cíveis e penais.

No Brasil, as fronteiras entre público e privado sempre foram imprecisas: no Executivo, no Legislativo e no Judiciário. No caso da política, além do nepotismo, da corrupção e da apropriação pessoal indébita de recursos, privilégios e prerrogativas, essa imprecisão tem uma função primordial e reacionária, retrógrada. Ela despolitiza o que é para ser objeto de discussão e ação política e personaliza o que deveria ser objeto de confronto programático, ideológico ou ético. A censura vira insulto, assunto pessoal —

processa, não processa, afasta, não afasta —, e a política se transforma em um baile privado de vaidades e personalidades. Todos se tornam coronéis, donatários de fatias do espaço público, que usam como recurso para promover seus interesses e impulsos particulares. O teatro público vira uma farsa privada, para a qual a plateia — o povo, a cidadania — não é convidada, mas tudo se faz em seu nome. Desencantada com a frustrante repetição do mesmo enredo, vai se deixando dominar pelo cinismo, pelo "vou cuidar do meu, porque aquilo ali não tem mais jeito". Só entram no baile os aparelhados e cooptados de sempre, de todos os matizes — como claques, não como participantes. Vaiam, aplaudem e insultam da mesma forma que seus mentores em plenário e, no governo Bolsonaro, também como o presidente. Nada mais protagonizam. À esquerda e à direita, tornam-se uma espécie de exército de reserva, parte da lumpempolítica que se vai alastrando. Pessoas sérias, com papel público, de bons propósitos, desmerecem ou naturalizam o que se passa. Nada disso é "natural", nada é aceitável ou tolerável. A apologia da complacência está produzindo uma anomia coletiva no país, um desregramento generalizado, a perda de qualquer referência ética, ideológica e política. É um caso de despolitização generalizada, que transforma o debate político em mero bate-boca adjetivo, sem conteúdo substantivo. Não é a existência de clientelismo ou corrupção que é grave. Isso pode ocorrer em qualquer parlamento e qualquer governo. Graves são a impunidade sistemática e as formas cínicas de sua justificação: "sempre foi assim", "todo mundo faz", "fulano fez pior", "precisamos é trabalhar". Tudo é rigorosamente igual ao "rouba, mas faz" usado por Adhemar de Barros e ao "estupra, mas não mata" cunhado por Paulo Maluf, ambos políticos populistas de São Paulo. Essa é a expressão da cultura política dominante.

A quem servem a desmobilização, a apologia da complacência, a despolitização da política e a politização da justiça? Ao predomínio do coronelismo privatista e à cooptação política, que vão corrompendo valores, princípios e convicções ideológicas. Essa cultura da justificação e da desqualificação neutraliza a capacidade política da sociedade civil. A despolitização corresponde à desorganização da sociedade civil. É antagônica a qualquer possibilidade de estabelecer uma vida política ativa, de responsabilidades cívicas, ideal iluminista desde o famoso *Príncipe* de Maquiavel, texto pouquíssimo lido e muito mais citado do que compreendido. Do reino do civismo por ele proposto, ninguém sabe, ninguém lembra. Todos se lembram apenas do "maquiavelismo". Mas Maquiavel desejava mesmo era mostrar que a boa política exige *virtù*, virtude cívica. Sua admiração era o príncipe cívico, não os sanguinários e tirânicos. A mobilização cívica e a politização do espaço público são o anticorpo para essa política da manipulação, da enganação, da corrupção e da violência.

A complacência é parte de um processo coletivo de alienação e está associada à perda de qualidade social, política, cívica e moral da sociedade brasileira. Nosso processo de construção democrática é recente. A Constituição tem pouco mais de trinta anos. Começou com muito entusiasmo cívico e foi decaindo. Não usamos na política o mesmo empenho que usamos para enfrentar os problemas macroeconômicos. Fomos abandonando os desafios, deixando a tarefa incompleta. Permitimos que as rivalidades impensadas ou propositais contaminassem o processo político e o transformassem em questão pessoal. Nada é político, nada é expressão de projetos, convicções, valores, disputa pensada de rumos. Tudo é desqualificação, censura, insulto. Bolsonaro é, por isso mesmo, a expressão da antipolítica. Sua agenda é pessoal. Seus apoios, difusos, invertebrados, desprovidos de visão geral. O regresso a expressões consagradas pelo regime militar e a uma noção estreita e unilateral de pátria e patriotismo são a marca da marcha da despolitização e do autoritarismo nas relações políticas e sociais. A desqualificação do politicamente discordante, mais que só personalizar o debate político, despolitizando-o, é uma forma de censura como qualquer outra. A tentativa de intimidação pelo insulto, pela intriga, pela difamação, é tão antidemocrática quanto a censura explícita e institucionalizada.

Os neocoronéis, inclusive os neocoronéis pentecostais, os oportunistas de todos os matizes e atividades, sabem aproveitar muito bem essa anomia política para criar uma versão atualizada do coronelismo arrebanhador de votos. Isso fortalece um sistema de dominação privada, que transforma o processo político numa empreitada: o Estado em um mosaico de sesmarias ou donatarias; a política em assunto pessoal; o Tesouro, numa espécie de caixinha na qual todo mundo pode meter a mão. A escola está abandonada, o professor mal pago e mal treinado, a saúde em estado terminal, empilhada em um corredor insalubre. Mas basta um exame breve das contas públicas para ver o que se gasta para subsidiar a formação privada de capital, para os empreiteiros, para financiar os barões da indústria e os coronéis da agricultura, sem resultados concretos sob a forma de emprego, renda e bem-estar proporcionais aos subsídios. Uma parcela significativa do dinheiro público não tem outro destino senão o enriquecimento privado: os que nunca pagam suas dívidas subsidiadas com os bancos públicos, os que nunca precisam competir, porque têm proteção estatal. Os ricos, no Brasil, são tratados como se fossem a parte frágil da sociedade e são os principais beneficiários do assistencialismo público. Esta rede de conivências e apadrinhamentos não é republicana, ela subverte todos os valores republicanos fundamentais.

O que seria, então, corretamente entendida, uma conversa republicana? Só poderia ser uma conversação para acertar o fim dos privilégios de origem aristocrática que contaminam a ordem republicana no Brasil. Para delimitar com clareza a fronteira entre público e privado. Entre Estado e Igreja. Para assegurar o ensino laico e a liberdade de cátedra. Para terminar com privilégios como os subsídios sem contrapartida em benefício coletivo. Para extinguir o foro privilegiado. Para eliminar desigualdades de tratamento no acesso a serviços de qualidade, na educação, na saúde, na previdência, na representação.

O sonho republicano é antigo. Começou com as repúblicas clássicas na Grécia e em Roma, tomadas conceitualmente como modelos fundadores. Na prática, não realizaram os ideais de uma sociedade sem servos, portanto sem senhores, sem privilégios, de cidadãos livres e iguais perante a lei. A politeia grega e a república romana remetem a essa construção comum como utopia. O sonho fortaleceu-se nas repúblicas renascentistas, cujo grande pensador foi Maquiavel. Finalmente, o ideal republicano moderno, das revoluções Americana e Francesa, no século XVIII, consolidou dois modelos de república. O americano, cujo valor principal era limitar o poder público e afirmar os direitos individuais. E o francês, cujo fundamento era eliminar os privilégios da nobreza e da Igreja, criar uma cidadania livre da tirania hereditária, solidária e sem diferenças de nascimento ou crença. Em outras palavras, uma buscava limitar o uso do poder público, a outra, o uso do poder privado.

Filósofos, politólogos e juristas contemporâneos vêm tentando encontrar uma síntese dos valores constituídos nesses dois momentos revolucionários, definindo valores republicanos, atualizados pelas experiências, pelos avanços e pelas frustrações do século XX. O encontro-síntese das duas tradições, apresentado como "neorrepublicanismo", cresce entre as correntes políticas de centro-esquerda decepcionadas com as falhas seriais da social-democracia e do socialismo. Ele se baseia em três valores republicanos fundamentais. Primeiro de tudo, a ausência de dominação de qualquer tipo. Liberdade. Nenhum cidadão pode estar submetido à dominação de um senhor ou uma organização, inclusive religiosa. Não sofrer dominação de ninguém significa poder fazer escolhas pessoais sem medo de ser alvo de um poder arbitrário ou ser controlado em suas opiniões e decisões. O limite de qualquer cidadão legitimamente investido de poder é o do império da lei, o mesmo limite da ação individual livre. Segundo, essa liberdade se realiza apenas com a extensão de direitos iguais de cidadania a todos, reconhecidos como pessoas livres e iguais sob o império impessoal da lei. Esse princípio da igualdade na lei e nas oportunidades implica o reconhecimento de que todas as pessoas que vivem na sociedade têm valor igual. É, portanto, um impedimento a qualquer tipo de discriminação. Terceiro, a república assenta-se em uma cidadania livre e ativa, que só tem condições de existir caso assegure que ninguém fique para trás. Solidariedade. A comunidade republicana deve proteção aos mais vulneráveis, independentemente da orientação dos governos. Os valores republicanos essenciais não podem ser superados por qualquer escolha conjuntural. Como respeitá-los e que políticas na prática efetivam esses valores é matéria de escolha e disputa. O princípio, não. Um sistema decente e efetivo de educação, a garantia de igual potência social a todas as pessoas, independentemente de gênero, cor ou posição social, a transparência são pilares essenciais para que os valores republicanos não fiquem no plano da abstração. Esses valores básicos garantem os demais: os direitos de ir e vir, de expressão e opinião, de imprensa, de votar e ser votado, de acesso à informação e à privacidade.

É fácil ver como Donald Trump, nos Estados Unidos, tem investido contra os valores republicanos fundamentais. E como tem encontrado o limite da lei. Não consegue realizar seu intento antirrepublicano porque a sociedade americana tem uma tradição republicana forte, de liberdade individual e ação cívica, que dá à afirmação do império da lei a força da vontade coletiva. Na Europa, onde não há uma tradição republicana sólida, de liberdade e cidadania, esses valores claudicam. Onde ela existe, a onda antirrepublicana também encontra limites institucionais e legais, mesmo quando são uma conquista jovem, como em Portugal, cuja república, reinaugurada na Revolução dos Cravos, comemorou seus 45 anos. Os valores republicanos fundamentais resistem. Portugal mudou muito desde 1974, tornou-se uma sociedade contemporânea, em todos os sentidos. Tem sido capaz de não ceder à decepção e à desesperança que animam os antirrepublicanos. Mas quem protege a república são os republicanos, sua cidadania. Para protegê-la, é preciso que esteja convencida da legitimidade dos valores republicanos e considerá-los imprescindíveis a uma vida feliz, livre e civilizada. A cidadania que não tem convicções republicanas não se mobiliza em defesa dos valores correspondentes.

O presidencialismo é o regime típico da república. Ele exige algumas qualidades do governante para que ele possa tocar sua agenda, obedecendo aos limites institucionais da democracia. Ele precisa ser um bom negociador e olhar o todo, não só as partes. No presidencialismo de coalizão, a capacidade de negociação é ainda mais essencial para formar a aliança multipartidária e para mantê-la coesa. No presidencialismo americano, essa habilidade é testada com mais frequência na política externa, atribuição central do presidente. Mas ela, muitas vezes, precisa ser mobilizada na relação com o Congresso, principalmente na elaboração do Orçamento. Discernimento, equilíbrio, bom senso estão entre os atributos requeridos de qualquer líder, público ou privado. Um presidente precisa tê-los na medida suficiente para ter sucesso e manter-se nos limites próprios da democracia presidencial. Além disso, o presidencialismo, como a democracia, requer certos formalismos. O comportamento do presidente é um farol. Indica uma trilha, e se esta for na direção do confronto, do racismo, da intolerância, da agressividade, ela aguça, estimula e agrava esses comportamentos na sociedade. A crispação dos comportamentos de um lado provoca a reação do outro, principalmente daqueles que se tornam alvos dessa exacerbação de ânimos tóxicos. É o que Donald Trump tem provocado nos Estados Unidos e Jair Bolsonaro, no Brasil. Atitudes que criam um ambiente antirrepublicano e antidemocrático. Enfraquecem as convicções republicanas da cidadania e transformam os que deveriam ser defensores da democracia republicana em seus desafetos.

Jair Bolsonaro escolheu adotar uma postura de confrontação na presidência, desde sua posse. Não foi surpresa. Foi promessa de campanha. Com mais de um ano de governo, são numerosos os desacertos. Atritos com o Congresso, erros diplomáticos que comprometem as relações do país com parceiros históricos e importantes, como a Argentina e a França. Na política interna, a recusa de jogar o jogo de acordo com as regras estabelecidas, preferindo ser minoritário e recorrer a medidas provisórias e decretos. O Congresso tem deixado cair por decurso de prazo ou rejeitado as MPs e aumentou o número de decretos legislativos anulando decretos presidenciais. Em outras palavras, aumentou a tensão entre Executivo e Legislativo, que tende, também, a ampliar a judicialização da política. Somem-se a estes abusos ataques pessoais a lideranças e personalidades públicas.

Muitos atropelos resultam do mau entendimento do modelo político brasileiro. As regras atuais foram pensadas para que ele fosse mais durável e mais eficaz do que o da Constituição de 1946. Tiveram sucesso. O presidente ficou relativamente mais forte e o Congresso, relativamente mais fraco. O Senado conquistou o poder de iniciar legislação, equiparando-se à Câmara em vários aspectos. Aumentou a dependência do presidente em relação à coalizão no Legislativo — o presidente, porém, foi dotado de mais recursos para formar e coordenar a coalizão. Como a representação partidária nas duas Casas não tem a mesma composição, o presidente, no limite, precisa organizar e gerenciar uma coalizão bifronte, estabelecendo convergência e sincronia entre suas duas cabeças. Não é tarefa fácil, em um sistema multipartidário, heterogêneo e fragmentado. A coalizão se tornou um imperativo da governabilidade porque é improvável que o partido do presidente alcance a maioria nas duas Casas do Legislativo — e praticamente impossível que faça sozinho a maioria necessária para emendar a Constituição (60%). O eleitorado brasileiro é muito heterogêneo, social e regionalmente. As características sociológicas do eleitorado, a lógica da representação proporcional com lista aberta e as regras para organização partidária propiciam e incentivam a fragmentação partidária. Esta combinação dificulta ainda mais a conquista da maioria parlamentar por um só partido, além de gerar bancadas com agendas mais diferenciadas, carregadas de demandas locais, corporativistas e setoriais. Um presidente minoritário fica refém de maiorias muito ocasionais. Elas se formam, em geral, apenas em temas da agenda que refletem verdadeira emergência nacional ou interesses de forças socioeconômicas poderosas o suficiente para pressionar o Congresso.

O eleitorado do presidente é nacional e plural. Deputados e senadores são eleitos por recortes específicos dos eleitores de seus estados, aos quais têm que responder em alguma medida e evitar descontentar gravemente. Daí surge a necessidade de, uma vez formada a coalizão, promover o ajuste político entre sua pauta de políticas e as inclinações de sua base parlamentar. Dotado de poder de agenda, o presidente pode coordenar e dirigir o processo legislativo nesse universo fracionado de interesses parlamentares. Ele tem a iniciativa legislativa preferencial e a capacidade de determinar a tramitação em urgência de seus projetos. Tem, assim, precedência na deliberação sobre as proposições que considera prioritárias. Tem, adicionalmente, exclusividade de iniciativa em vários campos, como o orçamentário. O presidente ganhou a possibilidade de legislar por decretos e medidas provisórias e manteve o poder de veto. Tudo isso confere maior poder de agenda ao presidente que ao Congresso.

O que limita esse poder de agenda quase absoluto no presidencialismo de coalizão brasileiro?

Em primeiro lugar, a coalizão, pois demanda que o presidente, na promoção de seus projetos, equilibre, concilie e contemple seus interesses com os da representação mais significativa no Congresso e os das minorias politicamente relevantes. No plano político, o fator que qualifica o poder presidencial é a disposição e a capacidade de formar uma coalizão majoritária, o mais homogênea e compacta possível, dado o grau vigente de fragmentação partidária, e compartilhar com ela parte dos bônus decorrentes desse poder. No plano propositivo, o desafio é ser capaz de formular uma agenda que, respeitando suas preferências ideológicas, expresse a pluralidade de interesses presentes na maioria que o elegeu e na maioria representada por sua coalizão. Em segundo lugar, os limites dados por mecanismos de freios e contrapesos, como o controle jurisdicional de constitucionalidade pelo Supremo Tribunal Federal, o controle de contas pelo TCU, a defesa da probidade administrativa pelo Ministério Público, entre outros.

Estamos no período posterior a uma ruptura político-eleitoral que desestabilizou nosso modelo político. Desfez-se o padrão de disputa bipartidária pela presidência entre PT e PSDB, com dominância do primeiro, e de competição multipartidária nas eleições proporcionais, visando à criação de bancadas mais numerosas para formar, com vantagem, a coalizão de governo. Houve, também, uma ruptura político-ideológica relevante. Com a polarização extremada, a vitória de Bolsonaro levou à presidência, pela primeira vez, uma agenda antagônica tanto à adotada pelo PSDB nos governos FHC quanto à implementada pelo PT nos governos Lula e Dilma. Distancia-se da visão mediana do Congresso em áreas sensíveis, gerando confrontos que terminam, muitas vezes, judicializados. Bolsonaro e vários de seus ministros entendem o mandato obtido nas urnas, que está sujeito às limitações da maioria parlamentar e aos preceitos constitucionais, bem como aos freios e contrapesos, como um mandato virtual, para fazer tudo o que desejarem. É um presidente que quer ser rei. Ele chega a se confundir com a própria Constituição. Em uma de suas frequentes conversas com militantes na porta do Palácio, no dia seguinte à comemoração do Dia do Exército, chegou a dizer: "A Constituição sou eu". O mandato virtual, absoluto, nunca fez parte do estatuto republicano. O mandato de todos, na República, é limitado pela divisão de Poderes, pela revisão jurisdicional, pelos mecanismos de controle e equilíbrio, pela recorrência eleitoral e pela finitude dos mandatos.

Os problemas começaram pela recusa do presidente em governar com uma coalizão. Escalou nessa decisão se tornando um presidente sem coalizão e sem partido, ao romper com o PSL. Dessa forma, abriu mão do protagonismo decisório que a Constituição lhe confere. Descartou a possibilidade de construir uma maioria negociada no Congresso. Ficou minoritário e isolado. Diante de impasses no Congresso, passou a governar por decretos e medidas provisórias, tentou reforçar sua predisposição autocrática, querendo aproximar-se do cesarismo plebiscitário. Convocou manifestações de rua, mimetizando seu desafeto Nicolás Maduro, para pressionar o Congresso a fazer a sua vontade. Fere, frequentemente, a divisão constitucional entre os Poderes, extrapola os limites de suas atribuições legislativas, abusando de medidas provisórias e decretos, provocando, desse modo, a reiterada judicialização de suas decisões. Tem incentivado, com esse comportamento, o recurso dos parlamentares a decretos legislativos, para cassar decretos presidenciais impróprios. Muitos de seus vetos têm sido derrubados. Na democracia constitucional o campo legítimo para o embate entre governo e oposição é o Congresso. Ao voltar-se contra as regras do jogo, causa inquietação, radicaliza a polarização e gera perigo de instabilidade política e social. A transferência para as ruas do confronto entre governo e oposição, por iniciativa do governo, representa um perigo para a estabilidade política. As mentalidades autoritárias, quando chegam ao governo, parecem desejar exatamente isso: um pretexto crível para endurecer o regime. Um dos filhos do presidente e seu ministro da Economia chegaram a ameaçar com o AI-5 se houvesse protestos nas ruas contra o governo, como aconteceu no Chile. O pedido de retorno do AI-5, o édito que suprimiu os direitos individuais no regime militar, é recorrente nas manifestações a favor de Bolsonaro, inclusive naquelas a que ele comparece. Esse tipo de demanda conta com o beneplácito presidencial e expressa a busca de razões para transitar para o autoritarismo. O quadro de complicações se completa com um presidente impulsivo, de mentalidade autoritária, arroubos populistas, politicamente fraco, que usa os poderes presidenciais com imperícia e se rebela contra as decisões do Legislativo que lhe são contrárias. Suas atitudes agravam o impasse político em que o país já se encontrava desde o processo de impeachment de Dilma Rousseff. Os atritos com o Legislativo e o Judiciário aumentam aceleradamente o estresse institucional.

Bolsonaro tem conseguido formar maiorias eventuais em algumas decisões econômicas, nas quais há maior convergência entre sua agenda e a da maioria do Congresso, principalmente por causa da gravidade da crise. Nenhum político quer ser responsabilizado pelo agravamento do quadro atual. O presidente, porém, tem perdido na sua pauta preferencial, de natureza comportamental e ideológica, que se desencontra da mediana do Congresso. Ele se dedica com entusiasmo apenas à pequena política, aos temas miúdos, contidos em si mesmos. Foi o que praticou a vida toda como parlamentar. Nunca esteve no centro dos grandes debates constitucionais e institucionais, da macropolítica do desenvolvimento e da construção do futuro. Não parece disposto a mudar.

O vazio deixado pelo presidente na gestão da agenda legislativa foi ocupado pelo presidente da Câmara, Rodrigo Maia, e subsidiariamente por senadores. Dá a impressão de que o Legislativo passou a ser o protagonista no processo decisório. O parlamento é o centro do governo no parlamentarismo e o agente principal no processo político é o primeiro-ministro. É ele que detém a iniciativa e o poder de agenda, embora por delegação expressa da maioria do parlamento. No presidencialismo, a presidência é o centro do governo e o ator principal é o presidente, por delegação popular. O que as lideranças no Congresso que tomam a frente do processo legislativo para aprovar medidas da agenda presidencial, ainda que com alterações, estão a fazer é viabilizar o governo Bolsonaro. Estão implementando sua agenda e, corretamente, ele as atribui a seu governo. Reformas institucionais, mudanças em políticas com capilaridade social, não estão no escopo de possibilidades do Legislativo. Ou se fazem com a liderança do presidente, ou não se fazem. Nesses casos, o Legislativo só age por consenso formado ao longo de anos, ou incrementalmente.

A esperança vã de protagonismo do Legislativo apenas provocará frustrações e reações decepcionadas, na maioria dos casos. Não vejo como o modelo político brasileiro possa transitar do presidencialismo de coalizão para um parlamentarismo voluntarista. A não ser em um perigoso processo de dissolução institucional. O protagonismo do Legislativo se manifesta mais como um mitigador relativo da crise política do que como alternativa funcional. Pode permitir a aprovação de uma ou outra medida relevante, como a reforma da Previdência, sob a pressão da crise socioeconômica, mas não é o suficiente para sustentar a governança do país. A responsabilidade pelas políticas no presidencialismo é do presidente. É ela que estrutura o jogo de expectativas e demandas e o cálculo estratégico dos demais agentes políticos. O Congresso é dividido por natureza. Só consegue se unir em torno de mínimos denominadores comuns, ou após demorada construção de consenso social e político, estimulado pela convicção geral de que há uma emergência.

Algumas das derrotas de Bolsonaro no Congresso tiveram o objetivo de limitar a discricionariedade presidencial. O maior engessamento orçamentário, ampliando a faixa impositiva das liberações de recursos, buscou travar a discricionariedade do presidente na alocação das verbas, em retaliação à sua negativa de negociar politicamente. A partir de 2021, todas as emendas parlamentares serão impositivas. Somado aos gastos obrigatórios por determinação constitucional, quase todo o Orçamento será determinista. Tudo continua, todavia, passível de contingenciamento, de acordo com o fluxo da arrecadação. O governo continuará liberando verbas na boca do caixa. É essa torneira monetária manejada discricionariamente pelo Executivo que mais repercute nas relações Executivo/Legislativo. As mudanças nas regras, sobretudo nos prazos, de exame das medidas provisórias limitaram ainda mais a prerrogativa presidencial de editar esse tipo de decreto. Acopladas às alterações que já haviam sido feitas em períodos anteriores, dificultam muito a aprovação de MPS mais controversas, caso de grande parte daquelas assinadas por Bolsonaro. Aumentou a propensão no Legislativo a barrar decretos presidenciais que avançam sobre suas atribuições, aprovando decretos legislativos. A judicialização tornou-se outro fator de limitação do poder presidencial, e ele tem reagido mal ao controle jurisdicional do STF, tentando cooptar ministros mais sensíveis às pressões do poder circunstancial de chefes de governo, como o atual presidente da Corte. A derrubada de vetos presidenciais, como do veto à lei que atualiza o código eleitoral, estabelecendo punições para a propagação de fake news em campanhas eleitorais, também limita a ação legislativa do presidente. O veto e a rejeição do veto são instrumentos republicanos essenciais. A rejeição, por maioria qualificada, assegura, corretamente, a última palavra em matéria legislativa ao Congresso. Um presidente politicamente fraco, minoritário, com relações atritosas com o Congresso, insistindo em uma agenda unilateral e pouco representativa da maioria eleitoral que eventualmente o elegeu, distante do pensamento mediano do Congresso, com a popularidade em queda, tende a exercer atração decrescente sobre as forças políticas. É uma questão de tempo. Se este quadro persistir, elas provavelmente se afastarão do presidente e gravitarão para outras lideranças. No Congresso, parte dessa dispersão já tem sido atraída pelo presidente da Câmara, Rodrigo Maia. No Senado, porém, o presidente da Casa, Davi Alcolumbre, não tem mostrado tanto poder de atração das forças que se dispersam.

A travessia provocada pela ruptura político-eleitoral está incompleta. Houve a quebra do quadro político-institucional anterior, mas não houve nem reforma nem substituição do modelo político. Restou muito fio desencapado pelo caminho. Basta juntar três e se terá um curto-circuito institucional, capaz de comprometer a governabilidade. O modelo político está em estado disfuncional, falhando serialmente. Algumas medidas mais técnicas ou de necessidade urgente, com pouca perda para as bases dos parlamentares, podem passar. Mas há paralisia crescente e áreas essenciais de governo estão totalmente inertes, sob comando inepto, sem base política, como a Educação, a Cultura e a Ciência e Tecnologia. Em outras áreas, a atividade governamental é de desmonte das instituições de Estado. É o caso do Itamaraty e do Meio Ambiente. É uma situação premonitória de crises de governabilidade. A paralisia decisória encontra um quadro social e econômico desalentador. O país está com a economia em lenta recuperação, insuficiente para debelar a brutal taxa de desemprego. Corre mais risco de piorar com movimentos externos adversos do que de obter chance de recobrar dinamismo sustentado e gerar mais conforto econômico para a população. A melhor hipótese seria de uma economia morna. Um governo que frustra as expectativas e uma economia que ainda desalenta muita gente são ingredientes perigosos em qualquer lugar. O avanço do populismo cesarista em várias democracias do mundo está associado à falta de respostas estruturais, que funcionem, para os problemas criados pela transição global radicalmente transformadora. Ela põe em xeque a eficácia representativa das democracias, pois as sociedades estão fluidas, mudam rapidamente e vivem em estresse permanente. São impulsionadas por forças sociais emergentes, mas ainda estão aprisionadas por forças sociais em declínio.

O que parecia uma tendência avassaladora e durável está dando sinais de ser uma onda, que refluirá em algum momento. Já há indícios de que ela começa a regredir em alguns países. O avanço dos Verdes e o crescimento aquém do esperado dos ultranacionalistas no Parlamento Europeu, a dupla derrota de Recep Tayyip Erdoğan na eleição para a prefeitura de Istambul, na Turquia, a derrota pela centro-esquerda de Viktor Orbán na disputa pela prefeitura de Budapeste, a vitória de António Costa e do Partido Socialista, em Portugal, a recuperação eleitoral do PSOE, prevalecendo sobre o PP, na Espanha, são sinais prováveis de início desse refluxo. E por que reflui? Porque essas lideranças apelam para a raiva, a decepção e o desencanto da maioria com a persistência dos problemas e a falta de representatividade da velha política. Não têm, todavia, soluções estruturais que de fato mitiguem os efeitos negativos da mudança estrutural e a tornem menos inóspita. Ao contrário, medidas ultranacionalistas, radicalização nos costumes, rejeição aos imigrantes são contraproducentes.

Elas reduzem as possibilidades de respostas que funcionem e aumentam o desconforto geral. Em resumo, esses governos não são capazes de entregar o que prometem, para usar uma expressão em voga no mercado financeiro. A decepção com o que parecia uma alternativa, uma novidade, amplifica o desgosto e afasta as pessoas da política. Pode ser o início de uma nova forma de alienação coletiva, um distúrbio da transição, que agrava a crise das democracias. A falta de opções políticas viáveis, democráticas e eficazes é, portanto, parte desta crise. Resultados eleitorais positivos mostram que parte da decepção com uma direita que promete muito e entrega pouco tem ido para partidos de centro-esquerda ou para os Verdes. Passa a ser deles o desafio de responder com maior eficácia e inteligência às demandas sociais de forma inovadora.

O Brasil foi alcançado por essa onda ultradireitista em um momento particularmente delicado. Vinha de uma recessão cuja retomada foi abortada, com a economia estacionada. A renda real era insatisfatória para a maioria. A sensação de empobrecimento e a falta de perspectiva estavam se generalizando. O país vivia, além disso, um momento político grave, resultado da contrariedade magoada com a condução da Operação Lava Jato, que culminou na prisão de Lula. Além disso, o Brasil estava traumatizado e profundamente dividido pelo atormentado processo de impeachment de Dilma Rousseff. Abriram-se fissuras de difícil sutura no tecido social. O delicado quadro de uma nação na UTI, sofrendo de politraumatismo político-econômico severo, demandaria uma presidência com acuidade cirúrgica e muita sensibilidade. O caldo de ressentimentos que alimentou a campanha eleitoral, contudo, levou à escolha de um presidente sem habilidades para a mediação de conflitos e inapto para conduzir o país a uma recuperação tranquila. Muito pelo contrário, sua inclinação é sempre de confrontação. Entra em conflito até mesmo com o partido que o elegeu e políticos que o apoiaram na campanha. É adepto de terapias invasivas, que agravam os traumas e prolongam a síndrome de instabilidade. Não bastasse, tem uma visão limitadíssima e retrógrada do mundo. O epicentro da crise política não é o Legislativo. É a presidência. Há forças atuando no ecossistema político-econômico brasileiro e no topo do poder político que podem empurrar o país rumo a uma recessão democrática e civilizatória. Pelo princípio da precaução, esse perigo não deve ser desprezado, mesmo se fosse baixa a probabilidade de ocorrer. É a partir da compreensão dos fatores de risco presentes no ambiente que podemos desenvolver práticas preventivas capazes de imunizar a democracia brasileira, preservar suas virtudes e corrigir suas falhas.

PODE ACONTECER AQUI?

O gradual escorregar de uma democracia, em meio a uma crise política, no rumo de uma situação autoritária pode acontecer em qualquer lugar. Por onde ando, pessoas me perguntam se podemos voltar a ter um governo autoritário. Não é preocupação somente nossa. Ela está na cabeça dos americanos desde que Trump foi eleito. Afligiu os franceses, quando Marine Le Pen foi para o segundo turno contra Emmanuel Macron. É natural que o espectro do autoritarismo atormente os brasileiros com o governo de Jair Bolsonaro, dominado por uma personalidade impulsiva e uma mentalidade militar autoritária, castrense e anacrônica. Ele tem pressionado ao limite as instituições brasileiras. Atos de censura, interdição de intelectuais, sonegação de verbas para o financiamento da cultura e da ciência e hostilidade às universidades públicas mostram esse aceno, já nada sutil, ao obscurantismo e para o autoritarismo.

O jurista e escritor Cass Sunstein editou um livro, logo após a eleição de Donald Trump, que tinha por título a pergunta que encabeça esta seção. Seu subtítulo é eloquente e algo surpreendente, em se tratando dos Estados Unidos: "Autoritarismo na América". Em um de seus artigos, o conhecido jurista Eric A. Posner, da Escola de Direito de Chicago, faz um pequeno "manual do ditador" no qual diz que, para gerar um governo autoritário, o presidente precisaria atacar a imprensa, o Congresso, o Judiciário, a burocracia, subjugar os governos estaduais, desacreditar a sociedade civil organizada e agitar as massas. Trump cometeu alguns desses atos. Atacou a imprensa desde o começo e continua a fazê-lo diariamente. Tentou resistir à Justiça, mas não conseguiu. Os estados se rebelaram contra o desmantelamento das regras federais antipoluição e o abandono do Acordo de Paris. Mas ele persiste e quer forçar a Califórnia a abandonar sua política antiemissões, a mais ambiciosa do país. O presidente americano dividiu e polarizou as massas, mas não mobilizou a maioria a seu favor. Desmontou partes da burocracia, porém enfrentou bloqueios na Procuradoria-Geral e no FBI. Para Eric A. Posner, se Trump tinha a intenção de estabelecer um governo autoritário, fracassaria contido pelas instituições. É o que parece acontecer. Bolsonaro é uma cópia sem originalidade e piorada de Trump e tem cometido atos similares, provocando reação, embora em um tom menor. Não tenho tanta segurança quanto Posner de que nossas instituições possam contê-lo. Há politólogos brasileiros que acreditam mais na força das instituições. De minha parte tenho apenas esperança de que venha a ser assim.

Jack M. Balkin, constitucionalista da Escola de Direito de Yale, argumenta em sua contribuição que os Estados Unidos padecem no momento do que chama de "deterioração constitucional". Ele a define como a decadência das características do sistema que o mantêm como uma república saudável. Trump seria apenas um sintoma dessa falência. As repúblicas são vulneráveis a esse apodrecimento constitucional e, por isso, as boas Constituições contêm anticorpos para defendê-las do colapso. No caso da Constituição americana, ele vê mecanismos de defesa nela embutidos contra as oligarquias e os demagogos e que podem preservar a República. Mas, diz, esses mecanismos precisam ser acionados pelas instituições. O quase completo desinteresse do Congresso de maioria republicana em oferecer freios e contrapesos a Donald Trump é, para ele, um elemento preocupante nessa indagação sobre a possibilidade de interrupção democrática. Mais recentemente, com a maioria na Câmara, os Democratas reagiram. Vários Republicanos votaram a moção de censura à retirada das tropas americanas da Síria, que provocou ataques da Turquia às áreas controladas pelos curdos. Balkin diz que Trump representa o fim de um ciclo político, e não o futuro da política americana. Ele seria o último presidente do que chama de "regime Reagan", resultante da dominância do voto de eleitores brancos profissionais e ricos. Essa coalizão, segundo ele, está se esfacelando. Além disso, não há uma crise constitucional, apenas um desencanto profundo com o governo. A história da Constituição americana, diz, é uma série de batalhas por mais democracia, igualdade e inclusão em face da oposição bem aquartelada da elite. A presidência de Trump deu início a uma nova batalha dessa série.

Também vejo a eleição de Bolsonaro como o fim do ciclo político que organizou governo e oposição nos últimos 24 anos, o regime PSDB/PT ou FHC/Lula. O sistema partidário que foi o seu eixo estruturador ruiu e o processo de realinhamento ainda não começou. O PSDB, que foi um dos polos do poder partidário, está reduzido a uma bancada pequena. Pela primeira vez, ficou fora do G5 da Câmara dos Deputados. As lideranças que conduziram esse processo político-partidário até aqui estão vivendo seu ocaso ou já se retiraram da vida política. Bolsonaro é o primeiro presidente após a ruptura do ciclo político iniciado em 1994. Sua eleição marcou o fim do regime de polarização PT/PSDB, com crescente hegemonia petista, mas não o início de um novo regime. O governo Bolsonaro é um governo fora da curva de normalidade. A Constituição de 1988 contém mecanismos de defesa que também precisam ser acionados pelas instituições. Há, igualmente, relativo desinteresse do "centrão" majoritário no Congresso em oferecer freios e contrapesos à ação presidencial. Sublinho a qualificação de relativo a esse desinteresse porque, em alguns momentos, por meio de votos contra medidas provisórias, derrubada de vetos e decretos legislativos anulando decretos executivos, o Congresso tem imposto limites à ação autocrática do presidente. Porém, por outro lado, os partidos de centro têm agido como viabilizadores do governo, na Câmara e no Senado, dando-lhe os votos que ele não buscou, ao recusar-se a formar uma coalizão. Estamos, porém, mais próximos de uma crise de deterioração constitucional do que os Estados Unidos, com os quais compartilhamos o profundo desencanto com a política.

Sunstein também acredita que o sistema constitucional americano está protegido por uma série de salvaguardas institucionais. Mais ainda, elas se mostraram robustas e funcionais ao longo da história. Salvaguardas institucionais podem alterar probabilidades, mas não oferecem garantias absolutas. Os politólogos Carlos Pereira e Marcus André Melo chamam a atenção para a robustez das instituições de transparência, controle, freios e contrapesos e como elas amadureceram ao longo desses trinta anos no Brasil. Carlos Pereira, em particular, tem defendido seguidamente a tese de que as instituições estão funcionando e os mecanismos de freios e contrapesos estão em operação. De fato, essas instituições passaram por vários testes importantes: a hiperinflação e a luta bem-sucedida por superá-la, dois impeachments e várias crises financeiras globais. Nossa Constituição foi escrita com anticorpos contra uma ruptura democrática, por uma Constituinte ainda marcada pelas rupturas democráticas no passado recente. As instituições foram robustecidas porque todos os constituintes tinham frescos na mente os horrores do regime militar. Essa lembrança nos acautela para o fato de que já vivemos ditaduras, como a de Vargas, e tivemos ditadores rotativos durante o regime militar. O presidencialismo de coalizão, ao forçar o presidente a governar em aliança multipartidária, oferece mecanismos de contenção dos excessos presidenciais e de mitigação de iniciativas extremadas. Torna imperativa a negociação com a maioria para ter apoio legislativo. O Judiciário também exerce, e tem exercido, um papel moderador nos conflitos intra e interinstitucionais. A mídia, sob ataque sistemático do PT ao longo de seus doze anos de governo e, agora, fustigada mais violentamente ainda por Bolsonaro e seus seguidores, tem se mantido ativa, altiva e investigativa. O presidente tem investido diretamente contra essas instituições. Recusou-se a governar em coalizão, portanto a estabelecer um relacionamento cooperativo e negociado com o Congresso. Tentou extinguir o Conselho de Controle de Atividades Financeiras (Coaf), concebido para combater a lavagem de dinheiro, ao criar um similar, mais fraco, no Banco Central. O novo órgão poderia servir como uma cunha de influência política no Banco Central, comprometendo sua autonomia. O presidente do Supremo Tribunal Federal, Dias Toffoli, secundou a ação presidencial e proibiu, a pedido do filho de Bolsonaro, Flávio, processo com base em transações financeiras atípicas identificadas pelo Coaf sem autorização judicial. As duas medidas sofreram censura. O Congresso aceitou a transferência do Coaf, com o mesmo nome e atribuições, para o Banco Central e proibiu a nomeação política de seus membros, que passarão a ser escolhidos entre funcionários de carreira do Bacen. Toffoli perdeu no colegiado da Suprema Corte, que liberou o compartilhamento de dados do Coaf e da Receita Federal com o Ministério Público, sem ordem judicial. O presidente buscou interferir no Ministério Público, nomeando um procurador-geral da República fora da lista tríplice e condescendente, e na Polícia Federal, para submetê-los à sua autoridade. Ataca o que chama de "ativismo" na sociedade civil, investindo contra ONGs e procurando barrar todo tipo de evento que tenha "motivação política" na sua visão, que não passam de manifestação de posicionamentos distintos dos dele. Essas interdições têm consequências. Escritores são impedidos de participar de festivais literários por pressão de aliados do governo e de patrocinadores, públicos e privados. ONGs têm perdido financiamento público e privado, para financiar ações meritórias, algumas de cunho humanitário, provendo serviços básicos, como saúde e educação a populações carentes, desassistidas pelo Estado.

Creio que o manual de Posner vale também para nós. O autoritarismo viria a partir de um presidente com mentalidade autoritária tendo sucesso no ataque simultâneo à imprensa, ao Congresso e ao Judiciário, na mobilização da massa a seu favor, subjugando os governos estaduais e calando a sociedade civil. Bolsonaro tem tentado fazer tudo isto com insistente persistência. No sistema Judiciário, tenta cooptar o presidente do STF e ministros da Corte, além de interferir na autonomia do Ministério Público. Como Trump, Bolsonaro conseguiu um séquito popular ponderável, mas dissipou a popularidade conquistada nas urnas antes de completar um ano de governo. Sua capacidade de mobilização de apoio nas ruas tem sido declinante. Ele já não tem a massa a seu favor. É capaz de revelar sua personalidade autoritária e seus impulsos imperiais em todos os temas sobre os quais se manifesta.

No presidencialismo de coalizão na versão da Constituição de 1988, o presidente é forte. Mas seus poderes não se sobrepõem aos do parlamento e sua capacidade de legislar não é, nem poderia ser, maior do que a do Legislativo. Por isso, quando o presidente é minoritário no Congresso, no caso brasileiro ele nunca tem a maioria, precisa formar uma coalizão multipartidária para obtê-la. Muitos dos comportamentos do presidente não se enquadram nos limites institucionais, constitucionais e legais ao exercício da presidência. Ele costuma, além disso, reduzir grandes temas a minudências e a transformar minúcias em questões prioritárias de agenda. Essa tendência reiterada aponta para crises sequenciais que, além de reduzir a autoridade e a credibilidade do presidente, poderão levar a governabilidade a seus limites de resistência. A administração de suas redes sociais é irresponsável e desqualificada. Se ela for inteiramente pessoal, está em desacordo com as regras de decoro presidencial. Administrada em conjunto com o filho vereador, representa uma violação da privacidade requerida a um presidente. Sem capacidade de apresentar propostas tecnicamente sólidas para os principais problemas do país, Bolsonaro e a maioria de seus ministros desperdiçam energia em não problemas e assuntos secundários. O sistema político vai perdendo momento para encontrar respostas para os desafios centrais. As lacunas são gritantes em áreas críticas como educação, saúde, ciência e tecnologia, meio ambiente e infraestrutura.

Qualquer manual de crise indicará que tudo o que está dito acima configura uma situação de alto risco político. A parte não sectária, nada desprezível, de eleitores de Bolsonaro mostra-se crescentemente frustrada com seu governo e com ele pessoalmente. As pesquisas de opinião de metodologia mais confiável indicam perda significativa de popularidade do presidente. Está reduzida, agora, ao terço de apoiadores mais fiéis, a maioria formada predominantemente por evangélicos, policiais e militares. Os sectários começam a perder argumentos. Fica o resíduo incômodo, mas vazio de significado, dos ataques de ódio e das tentativas de desqualificação dos críticos e opositores, que perdem efeito fora de um conjunto narrativo com algum conteúdo fidedigno. Há risco de instabilidade política. E, dependendo do grau de instabilidade política, pode haver crise de governabilidade e abalos à própria democracia. A ameaça de recessão democrática é clara e presente na conjuntura política atual, liderada por um presidente que toma a maioria de votos que o elegeu por um mandato virtual, como se fosse uma delegação ampla e irrestrita de poderes para contrapor-se aos outros Poderes republicanos. Os fundamentos da democracia e suas instituições vão sofrendo abalos progressivos por esses impulsos autocráticos. As instituições, todavia, ainda mostram robustez suficiente para resistir.

Ouve-se, com frequência, nas sessões do Congresso um parlamentar ou mesmo o presidente de uma das Casas anunciar que, por causa de acordo entre lideranças, a medida será ou não votada. A política se move muito pelas regras informais e pelos acertos nos bastidores, antes de entrar nas formalidades regimentais, mas sempre no perímetro delimitado pelas regras formais, constitucionais e regimentais. A estranha reunião para negociar um pacto, que não cabe no quadro institucional do estado democrático de direito brasileiro, bateu de frente com as formalidades democráticas. No caso, não apenas regimentais, mas também constitucionais. O episódio é relevante em si e não deve ser desprezado. Ele revelou um traço pernicioso do momento político brasileiro. Bolsonaro voltou a tentar romper as fronteiras constitucionais entre os Poderes ao propor, em uma emenda constitucional, um esdrúxulo e natimorto Conselho Fiscal da República. Há forças atuando de forma mais vigorosa e explícita do que nunca para empurrar o país no rumo de uma "recessão democrática". Pelo princípio da precaução, esse risco, por menor e mais improvável, não deve ser subestimado pela análise da conjuntura e recomenda medidas preventivas.

4. A democracia não convive com o silêncio

LIÇÕES DE TRAGÉDIA

Matteo Salvini, após um show pessoal pelos resorts de praia mais exclusivos da Itália, nas férias do verão de 2019, rompeu a coalizão com o partido antissistema M5S, na tentativa de derrubar o governo, no qual era primeiro-vice-ministro e o mandão central. Queria provocar eleições imediatas, que imaginava poder vencer com vantagem. As pesquisas indicavam que talvez pudesse mesmo vencer. Salvini é quase um tipo ideal do populista autoritário. É um político autocentrado, que manipula a opinião pública e põe a ambição de poder acima de tudo, principalmente dos interesses coletivos de seu país. Um eurocético, de ultradireita, que não hesitava diante do perigo de mergulhar o país em nova crise, prometendo retirá-la da armadilha do baixo crescimento na qual se encontra há anos, que ele atribuía às exigências da União Europeia. Todos sabiam que ele não arriscaria deixar o euro e retornar à lira, nem romper com a UE. Sua infidelidade com o M5S deu errado. Este, irritado com a infidelidade do ex-parceiro, admitiu formar um novo governo em aliança pela esquerda. O novo líder do Partido Democrata, Nicola Zingaretti, governador da região do Lazio, é mais hábil e popular do que o ex-primeiro ministro Matteo Renzi, e foi capaz de costurar essa aliança até então improvável. A ameaça de Salvini e o crescimento recente do partido de extrema direita alemão AfD nas eleições dos estados da Saxônia e de Brandemburgo foram usados como evidências de que a onda populista de direita ultranacionalista continuava a varrer o mundo. A reação eufórica de personalidades controversas como Trump, Putin, Orbán e Bolsonaro ajudou a criar este clima de internacionalização autoritária. Não creio, todavia, que a onda populista esteja ainda a montante. Vejo mais sinais de refluxo. Vários episódios eleitorais posteriores mostraram recuo da direita, como enunciei anteriormente. Mas são muitos os oceanos históricos, para recorrer a uma expressão que Roberto DaMatta usou em uma coluna para *O Globo*. Em uns, a onda pode não ter quebrado ainda; em outros, já se sabe que ela não tem a força que parecia ter na sua formação.

Thiago Amparo, na *Folha de S.Paulo*, escreveu sobre o livro de Stephen Greenblatt que contém uma leitura da tirania pelo olhar de Shakespeare e me convenceu a revisitá-lo. Greenblatt relê a trilogia de *Henrique VI* e a peça *Ricardo III*, em particular, para delas retirar lições apropriadas ao presente. Ele tem um bom argumento para justificar a atualidade de sua obra. Shakespeare se tornou um mestre na dissimulação, ao escrever em um momento de muita censura, imposta com a ameaça à própria vida. Seu truque principal era deslocar a trama no tempo e no espaço, ora para a Itália, ora para uma ilha imaginária, ora para o passado remoto da sua Inglaterra. Esse deslocamento espaçotemporal acobertava a nada acidental coincidência com os eventos do então reinado de Elizabeth I. Essa atemporalidade dá ao texto shakespeariano uma qualidade analítica transcendente. Ela ajuda no entendimento de eventos políticos, de qualquer época, que se enquadrem no território da polarização, do ódio político, do populismo e da tirania.

A trama da trilogia de *Henrique VI* tem como fundamento sociológico a polarização política que permite realizar a ambição do poder e faz prosperar o populismo. É sobre essa fundação que se ergue o governo tirânico. Ela nasce do desinteresse em chegar a um acordo, da certeza beligerante de que só o seu lado está certo. Não há terra do meio, nem a admissão de que é possível que duas pessoas ou dois grupos possam discordar, sem que isso leve a uma guerra de ódio. A polarização se estende à sociedade, dividida pelo ódio recíproco em duas partes. "Ou você está comigo, ou está contra mim" é a lógica que determina o curso da tragédia.

Nesse terreno intoxicado surge a extraordinária versão shakespeariana de Jack Cade, o populista líder de uma rebelião que, se vitoriosa, poderia levá-lo ao poder. Cade é um personagem que conhecemos bem nas repúblicas sitiadas de hoje — o populista que queria ser rei. Na leitura de *Henrique VI*, guiados pela lupa de Greenblatt, vemos que todo populista tem um componente de fraude e um forte desdém pela lei e pelas instituições. Ele encanta com promessas vãs a multidão descontente e ressentida, imersa no ódio do outro. Como o Prometeu de Ésquilo que, ao reconhecer ter ido longe demais em suas transgressões, explica ter disseminado "esperanças vãs nos corações de todos". Cria falsas esperanças para realizar suas próprias e pessoais ambições. Na peça, Cade diz para queimarem todos os registros do reino, porque "minha boca será o parlamento". Essa intolerância do populista autoritário, esse desejo de um governo unilateral, por decreto, está presente em mais de um país atualmente. Para respaldar o avanço autoritário em casa, eles buscam similares fora e a eles se aliam, ao mesmo tempo que apontam inimigos imaginários. É o que vislumbra a rainha Margaret, ao perguntar: como podem os tiranos governar com segurança em casa, se não comprarem grandes alianças fora?

Há, nessa leitura de Shakespeare, um personagem fundamental para se entender, principalmente nas repúblicas, a possibilidade do encontro entre o populista, o tirano e o poder em uma só pessoa. É a personagem-chave da tragédia. Sabe que o populista mente, é venal, egocêntrico e cruel, e nem por isso deixa de segui-lo na esperança vã de que o seu interesse se realizará, embora os de outros sejam traídos. É essa ilusão de que "o meu está salvo, os outros que se virem" dos seguidores que dá aos populistas a sua chance de poder. Greenblatt chama esse personagem anônimo, coletivo, de "viabilizador" (*enabler*). Esse reconhece a vilania de Ricardo III, sabe que ele é um mentiroso patológico, mas tem a estranha propensão ao esquecimento, cede à tentação irresistível de normalizar o que não é normal. Os "viabilizadores" se convencem reciprocamente de que tudo dará certo ao final.

É na garimpagem do texto de *Ricardo III* que Greenblatt encontra maduros os traços definidores da personalidade autoritária. O interesse pessoal acima de tudo, o desprezo pela lei e pelas instituições, o desejo compulsivo de dominar, o prazer em ofender e causar dor aos outros. Uma compulsão de poder que inclui explicitamente a dominação da mulher. O autoritário não tem lealdades, tem sempre o impulso de mostrar-se acima de qualquer um, vê-se como o único exemplo das boas escolhas e do pensamento correto. Espera lealdade absoluta, mas não é capaz de gratidão. Não tem decência. Divide o mundo entre ganhadores e perdedores e se julga portador de um direito absoluto de realizar a própria vontade. Este é Ricardo III, o arquétipo do tirano.

Ao reler, seguindo o roteiro de Greenblatt, as passagens políticas de Shakespeare das quais sai esse retrato de corpo inteiro do populista autoritário, lembrei-me de um artigo da professora de filosofia da Universidade de Cincinatti Heidi Maibom, que se dedica a entender os mistérios da empatia. O psicopata, afirma, é alguém quase igual a nós. Só que não. Seguramente, o Ricardo III de Shakespeare e Hitler eram psicopatas. Há outros por aí. Sabem distinguir o bem do mal, a mentira da verdade. Mas integram mal os vários elementos das boas escolhas. Ignoram as informações envolvidas na decisão, mirando compulsivamente no que desejam fazer em cada momento. Desprezam as incoerências, os conflitos com outras decisões e as consequências futuras. Decidem por impulso. Quando são capazes de alguma empatia, eles a inibem para poder realizar o que pretendem. Quem quiser tomar os traços da personalidade de Ricardo III e procurar os governantes do mundo que mais se assemelham ao arquétipo colecionará, sem dúvida, um punhado de nomes.

Nenhuma peça de Shakespeare termina bem para os tiranos. Há boas razões para essa marcha insensata para a tragédia. E não é o fatalismo que se presume, erroneamente, compor as tragédias literárias. *Antígona* é uma de minhas paixões. Ela me inspirou a escrever sobre a tragédia, em *A era do imprevisto*, não como uma história fatalista de desfecho irremediável, mas como um exercício cívico sobre as consequências das más escolhas. O mesmo raciocínio vale para as tragédias shakespearianas. Os cidadãos atenienses deviam mirar-se no exemplo de Tebas, para não repetir seus erros. A tragédia não é sobre o inexorável. É sobre a alma humana guiada por uma lógica que a condiciona a um final infeliz. O conflito essencial entre o poder tirânico do Estado e a defesa intransigente da liberdade, tão bem expressos por *Antígona*, não se resume nem se resolve numa simples equação liberal. Não há como preservar a liberdade individual num mundo em que as pessoas se fecham ao convívio coletivo. A liberdade é uma construção comum. Se admitimos que ela seja sonegada a uma parte, todas as partes a perderão em algum momento. A tirania é sempre infiel, sacrifica até os mais ardorosos seguidores do tirano para realizar seus degenerados fins. Mergulhado no universo doloroso de Sófocles, penso ora no avanço solerte do autoritarismo, por aqui e em por outras partes, ora na insensatez do fogo que devastou a Amazônia e o Pantanal desmatados. Estamos diante da versão mais criminosa do complexo de Prometeu. O complexo de Prometeu é arrogante. O titã Prometeu roubou o fogo e o entregou "à estirpe humana, a fim de servir-lhe de mestre das artes numerosas, dos meios capazes de fazê-la chegar a elevados fins". Ele é um dos modelos dessa lógica da irresponsabilidade, que leva a más escolhas seriais, e da negação teimosa das evidências e dos alertas sobre as consequências inevitáveis e brutais desses atos. Não por acaso, é visto pela maioria como herói e símbolo do progresso.

Que lógica é essa que empurra as pessoas a um destino trágico? É a lógica nascida da tensão entre o geral e o particular, entre vontade e limite. Voltamos a Antígona, cuja tragédia não se resume à simples contrariedade entre o dever da heroína para com o irmão e as leis de seu país. Ela dramatiza o conflito entre a consciência privada e o bem-estar coletivo. Paralelamente à tensão entre o desejo dionisíaco e a temperança apolínea, ela revela com força os limites do exercício legítimo do poder e a necessidade da desobediência civil nos casos em que o governante não tem limites. A lógica da tragédia contém um elemento de aprendizado na prática que permitiria a não repetição do erro e comportamentos distintos. As tragédias têm uma dimensão ética e política, um sentido de vida cívica compartilhada que, quando perdido, leva à desgraça. Elas demonstram como os indivíduos, ao agir por si mesmos e como cidadãos em nome da comunidade, podem escolher e atuar com sabedoria. Os heróis trágicos nunca o fazem, para que encontrem seu destino cruel e nos ensinem sobre os prejuízos da ação insensata. A tragédia tem a função de revelar esses padrões típicos das ações e interações que levam aos piores resultados, sempre autodeterminados. Mostram, pelo exemplo contrário, as virtudes da ação orientada por boas escolhas.

Em *Macbeth*, outra peça monumental de Shakespeare, Hécate ensina o equívoco de buscar causas externas em situações nas quais os principais responsáveis estão presentes na ação. Ela diz que o ser humano não precisa de maldições externas, porque ele desprezará o destino, desafiará a morte e terá esperanças acima da sabedoria, da piedade e do temor. A confiança é o maior inimigo dos mortais, sentencia. É dessa confiança cega que nasce o complexo de Prometeu, a ilusão de controle absoluto, alimentada por esperanças vãs e pelo excesso de confiança. Vale lembrar o diálogo entre o Corifeu e o titã.

CORIFEU	Foste mais longe ainda em tuas transgressões?
PROMETEU	Fui, sim, livrando os homens do medo da morte.
CORIFEU	Descobriste um remédio para esse mal?
PROMETEU	Pus esperanças vãs nos corações de todos.

Essa é a mistura fatal que elimina a possibilidade da precaução. Presume-se que perdemos o controle momentaneamente, mas podemos recuperá-lo de forma ampliada, para avançar mais no desenvolvimento das artes numerosas e dos meios capazes de nos levar a novos e "elevados" fins. Os que viabilizam o escorregar para o autoritarismo cada vez mais visível em nosso país; os que se calam diante do fogo amazônico, esperando que, ao final, seus interesses prevaleçam — todos agem com esperanças vãs e além de qualquer precaução. A tirania e a insensatez do poder não são autossustentadas. Elas precisam de facilitadores, aqueles que imaginam que, para eles, tudo dará certo no final. Sabem das mentiras e da deslealdade, mas sua própria ambição os torna surdos aos alertas. Como Creonte diante do profeta Tirésias, que perdeu a visão mas não o senso, e o avisa das terríveis consequências de seu desmando em relação a Antígona, descobrirão tardiamente que construíram, com suas próprias escolhas, seu destino trágico. Mas não sem antes causarem muita destruição e dor.

As multidões nas ruas do Reino Unido, em maio, julho, setembro e outubro de 2019, eram um alívio. Protestavam contra o uso dos costumes e das leis pelo primeiro-ministro Boris Johnson para atacar a democracia. A prorrogação do parlamento é uma prerrogativa legal. Mas da maneira como fez Boris Johnson, em minoria no parlamento, com o objetivo de calar a maioria que não desejava a saída da União Europeia sem negociação (*no deal Brexit*), não era legítimo nem democrático. Johnson estava empurrando o regime para o terreno autoritário. Os britânicos não aceitaram calados. Nas ruas, pediram que se impedisse o atentado contra a democracia e que falasse o parlamento. O parlamento falou, derrotando o primeiro-ministro seis vezes, antes de entrar no recesso forçado. Ele foi proibido de promover a saída sem negociação e o parlamento determinou que pedisse nova prorrogação à União Europeia. Queriam eleições para renovar um quadro político que se exauriu ainda na gestão de Theresa May. Terminaram vitoriosos, com a decisão da Suprema Corte de que o recesso foi ilegal. Ao final, Johnson teve que convocar eleições antecipadas. O parlamento voltou a se reunir. Mas Johnson venceu as eleições, surpreendendo seus adversários e forçando a queda do líder da oposição Trabalhista, Jeremy Corbyn.

Em Hong Kong, o povo desafiou o regime autoritário chinês, que dispôs tropas para ameaçá-lo e escalou a repressão, com prisões e violências. Mas a sociedade não aceitou calada a progressão da incorporação de Hong Kong ao imperium chinês, que pressupõe o fim da democracia na ilha. O modelo político instalado por Xi Jinping é uma espécie de síntese entre duas formas autoritárias, o confucionismo e o maoismo. As manifestações de julho a outubro de 2019, em Hong Kong, contra projeto de lei de extradição levaram à retirada do projeto. Ele permitiria que dissidentes fossem enviados ao continente para serem julgados e punidos, primeiro passo para o fim da democracia na ilha. Mas o problema de fundo, a contradição inerente à ideia de um país, dois sistemas, um autoritário e dominante, o outro democrático e confinado, não se resolveu e a tensão persistirá, produzindo surtos de perigoso conflito. Não há muita esperança para o povo de Hong Kong. As lideranças pela democracia estão sendo cuidadosamente marcadas. O governo chinês tem pressionado empresas a demiti-los e tem feito prisioneiros muitos deles. A chefe do Executivo de Hong Kong não tem mais condições de governabilidade. Já manifestou o desejo de renunciar, mas o governo em Pequim a mantém. Não quer novas eleições. Em 2017, quando ela foi eleita, ficou claro que Hong Kong só manterá o direito ao voto se votar em quem Pequim mandar. É assim o autoritarismo. Sempre busca um revestimento pseudodemocrático para exercer seu poder absoluto.

Na Itália, que vive um furdunço político há anos, a tentativa de Matteo Salvini de usar as regras da democracia contra ela foi abortada pela disposição do Partido Democrático em negociar um governo alternativo com o Movimento 5 Estrelas e manter Giuseppe Conte como primeiro-ministro ou presidente do conselho de ministros. Para tanto, foi preciso que o M5S abandonasse a atitude de polarização radical que adotou no seu nascimento. A união contra o inimigo comum permitiu a superação das divergências entre o antissistema e o pós-comunista para interromper a tentativa antidemocrática da extrema direita. Mas gerou uma coalizão cheia de fragilidades, que não tem a plena confiança entre as forças políticas que a formaram. O primeiro-ministro Conte é um líder incidental, por razões diferentes do padrão. Não subiu ao poder em eleições atípicas e irrepetíveis, mas em razão de uma aliança atípica e irreprodutível entre partidos que se estranham mutuamente.

Nos Estados Unidos, intelectuais, acadêmicos e o povo nas ruas alertam contra as inclinações autoritárias de Donald Trump. Lá, o chamado governo dividido, que caracteriza um presidente sem maioria em uma das Casas do Congresso ou em ambas, é um poderoso contraponto ao poder presidencial.

É muito grande o número de analistas a escrever e dizer que há riscos iminentes e concretos para a democracia, em quase todos os países democráticos do mundo. Pode-se ficar discutindo se as explicações desses analistas estão certas, se seus modelos se comprovam, se escolheram os melhores indicadores para os fatores de perigo que rondam as democracias — um exercício acadêmico necessário, mas cujo prazo não coincide com as urgências do tempo em que vivemos. Até que cheguemos ao melhor modelo explicativo, as democracias já podem estar quase todas em recesso forçado. Diante da premência deste momento de processos vertiginosos, que envelhecem jornais ainda na rotativa, tornam tuítes obsoletos em questão de segundos, prefiro ater-me ao princípio da precaução. São tantas as boas cabeças impressionadas com a possibilidade de recessão da democracia, que prefiro partir da premissa de que o perigo existe e é real. Portanto, não é hora de calarmos, enquanto nos debruçamos nas pranchetas de análise para destrinchar a teoria e a metodologia dos alertas. O momento requer muita atenção aos mínimos sinais de retrocesso. É melhor dizer nas ruas que a democracia está sendo golpeada do que esperar para soar o alarme quando as suspeitas se tornarem certezas e já for tarde demais.

O realismo político aconselha que se tenha consciência de que o poder cativa quem o exerce e cria a tentação de abusar dele. Toda pessoa em posição de poder tende a sair dos limites. A questão é saber o limiar a partir do qual esse abuso leva à indignação e à destituição de quem exerceu o poder além da medida. Há abusos privados e abusos públicos. O caso privado mais ruidoso recente foi o de Harvey Weinstein, poderoso produtor de Hollywood, acusado de ser um assediador sexual serial e condenado parcialmente pelo tribunal do júri do estado de Nova York. As revelações de mulheres por ele assediadas deram origem ao movimento #MeToo, que levou a uma fieira de denúncias contra outras pessoas por assédio sexual. O abuso do poder privado se resolve com demissão e processo judicial. Mas e quando é político e a vítima é a sociedade como um todo? O mundo contemporâneo está repleto de exemplos de excessos dos governantes, mesmo em democracias avançadas, como o Reino Unido e os Estados Unidos.

O primeiro-ministro britânico Boris Johnson despreza as orientações do parlamento e age como se fosse um presidente imperial ou um rei com poderes autocráticos. Ele tentou de todas as formas submeter o parlamento à sua vontade na saída da União Europeia. BoJo, como é conhecido, não é um novato na política, nem um outsider. Foi parlamentar e prefeito de Londres, numa gestão muito controversa e mais para desastrada do que bem-sucedida. Também não é um um estranho no ninho da elite inglesa. Educou-se em Eton, a escola das elites e do poder, formou-se em letras e artes clássicas no Balliol College, em Oxford. Um eurocético, fez uma aposta ousada e arriscada ao convocar eleições antecipadas, após sofrer várias derrotas no parlamento e ter sua decisão de ampliar o recesso parlamentar revertida pela Suprema Corte. Apostou alto e ganhou alto. A campanha se deu em um ambiente muito intoxicado pela prolongada polarização em torno da Brexit. As pesquisas não haviam apreendido a força do lado favorável à saída da União Europeia. BoJo transformou a eleição em um novo referendo sobre a Brexit. Usou apenas uma mensagem, simples e direta: "*Let's get Brexit done*", façamos logo a Brexit. Muitos que votaram pela permanência do Reino Unido na União Europeia votaram nele porque consideravam incorreto desobedecer ao resultado do referendo no qual a maioria optou por sair.

O primeiro-ministro não deixou claro como pretende promover a saída o mais rápido possível. Ele gerou esperanças vãs no coração dos eleitores, prometendo que a vida de todos vai melhorar, em se livrando das amarras com a UE e fechando as fronteiras para a imigração. Foi esse voto alimentado, em grande parte, por esperanças pouco realistas que deu a Boris Johnson uma vitória eleitoral somente comparável à de Margaret Thatcher, que governou o Reino Unido entre 1979 e 1990.

Todavia, o voto distrital majoritário ou, mais corretamente, de pluralidade, como o do Reino Unido, não pode ser interpretado como um voto de maioria absoluta. Por isso mesmo, embora BoJo queira interpretar sua vitória como um segundo referendo sobre a saída da União Europeia, não foi bem assim. O primeiro-ministro foi eleito com 43,6% dos votos totais. Ficou, portanto, sete pontos abaixo da maioria de 51%. Mesmo somados aos votos do novo partido de Nigel Farage, o Brexit Party, não chega a 46%. Se fosse um referendo sobre a Brexit, a saída seria rejeitada. O voto distrital é desproporcional. Por ele, não vence o partido que obteve a maioria absoluta, 50% mais um, dos votos, mas o mais votado. Com alguns votos a mais em cada distrito, um partido leva a cadeira, mesmo que o percentual dado aos adversários seja igual ou superior aos 51% e, portanto, o vitorioso fique abaixo da maioria. Por isto, o Partido Conservador conquistou muito mais cadeiras no parlamento por cada 100 mil votos do que o Liberal-Democrata. Os Conservadores fizeram 43,6% dos votos e capturaram 56% das cadeiras. Os Trabalhistas tiveram 32,2% dos votos e ganharam 31% das cadeiras. O Lib-Dem obteve 11,5% dos votos e elegeu menos de 2% dos parlamentares.

A vitória de Boris Johnson teve a contribuição de quatro fatores. Primeiro, o populismo e a personalidade excêntrica do primeiro-ministro. A empatia que cria com os eleitores faz com que suas mentiras, sempre desmentidas, não afetem sua reputação —

parecido com o que acontece com as fake news inventadas por Trump e Bolsonaro. Seu populismo aparece com nitidez nos esforços de mascaramento de sua origem elitista. Ele controla seu inglês para não falar complicado nem com o sotaque de "Oxbridge", dos graduados da elite por Oxford e Cambridge. Mostra-se sempre desajeitado, com o cabelo desalinhado e vacilando em algumas palavras, para transformar-se de homem da elite em homem do povo. O segundo fator foi, exatamente, a virada estratégica da extrema direita de Farage. Ele manobrou para que o Ukip, principal partido da extrema direita, não contestasse os tories nos distritos de direita, o que custou ao partido ficar fora do parlamento. Ele deixou o Ukip para criar o Brexit Party. Os dois partidos não ganharam uma só cadeira e abriram espaço para o Conservador conquistar as 24 cadeiras que ocupavam. As campanhas da extrema direita serviram apenas para reforçar a mensagem da campanha Conservadora pela saída. O partido aumentou a sua representação em 47 cadeiras, ficou com as 24 de distritos de direita, e as demais conquistou avançando sobre território firmemente Trabalhista, desde o final da Segunda Guerra. Johnson ganhou em distritos tradicionalmente trabalhistas do centro-norte, onde se concentram os setores decadentes da economia britânica. Como o voto é de pluralidade, do tipo "o mais votado leva tudo", os Conservadores foram mais votados que os Trabalhistas e ficaram com as cadeiras desses distritos, mesmo sem fazer a maioria. *Blue-collars* empobrecidos, decepcionados com o Partido Trabalhista, que na sua percepção deixou de representá-los, votaram nos Conservadores. O mesmo se passou com o voto *blue-collar* nos estados do "cinturão da ferrugem" americano, a região minero-siderúrgica dos Estados Unidos, tradicionalmente Democrata, que votou em Trump. Pesou no avanço Conservador a proposta anacrônica de Jeremy Corbyn, que conduziu os Trabalhistas à pior derrota desde 1935. Os erros de Corbyn foram o quarto fator a dar a vitória a BoJo. Uma parte nada desprezível dos votos que o elegeram não o considera a melhor escolha, mas a menos pior. Esse voto foi claramente anti-Corbyn. A campanha se assemelhou a uma disputa entre candidatos em regimes presidenciais, a um confronto pessoal entre Johnson e Corbyn. O líder Trabalhista sempre foi um eurocético. Por isso, manteve posição ambígua, também apoiada por sindicatos com força no partido, em relação à Brexit, em contraste com a clareza da mensagem favorável do oponente. Além disso, suas ideias ultrapassadas não convenceram o eleitorado, especialmente os trabalhadores e os mais pobres. Ele prometia mais do mesmo, o velho trabalhismo. Não foi capaz de convencer os eleitores de que com ele haveria uma alternativa trabalhista à Brexit.

Com essa vitória, embora expressiva, Boris Johnson ainda não deixou de ser um governante incidental. Foram eleições com alto grau de excepcionalidade, que não lhe permitem formar precedente. BoJo não é um neodireitista extremado como Trump. Também não poderá se afastar muito dos eleitores da extrema direita. Seu discurso da vitória foi mais conciliador com os que não o escolheram nas urnas do que o de Trump ou Bolsonaro. Não é um ultranacionalista, como Nigel Farage, ex-líder do Ukip, mas é muito mais nacionalista do que seus antecessores do Partido Conservador. Não compartilha a pauta de valores ultraconservadores sobre gênero e religião. Há temas consensuais no Reino Unido, como a rejeição à homofobia, o Estado e a educação laicos. Mas é tão agressivamente anti-imigrantes como a ultradireita e tem atitudes racistas. Significa que seu ultraconservadorismo é adaptado à cultura política local. Continua, entretanto, sendo um evento fora da curva. Tudo vai depender dos efeitos econômicos e geopolíticos da saída da União Europeia. O primeiro-ministro tem a maioria parlamentar necessária e um enorme desafio pela frente. Não basta resolver a saída. É preciso uma estratégia pós-

-Brexit, que dê resultados muito positivos. O mercado financeiro, que já cobrou um alto preço aos britânicos pelos riscos da Brexit e da indefinição, agora está apostando no sucesso de BoJo. A libra valorizou, mas ficou ainda longe dos patamares gloriosos do passado. O mercado financeiro não faz previsões confiáveis. Aposta para ganhar em cada cenário que constrói e, ao primeiro sinal de insucesso, cobra seu pedágio e se afasta. Se conseguir resultados positivos, muito mais difíceis, Boris Johnson será consagrado como uma liderança de referência e poderá manter-se por um bom período no poder. Nesses tempos de instabilidade e mudança, é pouco provável que fique tanto tempo quanto Thatcher. Mas ficará enquanto durar a bonança que resultaria do sucesso econômico e social da saída da União Europeia. Uma aposta de alto risco e que, se der certo, lhe dará dividendos políticos muito altos. Se os efeitos da saída forem negativos, provocarão enorme frustração no povo e Boris Johnson cairá. Seu fracasso porá fim à onda Conservadora e ele não deixará legado. Ficará como um ponto incidental na história política do Reino Unido.

O chefe de uma democracia obcecada com a segurança nacional usa instrumentos de Estado para as relações externas como moeda de troca para induzir governos estrangeiros a ajudá-lo a desacreditar seu principal adversário nas eleições. Falo de Donald Trump, claro. Em meio ao inquérito na Câmara para encaminhar pedido de impeachment contra ele, em lugar de adotar uma estratégia de conciliação, dobrou a aposta. Apelou para duas outras nações para que interviessem na sua luta pela reeleição, investigando seu adversário, o ex-vice presidente Joe Biden. Em reunião com deputados Democratas, ofendeu a presidente da Câmara, Nancy Pelosi, e disse que se reunia com eles a contragosto. Sem promover uma discussão estratégica detalhada, determinou impulsivamente a retirada de tropas americanas da região da Síria ocupada pelos curdos. A decisão provocou a invasão da área pela

Turquia. Não é demais lembrar que a Síria é governada por um autocrata sanguinário, Bashar al-Assad, e a Turquia, por um populista autoritário, Recep Tayyip Erdoğan. O sírio tem o apoio de outro autocrata, Vladimir Putin. Diante do descontentamento de seu partido com a decisão, Trump pediu que o vice-presidente Mike Pence negociasse pessoalmente uma trégua com a Turquia. O precário cessar-fogo obtido por Pence criou a possibilidade de deslocamento de tropas russas para a área de conflito. Putin pôde aprofundar a cunha russa no Oriente Médio, objetivo que perseguia havia tempos. No impeachment, a única segurança de Trump é a maioria no Senado. Em lugar, porém, de cultivá-la, ele investiu raivosamente contra um senador sênior Republicano, que criticou suas atitudes. Usa o Twitter e encontros com a imprensa para bater boca com críticos e opositores, não raro com insultos nunca antes usados por um presidente. O desconforto Republicano com o presidente tem aumentado, com suas atitudes e com as revelações do inquérito. Por isso a Câmara aprovou seu impeachment com alguns necessários votos Republicanos. Trump foi salvo pelo Senado mais conservador e de maioria Republicana.

O presidente brasileiro Jair Bolsonaro recusou-se a fazer a coalizão multipartidária que estava ao alcance de sua mão. Preferiu ficar minoritário no Congresso. Teve vários momentos de hostilidade e desencontros com parlamentares e com o presidente da Câmara. Seu último ato foi brigar com o presidente do seu partido, PSL, e dividi-lo. Tentou colocar seu filho na liderança do partido e perdeu. Insistiu e terminou conseguindo que o filho capturasse a liderança, rachando o partido e, em retaliação, destituindo todos os vice-líderes. Bolsonaro prejudicou, dessa forma, a possibilidade de ter o partido, segunda maior bancada na Câmara, como pivô de uma eventual maioria, mostrando que não tem mesmo interesse em formar maioria.

Os três casos são exemplos de anomalias na governança democrática, em um tempo de desconfiguração dos padrões sociais, políticos e econômicos. Anomalias que indicam haver fissuras nas defesas institucionais das democracias. No Reino Unido e nos Estados Unidos, a maioria conservadora prefere tolerar os descaminhos dos governantes para não abrir espaço para a oposição, em virtude da polarização social e política em seus países. Preferem ficar com governantes cujo comportamento abala institucionalmente a democracia a perder o governo para a oposição. No Brasil, as atitudes do presidente têm posto em risco a própria governabilidade. É razoável supor que não são apenas casos fora da curva, mas anomalias resultantes de processos de desgaste institucional do regime democrático. Os três perderam popularidade, embora sejam aprovados pela maioria dos que se identificam com os seus partidos. A polarização radicalizada altera as preferências, e cada lado prefere manter um mau governo a arriscar-se a entregá-lo para o outro lado.

Não é normal ver governantes de democracias até recentemente robustas e apegadas à legalidade desafiarem a maioria e se colocarem à margem da lei, para impor decisões ou manter atitudes que ferem o interesse coletivo. Nos Estados Unidos, a maioria Democrata respondeu à atitude autocrática de Trump aprovando seu impeachment. Embora absolvido pelo Senado, Trump perdeu credibilidade com toda a controvérsia e ficou mais fraco. Vai enfrentar no final do ano um adversário respeitável, o ex-vice presidente Joe Biden, e um partido Democrata bem mais unido do que na eleição anterior, na qual derrotou Hillary Clinton. A situação do presidente americano tem se complicado com seus atos impulsivos, comportamentos abusivos com adversários no Congresso e com a imprensa. No caso britânico, a única forma de remover Johnson do governo é um voto de desconfiança, com apoio de Conservadores. Já há reações adversas ao primeiro-ministro que podem levar à sua queda. Novas circunstâncias lhe deram algum fôlego, mas Johnson não tem mais muito espaço para errar. No Brasil, o presidente está cada vez mais isolado. Frequentemente, ensaia alguns tímidos recuos, quando enfrenta reações mais fortes a suas atitudes irresponsáveis, apenas para abrir novos focos de confronto logo em seguida.

Vivemos um tempo turbulento. Há instabilidade em tudo. Anomalias políticas decorrentes de fissuras democráticas são mesmo de se esperar, mas representam um risco significativo. Os desvios mais perigosos podem acontecer nestes momentos de grande incerteza e governos fora da curva de normalidade. Parte do problema está no enfraquecimento das defesas da democracia aos abusos dos governantes. Parlamentos polarizados, tribunais vacilantes, população dividida e confusa, vulnerável às fake news e às explicações conspiratórias. Em boa medida, governantes abusam do poder porque os freios e contrapesos não estão funcionando bem. A democracia é um regime complexo e delicado. As instituições contam muito e são elas que, ao final, definem a robustez e a qualidade do regime democrático. Mas é um regime que tem fragilidades intrínsecas. A principal é que, para não trair sua própria natureza, deve dar liberdade de ação a seus inimigos. Precisa, para não se negar, permitir que usem suas próprias regras contra ela. Tem dado certo em muitos lugares. Quando é assim, o regime desliza rumo ao autoritarismo, se a sociedade não resiste, convocando as instituições de autodefesa a tempo. Em todos os casos, esse escorregar rumo ao autoritarismo demanda a revisão das proteções institucionais, dos mecanismos de autodefesa, que se mostraram vulneráveis a novas modalidades de ataque ao regime democrático. A democracia precisa de regras adicionais para livrar-se legal e legitimamente desse tipo de governante. A perda da maioria já não prevalece como imperativo da destituição do primeiro-ministro na maioria dos modelos parlamentaristas. O impeachment é um instrumento pouco ágil e muito traumático. Pode ter efeitos colaterais que eliminam os benefícios que possa ter para a estabilidade político-institucional. A democracia requer, também, certos formalismos. O decoro do governante é uma formalidade essencial. Trump, Johnson e Bolsonaro nunca respeitaram o decoro do cargo e feriram a sua legitimidade ao adotarem atitudes indecorosas. A democracia depende, portanto, além da força das instituições e dos formalismos procedimentais, da personalidade do governante. Uma personalidade autoritária na chefia de um governo democrático é uma contradição que sempre tem consequências. Governos tendem a incorporar o espírito de seus chefes. Não existe a possibilidade de uma democracia autocrática. Mais que um oxímoro, é uma anomalia insustentável. Se vencer a personalidade autoritária, o regime desliza para o autoritarismo. Se prevalecer a democracia, o autocrata é removido do governo pelos meios institucionais previstos. Espero que vença o espírito democrático que nos fez superar o regime militar e convocar a Constituinte que nos legou uma Carta democrática.

5. Enfim, tempos incertos

Vivemos tempos incertos, de sentimentos fortes e de desalento. O sentimento menos frequente é o da esperança. O sociólogo Manuel Castells denominou de "redes de indignação e esperança" aquelas articulações que ocuparam praças e ruas no mundo todo, como o movimento dos Indignados na Espanha, o Occupy, nos Estados Unidos, e as revoltas no Norte da África. No Brasil também os tivemos — basta lembrar os protestos de rua de junho de 2013. São, porém, raríssimas, se é que as há, as expressões de esperança no futuro. O desencanto no presente tem razões concretas. O futuro incerto dispersa as esperanças. Os protestos recentes no Chile levaram o governo a aceitar a substituição da Constituição legada pela ditadura Pinochet. Sebastián Piñera propôs um plebiscito para decidir se a nova Constituição será escrita por uma assembleia constituinte isolada ou um colegiado híbrido de constituintes eleitos especificamente para a tarefa e membros regulares do Congresso. Nos protestos chilenos, como provavelmente nos de 2013, no Brasil, havia mais indignação e ressentimento do que esperança. O ressentimento é filho da desesperança, da frustração de uma expectativa infundada. Nasce do sentimento de perda. É emoção fundada na falta. Um afeto no espelho. O ressentimento promove a separação entre o bom, Eu, e o mau, ele.

Pesquisa de opinião do Plaza Pública captou os sentimentos dos chilenos sobre o quadro atual e descobriu que, enquanto 34% mencionaram preocupação e 15% raiva, apenas 13% disseram ter esperança. Raiva (*rabia*) e irritação (*enojo*) somadas chegam a 41%. Os chilenos parecem ter uma visão bem clara e congruente sobre o que se passa no país. Com relação ao progresso econômico, 94% acreditam que estava estancado ou retrocedia e 72% que o país seguia por um mau caminho na economia, na sociedade e na política. Apostavam nas ruas para melhorar o país, e 59% disseram querer a continuidade das mobilizações e protestos de rua. É onde se esconde a esperança: 74% dos entrevistados afirmam esperar que da crise em que se encontram sairá um país melhor.

Há, no Brasil e no mundo, eventos que nos dão razões para esperança e otimismo, se não no presente, no futuro que se aproxima veloz. A crise econômica iniciada em 2008 continua a ter graves sequelas e ainda não cedeu completamente. Suas consequências sociais são terríveis. Parte da classe média branca nos Estados Unidos e na Europa regrediu. O desemprego de jovens na Europa continua elevadíssimo. Nos Estados Unidos, crescem bolsões de pobreza gerados pelo desemprego estrutural e pela decadência final de setores poentes da economia, embora as estatísticas indiquem ilusório pleno emprego. No Brasil, o desemprego no entorno dos 12 milhões de pessoas produz humilhação, dor e revolta desesperada. Entre os jovens o desemprego era de 27% no primeiro trimestre de 2019, entretanto mais de 40% dos empregados são subutilizados. O trabalho que têm não lhes abre chance de futuro.

A insensatez que levou aos erros seriais do governo federal, dos governos estaduais e municipais e empurrou o país para sua pior crise de recessão tem levado a propostas extremas de austeridade fiscal. Convocada a mais sacrifício, sem boas e persuasivas explicações, a sociedade não entende e não aprova. Até porque toda política de ajuste é feita sem transparência. Nenhuma proposta de austeridade teve como prioridade o corte de privilégios de empresas, empresários, funcionários e autoridades graduados. O peso maior tem recaído sobre os setores mais frágeis, com menor capacidade de reação e pressão. Obras sem justificativa econômica, social e ambiental, enredadas em corrupção e más práticas empresariais, como a hidrelétrica de Belo Monte, continuam sugando recursos públicos, ao mesmo tempo que os hospitais, postos de saúde e escolas têm seus recursos cortados e deixam de prestar os serviços essenciais aos quais a população tem direito. Os lobbies empresariais emitem notas de descontentamento, encastelados nos palácios da indústria, ao menor sinal de redução de subsídios e incentivos. Sacam seus celulares para argumentar com governadores, ministros, parlamentares e até com o presidente. Ao povo restaram as praças, físicas e digitais.

O governo Bolsonaro está a contratar um retrocesso sem precedentes no modo de vida, no meio ambiente, nas liberdades individuais, no uso do poder governamental para realizar retaliações e objetivos pessoais. Censura, persegue e interdita. Um governo de confrontação que oferece tensão e arbítrio em lugar de propostas para preparar o país para o que vem por aí de mudança e desafio. Nos ministérios da Educação, Meio Ambiente, Relações Exteriores e na cultura, comportam-se como vingadores e estão desmontando todas as políticas e instituições. Manifestantes governistas, felizmente minoritários, nas ruas e nas redes, pedem intervenção militar. Governo e seus apoiadores ferem a lei e a querem a seu modo. É um governo de ressentidos. Sabem dizer não, mas perderam a capacidade de propor vias alternativas. Sacrificam o objetivo na simples recusa da solução proposta. São frequentes as palavras de ordem, de todos os lados, que investem contra princípios democráticos, como se eles fossem os responsáveis pelos desmandos e desonestidades que levaram o país a situação tão limite. A democracia tem essa virtude, que é também sua fragilidade, de ser o único regime político que abriga e protege aqueles que investem contra ela e, para defender-se, só pode usar a Constituição e a lei, não a força.

É preciso pôr esse quadro desalentador em perspectiva para podermos dimensionar o tamanho da esperança possível. O ambiente de incertezas, perplexidades e descontentamento é um fenômeno global. Pode ser surpreendido nas ruas de Nova York, Londres, Paris, Madri, Barcelona, São Paulo, Buenos Aires, Cidade do Cabo, Ancara ou Atenas. Algumas razões são comuns, outras nem tanto. Desemprego, principalmente de jovens, é fenômeno global. Pouquíssimos países podem mostrar estatísticas animadoras nesse campo. Sair de crises econômico-financeiras graves também está ficando cada vez mais difícil. Taxas muito modestas de crescimento, para o contexto de cada país, são o novo normal do mundo nessa fase do grande movimento global de fundamentos socioeconômicos que vivemos. A China deixou o nível de 14% de crescimento para contentar-se com o patamar de 6%. Essa grande transformação pode levar o mundo a novos padrões de desenvolvimento, mais sustentáveis, mais democráticos e mais equânimes, mas não sem muito suor e lágrimas. A travessia é turbulenta, tumultuada, confusa e disruptiva. Destrói referências, desvaloriza heranças, cobra alto preço pelos erros e gratifica com parcimônia os acertos, até que a nova realidade amadureça e possa dar seus frutos. Perdemos a possibilidade das utopias. Os paradigmas conceituais funcionam mal nessa realidade em transformação vertiginosa. As ideologias estiolam e enganam. É difícil construir a esperança quando não temos referências sólidas. Caminhamos em terreno cediço. Nosso chão nos tira o equilíbrio e a perspectiva, abalado por tremores tectônicos e por tempestades abruptas.

Mas basta olharmos os avanços e as conquistas dos últimos vinte anos, no Brasil e no mundo, para conseguirmos acender o facho de esperança e luz para o futuro. Temos a tendência de ver o lado negativo, mais do que os ângulos positivos. Em qualquer dimensão de nossa vida coletiva há eventos positivos que mostram as sementes de um amanhã mais luminoso. Os extraordinários avanços científicos e tecnológicos abrem novas avenidas para o progresso humano, para a cura de doenças que julgamos hoje incuráveis, para um mundo descarbonizado. As redes sociais, nas quais anotamos mais a difamação, a fofoca, a mentira e o ódio, são poderosos instrumentos para o revigoramento da democracia. Sem elas não poderíamos manifestar nossa indignação, menos ainda nossas demandas e expectativas, de forma tão aberta e com capacidade de alcançar tanta gente, local e globalmente. São ferramentas poderosas no sistema de prevenção de desastres. Permitem que tenhamos, hoje, uma perspectiva do mundo, um compartilhamento coetâneo global das aflições, descobertas, convicções e vitórias, sem precedentes na história da humanidade. O conhecimento circula por elas. Com elas, ficamos mais cosmopolitas. Nelas poderemos construir um novo espaço público cosmopolita, a um tempo global e local, para a conversação coletiva em torno das escolhas entre futuros possíveis.

Há previsões mais fáceis que outras. É praticamente impossível prever com alguma precisão as soluções que funcionarão para desativar as crises que se espalham pelo mundo. Mas dá para dizer que há probabilidade muito alta de que a instabilidade econômica, social e política continuará e poderá se agravar, na maioria dos países do mundo, antes que se retorne a um novo equilíbrio dinâmico. As mudanças em curso são estruturais e estão movendo as fundações mais profundas e consolidadas da sociedade nos planos local e global. Como toda transformação radical, ela dissolve consensos e espalha incertezas. O novo normal é a insegurança. As migrações voluntárias e os deslocamentos forçados aumentam a tensão social, já elevada, nos países mais desenvolvidos. A polarização política debilita os instrumentos convencionais da democracia representativa. Todavia, é a polarização social que oferece mais perigos à democracia e à estabilidade da sociedade contemporânea.

Que polarização?

A polarização política não é sempre ruim para a governabilidade. Há situações de polaridade que equilibram a democracia. Quando gera impasse e paralisia, ou quando se radicaliza e é dominada por extremistas, passa a ter carga negativa e tende à ruptura democrática. A estagnação da disputa, com hegemonia de um lado, compromete o equilíbrio dinâmico da polarização democrática entre esquerda e direita e pode levar a um realinhamento partidário ou à ruptura do ciclo político. Realinhamentos surgem da superação das clivagens sociais ou culturais que determinavam a divisão da sociedade em blocos políticos diferenciados em seus valores, preferências e princípios de políticas públicas. Novas clivagens, derivadas de mudanças na sociedade, quando maduras o suficiente, podem servir de base a uma nova configuração política. O sistema partidário muda nessa nova direção e cria outras polaridades para organizar governo e oposição. Se, porém, as divisões forem marcadas por sentimentos confusos, de desconforto e raiva com o estado da sociedade, o esgotamento das opções partidárias pode levar a uma ruptura com sérios riscos para a democracia. A queda da República de Weimar foi um exemplo claro dessa trajetória disruptiva. O voto indignado, provocado pelo descontentamento com o status quo, de motivações difusas e fragmentadas, agregou-se momentaneamente em uma opção aparentemente nova e renovadora. A Alemanha saía da hiperinflação, associada ao enorme sacrifício de pagamento de reparações da Primeira Guerra imposto pelas forças vitoriosas. Empobrecida e humilhada, encontrou na ira nacionalista de Hitler um caminho alternativo. Sacrificou a democracia no altar do ressentimento. Nos Estados Unidos, o realinhamento partidário permitiu a manutenção das regras do jogo e do bipartidarismo em momentos de alteração no padrão histórico dos conflitos sociais. Um desses momentos se deu na turbulência dos anos 1920, culminado no crash da Bolsa, em 1929, que levou ao New Deal. O Partido Republicano, até então destino majoritário do voto negro, não acompanhou as mudanças nas demandas da população afro-americana, recusando-se a avançar na pauta dos direitos civis. Ao mesmo tempo, os Democratas no Norte do país defendiam e aprovavam novas oportunidades para a incorporação econômica e social dos negros. A clivagem racial permanecia determinando o voto, porém seus fundamentos haviam mudado. Antes, fora escravismo versus abolicionismo, até a guerra civil. Após a abolição, o racismo se tornou o principal vetor da clivagem política. O Partido Democrata no Sul era racista, e os Republicanos, nem tanto. A partir dos anos 1930, os negros migraram para o Partido Democrata, que apoiava a rede de proteção social do New Deal, à qual os Republicanos se opuseram. A migração do voto negro do Partido Republicano para o Democrata mudou radicalmente a composição e o comportamento das duas legendas. No caso alemão, a polarização levou à estagnação e à ruptura, ao totalitarismo. No caso americano, o sistema passou de um equilíbrio dinâmico a outro, preservando o jogo democrático e o bipartidarismo. Num caso, a polarização foi disfuncional e levou à ruptura democrática. No outro, foi funcional, mantendo a democracia ao admitir mudança política que absorvia as novas divisões da sociedade.

A polarização disfuncional é aquela que promove polos extremos, radicalizados. A polarização extremada gera fuga forçada do centro para os extremos. A polarização democrática incentiva o deslocamento dos polos rumo ao centro, abrandando suas preferências mais radicais. Uma é centrífuga, a outra, centrípeta. No Brasil, a polarização PT versus PSDB foi funcional, organizando governo e oposição e forçando os dois partidos a buscar posições mais centrais. De um lado, o PT teve que admitir a agenda de responsabilidade fiscal e se aliar a partidos de centro. Do outro, o PSDB foi desencorajado a mover-se demais para a direita, a ponto de abandonar suas pautas sociais. Mas, na sequência dos governos Lula, o PSDB perdeu competitividade eleitoral. Não conseguiu renovar sua agenda de políticas após a estabilização e se deslocou para a direita. Sem partidos com capacidade de competir com o PT, ele se tornou o partido dominante. O confronto positivo pela presidência mostrou sinais de fadiga eleitoral com a reeleição de Dilma Rousseff. Frustrou-se a esperança de rotatividade no poder dos que se opunham ao PT, e o ciclo de polarização democrática, funcional, iniciado em 1994, rompeu-se. Com a vitória de Bolsonaro, em confronto radical com o PT, o PSDB foi retirado da disputa eleitoral de forma avassaladora. Na Câmara, ficou um partido pequeno. No Senado, só manteve alguma relevância porque houve renovação de apenas um terço dos senadores. O partido, que foi protagonista central da política brasileira entre 1994 e 2018, contenta-se, hoje, em abrigar em seus quadros alguns dos principais viabilizadores do governo Bolsonaro.

A disposição de Bolsonaro de empurrar o PT para o outro extremo e usar a polarização radicalizada em seu benefício é muito clara. As milícias digitais raivosas, orientadas por pessoas muito próximas ao gabinete presidencial, não deixam dúvida de que o objetivo é eliminar do jogo político todos os que são vistos como do "outro lado". Lado que identificam com o PT, embora os ataques se dirijam também a forças estranhas a ele, classificadas como "globalistas", "comunistas", ou "terroristas". O PT também tem alas extremadas que inspiram milícias digitais muito agressivas, a ofender e desqualificar setores democráticos e, inclusive, progressistas que se opuseram aos seus governos, praticamente identificando-os com o bolsonarismo. Mas o PT, como ator institucional, sempre respeitou os limites democráticos, ao contrário de Bolsonaro e seus apoiadores. A democracia estará sob risco se esta polarização extremada persistir. A clivagem central neste momento se dá entre democracia e autoritarismo, civilização e barbárie. O inimigo principal é o autoritarismo e a defesa da suspensão da ordem constitucional, da censura, repressão e tortura. Neste caso, todos os setores democráticos precisariam cooperar, independentemente de suas divergências políticas, para interromper a polarização extremada e criar espaço para uma nova polaridade estritamente democrática. Afastada a ameaça autoritária, poderiam redefinir os polos e retornar ao confronto positivo e democrático.

A polarização extremada tende a vazar para as ruas e provocar vagas humanas que misturam grupos sociais, gerações e ressentimentos muito diferentes entre si. São capazes de união apenas no ódio ao outro lado. Não formam o amálgama de movimentos sociais duráveis e coerentes que levem ao realinhamento das forças políticas, menos ainda a revoluções sociopolíticas. São mobilizações que se dão por contágio e tendem a ser efêmeras, violentas e ressurgentes.

No campo das soluções estruturais, estão todos sem rumo. Os liberais e os "livre-mercadistas" não veem além da austeridade permanente. Sem um programa consistente de políticas sociais compatíveis com as limitações e consequências deste momento singular de transformações, o aperto fiscal não resolve. Agrava a crise social, levando a sociedade à fronteira da insurreição. O que os diferencia é que o liberalismo não convive com o autoritarismo e o "livre-mercadismo" admite e se incorpora a ele para manter-se no poder, na ilusão de que poderão implementar sua agenda econômica sem embaraços políticos. Os social-democratas e socialistas preferem negar a crise fiscal do Estado e persistem na defesa de políticas que, além de obsoletas, aumentam os problemas fiscais e pioram a própria crise social. Querem proteger mais os protegidos, enquanto aqueles que estão fora do alcance das redes de proteção existentes e encurtadas pela austeridade permanecem invisíveis tanto para a direita quanto para a esquerda. O resultado mais frequente é a produção de ciclos eleitorais curtos, em que a esquerda está no poder e a extrema direita, à espreita, consegue desalojá-la pela via eleitoral. Mas, como não tem soluções eficazes, sequer entende a natureza estrutural da crise de transição, frustra os eleitores e tende a perder espaço pela mesma via. Este ciclo de polarização ultraradicalizada não é sustentável. Em países com instituições democráticas frágeis, a mera suspeita de que o ciclo eleitoral que levou a direita ao poder se esgotará rapidamente faz seus dirigentes investirem contra as regras democráticas, para mudá-las de modo a se perpetuarem no poder. É o novo padrão de transfiguração de governos democraticamente eleitos em autocracias fechadas.

Austeridade sem fim, muros, fronteiras fechadas, "limpeza" social ou étnica não resolvem os problemas. Criam novos distúrbios e agravam os antigos, além de destruírem os fundamentos civilizatórios e os direitos humanos. Nesse ambiente desconexo, o discurso da intolerância, o hipernacionalismo assentado na promessa de restaurar o "orgulho nacional" e, após a remoção dos "outros", do paraíso para os "seus", encontra espíritos prontos à adesão emocional. Essas emoções fortes, contudo, não duram na massa difusa que, descontente, provoca ciclos eleitorais efêmeros. No limite, concentram-se nos convictos, uma minoria extremista, capaz de polarizar, mas insuficiente para assegurar a duração dos governos que ajudaram a eleger. Os ciclos eleitorais, que levam a vitórias surpreendentes, como as de Trump, Macron, Bolsonaro, alimentam a instabilidade geral. Plebiscitos e referendos com resultados inesperados, como no caso da Brexit, geram mais impasses que soluções, elevam os riscos e as incertezas. Mudanças nas estruturas profundas como as que atravessamos desorganizam antes de reorganizar. Geram perturbações sociais em tempo real e criam condições para a emergência de novos modos de organização econômica, social e política a prazo, após muita tentativa e erro. Vivemos das experimentações e dos imprevistos. Daí não ser difícil prever que as instabilidades continuarão a afligir o mundo nos próximos anos e serão mais que ocasionais. O mundo em metamorfose, contudo, está a produzir incessantemente novos meios, originais e poderosos, ainda que imprecisos neste estágio, que nos permitirão escrever histórias do porvir muito diferentes da historiografia de nosso passado. Se as forças democráticas não entenderem este momento desconstituinte da ordem social vigente, não conseguirão proteger a democracia das massas enfurecidas.

Nosso presente contém a cada dia mais futuro e menos passado. O passado se dissolve em nosso presente e terá participação ínfima em nosso destino. Quanto mais futuro nosso trajeto contiver, mais em aberto ficará. Ao longo do século XX, o que estava à nossa frente continha muito do que já havíamos vivido. A determinação histórica teve papel muito maior no século XX do que terá no XXI. O que temos diante de nós é o poder de desenhar o mapa de nosso futuro. Somos gerações muito mais independentes das determinações de nossa vida social pretérita, desafiadas a escrever um futuro inédito. Esse panorama nos alerta para o perigo das más escolhas coletivas e individuais. O Brasil não tem se preparado para esta travessia. Como disse poética e precisamente Roberto DaMatta, "países não cruzam baías, mas oceanos históricos. Em mares nunca dantes navegados, eles precisam de bons pilotos". E bons pilotos é o que não temos tido recentemente. É nesse contexto de um oceano histórico ainda não navegado, de águas turvas e turbulentas, que o Brasil passou por uma ruptura político-eleitoral que ameaça sua democracia. Os erros de todos os setores da política brasileira desaguaram na eleição de um piloto inexperiente e sem os atributos mínimos necessários para conduzir o país em condições rotineiras, quanto mais neste de oceano de ondas gigantes de mudança. Ao contrário, ele pretende dar um cavalo de pau e levar o país para um passado quimérico, que pode representar atraso suficiente para que o país corra o risco de fracassar como nação no século XXI. Governantes incidentais fazem apostas extremas. Nada têm a perder, senão o governo, no qual se sustentam precariamente, apoiados em atitudes autoritárias e maiorias incertas.

Este é o espírito dos tempos. Sociedades fragmentadas, sistemas político-partidários crescentemente disfuncionais. Quanto mais aumentam os sinais de crise, mais o povo reage movido pela insegurança e pelo medo. Tornou-se temerário fazer previsões. Das eleições têm saído, com alta frequência, governos incidentais e maiorias vacilantes. Quando há maioria. Não são poucos os governos que se aproximam da sociopatia e do delírio. Mas tenho esperanças, sempre, porque, embora o ecossistema sociopolítico perturbado tenda a gerar surpresas desagradáveis, contém elementos emergentes que podem levar a rupturas benignas. Não é um cenário impossível, nem mesmo improvável. Num mundo onde o imprevisto é o novo normal.

Pós-escrito: Pandemia, o choque inesperado

A notícia chegou de repente e mudou nossas vidas por completo, em todo o mundo, quase em simultâneo. Resultado do manejo displicente e predatório da natureza, um novo coronavírus migrou do organismo de animais silvestres para o humano. Como todo elemento exótico, ao se adaptar ao novo hospedeiro, sofreu mutações que o fizeram muito perigoso, com altíssima capacidade de propagação por contágio e alta letalidade. Sua principal via de espalhamento são as gotículas que dispersamos ao falar, tossir ou espirrar, que saem de nossa boca com elevada carga viral. Uma expiração tóxica que pode ser fatal.

Além de invisível, o vírus provoca uma doença de longo tempo de incubação, entre sete e catorze dias, assintomática ou com sintomas tão leves que podem passar despercebidos. Vem daí sua periculosidade. As pessoas infectadas transmitem o vírus sem saber, em escala geométrica. Por causa dessas características, gerou rapidamente uma pandemia global. A doença surgiu na China, em Wuhan, capital da província de Hubei, e espalhou-se veloz por este mundo globalizado, transformando-se em terrível pandemia.

Sabemos quase nada sobre o novo tipo de coronavírus que ganhou o nome de SARS-CoV-2. Menos ainda sobre a doença que provoca, uma síndrome respiratória severa e aguda conhecida por covid-19. Os seres humanos reagem a ela de modos tão variados que não temos ainda condições de detectar padrões. Faltam-nos dados suficientes e pesquisas adequadas. Conhecimento que só teremos após a pandemia passar por completo e se comportar mais como uma influenza que ressurge anualmente em surtos sempre de alguma gravidade. Não é mistério, porém, o que permitiu sua migração para o organismo humano. Foi a invasão descuidada do ambiente natural pelo ambiente humano. O provável ponto de origem foi uma feira de frutos do mar que misturava pescados e carcaças de caça ilegal de animais silvestres. O coronavírus foi identificado em morcegos comuns ou pangolins (*Manis javanica*) importados ilegalmente para a província de Guangdong. A origem específica é ainda um mistério para a ciência. Ao entrar no corpo humano, o vírus sofre mutação adaptativa (seleção natural), que o transforma em um agente altamente infeccioso e bastante letal. As consequências sanitárias e humanas da pandemia são devastadoras.

O impacto econômico foi quase imediato. Quando a doença começou a se propagar por Wuhan, o governo fechou toda a província e a isolou do resto do país e do mundo. Hubei é uma das regiões mais importantes para a produção de eletrônicos. A economia mundial depende de cadeias de suprimentos globalizadas e várias delas têm elevada concentração de hubs na China, seja para fornecimento de peças e componentes, seja para montagem de produtos finais. A paralisação total da produção na província de Hubei freou bruscamente vários setores da economia chinesa e do mundo, inclusive dos Estados Unidos e da Alemanha, duas outras máquinas fundamentais da economia globalizada. Setores da indústria brasileira também tiveram que parar por falta de peças e componentes. Grandes redes de lojas americanas, operando centenas de lojas na China, como McDonald's e Apple, interromperam suas operações, afetando sua receita e, consequentemente, sua capacidade de investimento.

Máscaras e outros equipamentos de proteção individual escassearam rapidamente. Faltaram até mesmo para o pessoal de saúde, em cujo meio as taxas de infecção e óbito têm sido muito altas nos países mais afetados. Houve, também, dificuldade para fornecimento de ventiladores adicionais para a demanda que cresceu muito subitamente, com a necessidade de respiração mecânica para os numerosos pacientes na fase mais grave da covid-19. A escassez não atingiu apenas países pobres ou emergentes. Nos Estados Unidos, Donald Trump chegou a embargar compras desses equipamentos por outros países encomendadas à China, mas em trânsito pelos portos americanos. Além disso, proibiu empresas, como a 3M, de vender essas mercadorias para qualquer outro país. Estados ricos, como o de Nova York, enfrentaram deficiência de suprimento em seus hospitais.

Ficou clara, também, a desvantagem associada à inexistência de um sistema público de hospitais dedicados ao tratamento intensivo em emergências coletivas. Centros de terapia intensiva são caros, exigem alto investimento e capital físico e humano, e a permanência prolongada em UTIS não compensa economicamente. Por isso hospitais privados mantêm um número relativamente reduzido deles, destinados, fundamentalmente, ao tratamento intensivo de curta duração. Esta é uma das razões que diferenciam os Estados Unidos da maioria dos países europeus. A existência de uma rede de cobertura médica pública faz toda a diferença em momentos como este. Mesmo naqueles países onde as redes públicas existem e são extensas mas foram debilitadas pelos programas de austeridade, atuaram para mitigar as perdas de vidas na emergência coletiva. Sem elas, o quadro, na visão dos epidemiologistas, seria ainda pior.

A pandemia está sendo um teste duro para os governos. Os governantes incidentais se saíram muito mal. A gravidade da pandemia de covid-19 tem acompanhado a qualidade e a estabilidade da governança no mundo. Países com governantes incidentais incapazes de equilibrar o processo político, governos fracos, minoritários, líderes que desprezam os alertas da ciência para manter seus planos políticos sofreram mais agudamente as consequências do descontrole do avanço da pandemia. Seus governos não foram capazes de responder prontamente, os hospitais ficaram lotados e o sistema de saúde entrou em colapso. Os três piores casos de associação entre mau governo e virulência da crise pandêmica foram Itália, Espanha e Estados Unidos. O mau resultado da governança deficiente é irreversível e ficará registrado na história. No outro polo, da boa governança de governantes responsáveis e efetivos, estão os casos de maior sucesso no controle da epidemia, como Coreia do Sul, Alemanha, Portugal e Nova Zelândia. O contraste entre a forma errática com que Donald Trump tratou a pandemia, a inação inicial de Boris Johnson e a resposta assertiva de Angela Merkel ficou evidente na comparação do impacto da doença em seus países. O mesmo é verdade para Itália e Espanha, que se tornaram palcos de uma tragédia espantosa, em comparação com Portugal, que conseguiu moderar significativamente o quadro pandêmico no país. A Nova Zelândia se tornou modelo de eficácia na pronta resposta à pandemia, conseguiu praticamente se blindar contra a covid-19 e estancar por completo sua propagação interna.

Na Itália, o sistema político nunca se recuperou do escândalo de corrupção que levou ao fim do sistema partidário do pós-guerra. Pouco antes da chegada do coronavírus, havia saído de um governo de coalizão de direita entre o M5S, um partido contra o sistema, e a Liga, ultranacionalista de extrema direita, para uma coalizão multipartidária de centro-esquerda, encabeçada pelo M5S e pelo Partido Democrata, de orientação social-democrata. Reuniu ainda o LeU, um grupo parlamentar de esquerda, e o Italia Viva, de centro. Uma aliança entre parceiros que se estranhavam até a véspera, com a motivação central de impedir a chegada ao poder do líder populista ultradireitista Matteo Salvini. Mudou o centro da coalizão e manteve o mesmo primeiro-ministro, por falta de alternativa. O segundo governo de Giuseppe Conte não foi capaz de liderar com prontidão e energia a reação à chegada da pandemia.

O ponto de entrada do vírus na Itália foi a cidade de Milão. Seu prefeito, Giuseppe Sala, outro governante incidental, desprezou o perigo que o vírus representava e recusou-se a decretar o isolamento. Adotou o slogan dizendo que a cidade não podia parar. O resultado das fragilidades do governo, da procrastinação da prefeitura milanesa e das dificuldades de articulação entre os governos locais e o governo nacional, típica do modelo político italiano, foi trágico. Em questão de semanas a doença estava fora de controle. Conte decretou o lockdown, porém já como uma resposta desesperada. O sistema de saúde entrou em colapso. Os médicos viram-se rapidamente diante da escolha macabra entre a quem tratar e dar uma chance de sobreviver e a quem deixar por conta própria para morrer. São um tipo atualizado de *morituri*, os que vão morrer — conforme Settembrini, o inesquecível personagem de *A montanha mágica*, chamava com cáustica ironia os tuberculosos internados no fictício sanatório internacional de Berghof, em Davos. Conte conseguiu ganhar apoio social com a transparência e a solidariedade com que administrou o bloqueio total. Tal guinada deu ao primeiro-ministro mais força para continuar a gestão da crise e comandar a recuperação pós-isolamento.

O vírus chegou à Espanha e encontrou uma sociedade politicamente fragmentada, incapaz de produzir maiorias claras, mesmo após quatro eleições em três anos. O governo de esquerda, liderado por Pedro Sánchez, apoia-se numa frágil coalizão entre o tradicional PSOE, o novo Unidas Podemos e algumas pequenas legendas. Conseguiu a investidura com uma fina maioria de 167 votos contra 165, obtida com muita dificuldade. Não foi capaz de responder em tempo e adequadamente ao desafio imposto pelo coronavírus, embora tivesse duas semanas à frente em relação à Itália. Atrasou a decisão de estabelecer o isolamento social e só testou os que deram entrada no sistema de saúde. O resultado foi a perda de controle da progressão da doença e a adoção de medidas "heroicas", mas que não conseguiram deter o seu avanço e levaram ao esgotamento da capacidade de atendimento do sistema de saúde. De qualquer forma, o primeiro-ministro Pedro Sánchez, ao assumir o comando da resposta à emergência, conseguiu elevar sua aprovação pela opinião pública, fortalecendo sua posição junto ao parlamento.

Quando a pandemia aportou em Portugal, já havia precedentes a seguir. O país tem um governo majoritário, recém-aprovado nas urnas pelo desempenho da "geringonça", e aproveitou a experiência europeia com o vírus, seguindo as linhas de ação mais bem-sucedidas. Portugal tem um sistema de saúde nacional que cobre toda a população independentemente do nível de renda. O governo português seguiu a recomendação da Organização Mundial da Saúde de tentar testar ao máximo a população. Além disso, adotou medidas de prevenção com base nos resultados dos testes. A boa governança da pandemia produziu resultados muito positivos, na redução tanto do número de casos quanto no de mortes.

No Reino Unido, Boris Johnson, um dos governantes incidentais que chegaram quase por acaso ao poder, decidiu, de início, deixar a epidemia seguir seu curso natural, até alcançar a "imunidade de rebanho" — em outras palavras, esperar que a imunização de grande parte da população, após ser infectada, levasse ao declínio do contágio. A decisão foi confinar apenas os idosos, como o presidente brasileiro, outro incidental, quis fazer e não conseguiu. Foi um modelo epidemiológico do Imperial College que mudou a convicção de Johnson. Ele mostrava que o cenário derivado da política de deixar a doença seguir seu curso levaria à morte de mais de 500 mil bretões. Deixou de só testar casos graves e passou a fazer testes em maior quantidade. A aplicação de testes, todavia, só ganhou ímpeto depois que o próprio Johnson foi internado, diagnosticado com covid-19. O Reino Unido não foi capaz de reduzir na medida necessária a velocidade do contágio para aliviar a pressão sobre o NHS, o sistema nacional de saúde. A taxa de mortalidade, medida por óbitos/casos confirmados, ficou próxima à da Itália.

A doença desembarcou nos Estados Unidos pela Costa Oeste, na Califórnia, onde teve pronta resposta. Na Costa Leste, chegou pelo icônico aeroporto internacional JFK, de Nova York. No dia 26 de fevereiro, constatou-se a transmissão social do vírus na Califórnia. Em 16 de março, as autoridades dos dezessete condados da San Francisco Bay Area assinaram a ordem para o "abrigo em casa". No dia 19, o governador do estado, Gavin Newsom, estendeu o confinamento residencial a toda a California. O contraste com a atitude dos governantes da cidade e do estado de Nova York é notável. O primeiro caso de contágio social foi detectado em Nova York, em 3 de março. O governador Andrew Cuomo e o prefeito Bill de Blasio prometeram pronta ação, mas não cumpriram a promessa em tempo. Alguns dias depois, um segundo caso foi detectado no subúrbio nova-iorquino de New Rochelle. Soube-se que o paciente passou por circuitos altamente populosos de Manhattan, no horário em que as calçadas ficam abarrotadas de pessoas andando apressadas em todas as direções. As autoridades do estado e da cidade concentraram seus esforços no subúrbio, deixando desatendido o centro nervoso metropolitano que é Manhattan. O prefeito disse que avisaria a população quando fosse a hora de mudar de comportamento. O governador não poupou arrogância e disse que o melhor sistema de saúde do planeta estava em Nova York. O "abrigo em casa" e o fechamento das lojas só foram determinados no dia 22 de março. Quando o aviso de lockdown chegou, o melhor sistema de saúde do planeta já estava próximo da exaustão e a doença se espalhava sem controle pela população. A diferença entre a qualidade da resposta governamental na Califórnia e em Nova York apareceu nos números locais da pandemia. De acordo com dados levantados pela Universidade Johns Hopkins, Nova York teve, até o final de abril de 2020, doze vezes mais mortes que a Califórnia.

Donald Trump desdenhou da doença, que caracterizou, inicialmente, como "*a common flu*", um resfriado comum. Recusou-se a tomar medidas de contenção. Caiu no negacionismo característico de seu perfil anticientífico. O país é uma federação bastante descentralizada, mas ainda depende de ação cooperativa e enérgica da presidência em casos de prontidão para calamidades. Principalmente as emergências biológicas contam com um sistema bastante robusto de pronta resposta, centrado no Centers for Disease Control and Prevention (CDC), uma agência federal com os melhores recursos técnico-científicos para esse tipo de ameaça. Trump desprezou vários de seus alertas, até que o progresso da doença na Europa atingiu vulto suficiente para assustar o mais empedernido dos negacionistas. O estudo do Imperial College de Londres, que impressionou o primeiro-ministro britânico, também ajudou a persuadir Trump a mudar de atitude. Ele mostrava um cenário dantesco para os Estados Unidos, com perto de 2 milhões de mortes, se a covid-19 seguisse seu curso natural. Antes que a pandemia estivesse controlada, Trump passou a insistir na necessidade de reabrir a economia do país até o mês de maio de 2020. Os especialistas alertaram para o perigo dessa decisão, que reacendeu o conflito federativo. Os sete governadores da Costa Leste criaram um comitê técnico-científico para decidir quando e como iniciar o relaxamento do bloqueio total e já anunciaram que não seguirão na velocidade desejada pelo presidente. O mesmo fizeram os três governadores da Costa Oeste, para planejar a "reabertura incremental" da economia. Trump não tem comportamento estável. Vai e volta nas atitudes diante da crise. Gera insegurança ao país e a seus auxiliares.

O Brasil segue a trajetória dos Estados Unidos. Bolsonaro sempre copia Trump. Criou enorme confusão com o que tratou, durante a maior parte do tempo, como um "gripezinha". Estimulou as pessoas a romperem a recomendação de isolamento social. Ele próprio jamais respeitou as recomendações de "distanciamento social" das autoridades médicas. Bolsonaro tentou desacreditar sistematicamente as orientações do ministro da Saúde, em linha com a OMS, sobre a necessidade de distanciamento social. Demitiu o ministro nomeado para o cargo desde o início do governo. Seu sucessor pediu demissão antes de completar um mês no cargo, por não aceitar tomar decisões que contrariavam as orientações médico-científicas. Para seu lugar, Bolsonaro nomeou interinamente um general, que militarizou todos os postos de comando do ministério. Governadores, em todas as regiões, responderam com muito mais rigor à ameaça da pandemia. Mas a centralização do federalismo brasileiro confere tamanha hegemonia econômico-financeira à União que os governadores e prefeitos não conseguem executar as competências que a Constituição lhes dá, sem o apoio federal.

A personalidade impulsiva e autoritária de Bolsonaro o incapacita para mudar suas opiniões de acordo com o desenrolar da realidade. O presidente fechou seu circuito mental na politização da pandemia. Entrou em competição com os governadores de orientação mais à direita do Sudeste, João Doria e Wilson Witzel, que ele vê como seus adversários eleitorais em 2022. Opôs-se à linha de ação que eles adotaram, a despeito de seguirem as recomendações do consenso dos epidemiologistas do país e do mundo, e criou obstáculos à cooperação interfederativa.

Trump e Bolsonaro operam movidos a confronto com inimigos que eles próprios criam para desviar a atenção de suas incapacidades pessoais e manter mobilizada a militância. O último inimigo selecionado pelo americano foi a Organização Mundial da Saúde. Ele atribuiu seu próprio negacionismo inicial à má informação disseminada pela OMS sobre a China. Só acredita nele a facção iludida pelas quimeras ideológicas que os reuniu. Bolsonaro elegeu os governadores, principalmente de São Paulo e do Rio de Janeiro, como inimigos-alvo. O brasileiro é um dos poucos governantes que ainda se mantém na negação da gravidade da pandemia. Ele também lançou dúvidas sobre a OMS.

Países grandes, como a China, e de federalismo extenso, como os Estados Unidos e o Brasil, podem enganar quem examina o avanço da pandemia superficialmente e ficar vulneráveis diante do baixo nível de compreensão da realidade mais complexa por governantes como Trump e Bolsonaro. As autoridades chinesas tiveram que adotar novas medidas de controle de fronteiras depois que Wuhan já havia sido reaberta, porque detectaram uma nova onda da pandemia na província de Heilongjiang e na Mongólia interior, na região nordeste do país. Países com essas características podem passar por várias ondas, regionais, cada uma com seu tempo para chegar ao pico. Governantes com tendências centralizadoras e pouca visão do mosaico de situações podem colocar os seus países em risco.

A Alemanha, que tem um governo sólido e uma liderança efetiva e confiável, foi capaz de responder prontamente à ameaça do coronavírus. Angela Merkel pôs a ciência no comando da ação governamental. Conseguiu controlar a pandemia e reduzir a mortalidade de forma significativa. Foi o primeiro país a desenvolver um kit de teste genético para o coronavírus. Quanto o inimigo desembarcou na Europa, os hospitais alemães tinham estoque suficiente de kits para testar casos suspeitos e promover o isolamento social de forma muito mais eficaz, focalizando os infectados. A mitigação da velocidade de espalhamento e contágio do vírus permitiu aos hospitais atender até mesmo pessoas com sintomas leves. O tratamento precoce permitiu considerável redução da mortalidade. Segundo os números compilados pela Universidade Johns Hopkins, até o final de abril o país registrou nove vezes menos mortes que os Estados Unidos e cinco vezes menos que a Itália.

A jovem primeira-ministra neozelandesa, Jacinda Ardern, ficou conhecida em todo o mundo pela maneira humana e compassiva como reagiu ao brutal ataque à mesquita de Christchurch, em março de 2019, no qual morreram 51 pessoas. Quando chegou a notícia da pandemia, ela agiu do mesmo modo, com muita rapidez e rigor. Determinou o imediato lockdown em todo o país, admitiu com toda a franqueza que seria longo e difícil e mostrou empatia, solidarizando-se com seus concidadãos. Argumentou pacientemente, em mensagens seguidas, em favor do confinamento como a única medida que a ciência indicava como efetiva para controlar a pandemia. Obteve a adesão dos descontentes e estabeleceu como desafio não apenas mitigar o progresso da covid-19, mas extinguir a doença na Nova Zelândia antes mesmo de se ter uma vacina. Os números da Nova Zelândia, até o final de abril, eram tão mais baixos que nem são comparáveis aos do resto dos países.

A pandemia de covid-19 foi, sem dúvida, a mais significativa e desafiadora experiência de liderança política até agora no século XXI. Trump e Bolsonaro não convenceram e perderam a confiança da opinião pública. A aprovação de Trump subiu quando ele começou a agir na coordenação do combate federal à pandemia, mas caiu ao demonstrar desconforto com o isolamento social e entrar em confronto com os governadores. Bolsonaro manteve sua baixa avaliação popular. Nenhum dos dois foi capaz de empatia com as pessoas que sofriam com a doença, as mortes e as agruras do isolamento social. Reagiram com frieza e mostraram mais preocupação com a economia e as empresas do que com as pessoas. Trump deu seguidas manifestações de querer o reconhecimento de um poder absoluto, que não tem nem pode ter em uma democracia republicana. Bolsonaro também buscou o tempo todo afirmar uma autoridade sem contrastes, a ponto de confundir-se com a própria Constituição. Falando para sua claque em frente ao Palácio da Alvorada, Bolsonaro disse que "o pessoal geralmente conspira para chegar ao poder. Eu já estou no poder. Eu já sou o presidente da República". Depois, completou, "eu sou, realmente, a Constituição". Ambos têm sido contidos nas suas investidas autoritárias pelo sistema de freios e contrapesos que levam aos limites de resistência. Mas Trump conseguiu suspender a imigração legal, pela emissão de Green Cards, alegando proteger o emprego dos americanos. É temporário, mas há preocupação de que tente tornar a decisão permanente. Bolsonaro tem feito várias investidas autoritárias, tentando centralizar mais poder em suas mãos. Tem aproveitado que o foco da atenção pública está fechado na pandemia para tomar decisões que gerariam grande reação negativa e seriam imediatamente judicializadas em condições normais. Reduziu, por exemplo, a proteção da mata atlântica e dos povos indígenas isolados, decisões essas feitas por portarias, uma ministerial e outra da chefia da Funai, que em muito extrapolam a competência de ambas as instituições. Viktor Órban, na Hungria, que já havia neutralizado os amortecedores institucionais aos excessos do governante, aproveitou a crise para aprofundar o autoritarismo em seu país. A mais danosa à democracia foi ter logrado usar a pandemia como pretexto para assumir controle da imprensa, que já não pode mais atuar com liberdade.

A qualidade da governança e a funcionalidade do sistema político fizeram grande diferença nas respostas das nações à pandemia. Calamidades coletivas, que requerem prontidão e eficácia, representam um teste extremo para a liderança política e para a democracia.

A REDESCOBERTA DO LEGADO PROGRESSISTA

Além da qualidade da governança, um dos principais recursos para atendimento das vítimas da covid-19 é o legado das políticas progressistas anteriores aos regimes de austeridade nos diferentes países. Nos Estados Unidos, esse legado é incipiente. A provisão de saúde é majoritariamente privada. Só muito recentemente, com o chamado "Obamacare", o seguro-saúde foi estendido à população de mais baixa renda. O National Health System (NHS) no Reino Unido, o SUS brasileiro, o seguro universal e compulsório de saúde da Alemanha e a rede de hospitais públicos e cobertura gratuita de acidentes e outras emergências da Nova Zelândia são exemplos que se destacaram na crise atual. Muitos sofreram reduções e perdas com as políticas mais conservadoras e privatistas. Mas o que restou é, hoje, o recurso decisivo para salvar vidas.

O resgate do legado progressista, indispensável para salvar vidas das vítimas da covid-19, deu um novo alento à vida comunitária. Ao lado de uma onda de solidariedade e empatia, em que o valor do outro se ampliou na proporção do sentimento de solidão, os recursos acumulados pelos governos mais progressistas revalorizaram a responsabilidade pública com os comuns. Poucos serão aqueles que continuarão a dizer, nos países com sistemas públicos de saúde ainda minimamente funcionais, que a saúde pública é ineficiente e ineficaz e deve ser substituída pela provisão privada.

O SUS tem como princípio a universalização da saúde, o controle social e a garantia, pelo Estado, de acesso universal e igualitário a serviços de saúde. Sua concepção original foi exposta no relatório da 8ª Conferência Nacional da Saúde, presidida por Sérgio Arouca, então presidente da Fiocruz e um dos maiores especialistas brasileiros em medicina social. Foi a Constituição de 1988, marco da redemocratização do Brasil, que, inspirada nesse relatório, consagrou o direito universal à saúde e criou o Sistema Único de Saúde. Em 1990, lei complementar regulamentou o SUS, que foi consolidado na gestão de José Serra no Ministério da Saúde, no governo de Fernando Henrique Cardoso, quando foram criadas a Agência Nacional de Saúde Suplementar e a Agência Nacional de Vigilância Sanitária. Ainda nesse período teve início o programa de combate à aids, um padrão de referência internacional, e foram aprovadas a lei de incentivo a medicamentos genéricos e a isenção de impostos federais para medicamentos de uso continuado.

O primeiro-ministro britânico, Boris Johnson, que acabou vitimado pela covid-19 e teve que ser tratado na unidade de terapia intensiva do Saint Thomas Hospital, em Londres, disse não haver dúvida de que sua vida foi salva pelo sistema nacional de saúde. O NHS foi criado em 1948, na gestão de Aneurin Bevan no Ministério da Saúde do gabinete Trabalhista de Clement Attlee. A ideia central partiu de William Beveridge, um pensador reformista, ligado ao então Partido Liberal, que teve, além dele, outras figuras icônicas como John Stuart Mill, John Maynard Keynes e William Gladstone. O sistema de bem-estar britânico após a Segunda Guerra Mundial nasceu do Relatório Beveridge de novembro de 1942, um marco na história das políticas sociais do mundo contemporâneo. Era o Partido Liberal que polarizava então com o Partido Conservador. No pós-guerra, o Partido Trabalhista tomou seu lugar na concorrência para formação dos governos do Reino Unido. No período da primeira-ministra Margaret Thatcher, o NHS foi parcialmente privatizado. O sistema foi proibido de manter a gestão dos hospitais e passou a comprar os serviços médicos no "mercado interno", criado para esse fim. O novo arranjo passou a ter duas pontas: os "compradores" e os "fornecedores" dos serviços de assistência médica. No governo de Tony Blair, nova regulamentação salvou o sistema da trajetória de declínio e estabeleceu que ele deveria atender 98% dos casos de acidentes e emergência. A exigência foi posteriormente reduzida para 95%, no governo de coalizão entre os Conservadores e os Liberal-Democratas tendo à frente David Cameron. Nos governos Conservadores que o sucederam, aumentou a brecha entre os recursos que o NHS recebia e a demanda por seus serviços. Na pandemia, o NHS está provando que é essencial e, agora, tem a própria experiência do primeiro-ministro para demonstrá-lo.

Os sistemas de saúde de Itália e Espanha estavam frágeis também em função das políticas de austeridade impostas aos dois países pelo consenso fiscalista da União Europeia e mantido com mão de ferro pelos alemães, sua principal força econômico-financeira. O domínio econômico-financeiro se traduz, claro, em poder político. No caso das políticas de austeridade, o rigor defendido pela Alemanha prevaleceu e afetou duramente países como Grécia, Itália, Espanha e Portugal. Portugal, como mostrei, uniu-se contra a austeridade e encontrou uma solução progressista para ela.

A Alemanha, apesar de sua obstinada visão fiscalista, não sucateou seu mais que centenário sistema de saúde pública em nome da austeridade. Ao contrário, ele foi preservado. Os alemães têm hoje um sistema de saúde pública de primeira linha, entre os melhores da Europa, senão o melhor. Foi o primeiro sistema de cobertura universal estabelecido no continente, criado por Otto von Bismarck em 1883. No pós-guerra, inspirou outros sistemas de assistência médica na Europa. Com o crescimento de governos social-democratas e socialistas, muitos seguiram o exemplo alemão. Na reunificação, nos anos 1990, o seguro-saúde obrigatório foi estendido à população da ex-Alemanha Oriental. Mesmo tendo passado por várias reformas, é notável o elevado grau de continuidade estrutural do sistema.

O lado sombrio da austeridade sem critérios sociais ficou evidente para todos. Ela desguarneceu as sociedades de equipamentos de emergência médica. Debilitou os hospitais públicos. Reduziu os centros de terapia intensiva. Desfez as redes de proteção social. Com a pandemia e a parada econômica determinada pelo isolamento, o que se precisava era exatamente de hospitais públicos bem aparelhados e com pessoal suficiente, CTIs e ventiladores, bem como da rede de proteção social para apoiar aqueles que ficaram sem renda ou sem emprego. O valor deste patrimônio público ressurgiu, após anos de desprezo e cortes orçamentários, em nome do superávit fiscal a qualquer custo e sem escalas de prioridade. O pensamento fiscalista dominante mirava apenas a solvência estatal, sem noção da necessidade de manter a robustez de serviços públicos insubstituíveis pelo mercado. A austeridade destruiu o patrimônio público do qual agora a vida de todos depende, em maior ou menor grau.

É muito provável que no pós-pandemia a opção pela austeridade deixe de ser politicamente viável. Não significa que haverá uma tendência a abandonar a saudável responsabilidade fiscal. Os limites ao gasto público impostos pelo capitalismo com hegemonia do capital financeiro globalizado persistirão. Mas as sociedades demandarão que os governos passem a considerar como prioridade irreprimível o investimento de natureza social e a manutenção dos equipamentos públicos essenciais.

No Brasil, além disso, boa parte daqueles setores invisíveis às minguadas políticas sociais do governo se tornou tragicamente mais visível. São mais vulneráveis à doença e à perda de renda determinada pelo isolamento social e consequente fechamento das atividades econômicas não essenciais. Não poderão mais ser desconsiderados e provavelmente passarão a ter maior representação. Sob esse aspecto, antes mesmo de a pandemia atingir os Estados Unidos, Bernie Sanders já havia saído vitorioso no debate sobre a prioridade social dos Democratas. A plataforma Democrata estava próxima demais do centro Republicano, a ponto de ficar indiferenciada. Agora o partido teve que ampliar sua agenda, para acomodar não apenas a ala representada por Bernie Sanders, Elizabeth Warren e Alexandria Ocasio-Cortez, bem como boa parte das propostas do Green New Deal, mas também para contrastar com a direita Republicana que aderiu a Trump. O desafio de Joe Biden como candidato Democrata será mostrar que pode dar respostas mais firmes e efetivas do que Trump ao eleitor ansioso e consternado com a pandemia e suas consequências.

O papel crucial do Estado no campo social e na regulação das atividades será resgatado na maioria dos países. Ele fez muita falta nesta crise, em todos os países que o abandonaram. O setor privado e as seguradoras terão que considerar de outra maneira as emergências e o grau de cobertura que oferecem à população que pode pagar.

A REVALORIZAÇÃO DAS REDES SOCIAIS

As redes digitais tornaram-se o meio principal de contato social, suprimento e entretenimento nas longas e solitárias horas passadas em casa durante o isolamento social. As pessoas descobriram o valor da praça digital, do coreto virtual, dos encontros à distância, das compras on-line.

Às vésperas de o isolamento se espalhar por numerosos países, as redes vinham sofrendo fortes críticas por causa da facilidade com que se tornaram canais de fake news e mensagens de ódio e difamação. Parecia que seu lado sombrio abafaria de vez suas possibilidades positivas na democratização da informação e na criação de uma conversação aberta, local e global, entre as pessoas. O isolamento reconciliou as pessoas com as redes e revelou seu lado luminoso, que superou largamente as formas sombrias de uso. Ainda estão lá as fake news, os ataques das milícias digitais com seus bots, os haters. Mas a quantidade de lives, posts e compartilhamento com conteúdo positivo, de qualidade, e a explosão no uso de aplicativos como o Skype e o Zoom, antes recurso mais profissional e corporativo, para encontros virtuais de amigos e famílias predominaram sobre a carga tóxica das redes sociais. Esse novo padrão talvez se consolide o suficiente para evitar o regresso ao domínio da negatividade.

Da mesma forma, é bem possível que o ensino à distância e o trabalho remoto, que aumentaram exponencialmente por necessidade, revelem aos estabelecimentos educacionais e às empresas as vantagens do on-line. Provavelmente parte do que migrou para a webesfera não retornará ao presencial. As consequências sociais e econômicas podem ser muitas. Empresas liberarão quantidade expressiva de metros quadrados ao verem reduzidas suas necessidades de espaço físico, e o mercado imobiliário pode ter que lidar com a queda da demanda por novas edificações e dos preços dos imóveis comerciais. As universidades e as escolas eventualmente desenvolverão mais seus campi virtuais, desafogando os sítios físicos e aumentando sua capacidade de matrícula. O alcance dos melhores professores pode ser exponencialmente ampliado na internet.

O virtual se tornou, em larga escala, virtuoso. A vida on-line passou a ter outro significado. Redes de solidariedade se formaram espontaneamente para ajudar os destituídos e mais frágeis. A conexão virtual foi o principal instrumento contra a solidão.

A SOLIDÃO DO INDIVÍDUO E A REGENERAÇÃO DA EMPATIA

O novo coronavírus criou uma situação sociológica inédita. Nunca tantos países haviam determinado o confinamento domiciliar da população por tanto tempo, quase simultaneamente. Nas guerras e nas calamidades climáticas ou geológicas, as pessoas ficam em abrigos para se protegerem, mas em grupo e por curtos períodos. Nos estados de sítio e emergência, pode haver toque de recolher, a partir de determinada hora do dia e por tempo limitado. Esta situação totalmente nova pôs milhões de pessoas sozinhas em suas casas. O precedente mais próximo foi a pandemia da gripe espanhola dos anos 1918-9. Mas aquele era um outro mundo, do ponto de vista histórico-estrutural. A cidade de Nova York, na época com quase 6 milhões de habitantes, hoje é uma megalópole com quase 20 milhões. Morreram perto de 15 mil pessoas na cidade até o dia 22 de abril de 2020. Na gripe espanhola, houve isolamento, mas apenas dos doentes. As lojas e os estabelecimentos funcionavam em horários alternados para reduzir a aglomeração. No Brasil, adotou-se o isolamento social, como mostrou recentemente a historiadora Heloisa Starling em análise do caso de Belo Horizonte. Mas era outro Brasil. A população urbana representava menos de 30% do total. Em 1940, pouco mais de duas décadas depois da gripe espanhola, a taxa de urbanização do país ainda era de 31,24%.

O confinamento é o único recurso capaz de reduzir o ritmo do contágio e permitir aos sistemas de saúde administrar o fluxo de internações e evitar o colapso. Mostrou a face mais cruel da solidão, a agonia, a morte e o enterro desassistidos. Ao ser adotado, o isolamento encontrou sociedades com um padrão dominante de sociabilidade individualista e consumista. Havia certo orgulho das elites ultraliberais em dizer que as pessoas deviam viver por conta própria, achar no mercado a melhor forma de prover suas necessidades. Claro, os ricos e o alto assalariado podem comprar de tudo no mercado, do status à saúde. Menos quando um vírus que não distingue classes sociais penetra insidiosamente na sociedade, invisível e letal. Ele chegou primeiro nas classes médias e altas, porque são as que viajam mais para outros países. As desigualdades sociais se tornaram determinantes, quando o risco se generalizou com a disseminação comunitária. Embora todos estejam vulneráveis e possam terminar no mesmo corredor de UTI das cidades, os moradores dos bairros mais pobres, em residências menos adequadas, são muito mais vulneráveis. Para eles é quase impossível manter o isolamento social e o peso da perda de renda é desproporcionalmente maior.

O grau de conforto e segurança do confinamento numa ampla casa no subúrbio de Nova York, ou num apartamento de Manhattan, não tem comparação com o que se encontra nas partes mais pobres dos bairros de população negra e hispânica, como o Queens e o Bronx. Há duas diferenças fundamentais. A primeira é que o emprego nos serviços essenciais básicos da cidade é majoritariamente ocupado por negros e latinos. E eles estão mais expostos ao coronavírus porque estão na linha de frente de serviços à comunidade. A segunda é que o sistema de atendimento médico dessas áreas é mais precário e mais sobrecarregado. Claro que os doentes graves podem ser levados para os CTIS de outras partes da cidade, mas não é por acaso que em Nova York e Chicago a maioria dos mortos é de negros ou latinos. Os ricos e brancos estão morrendo também, mas em proporção muito menor. A participação de negros e latinos nos mortos por covid-19, nos Estados Unidos, é muito maior do que sua presença na população total. Em Nova York, por exemplo, de acordo com os dados do New York City Department of Health and Mental Hygiene, nas mortes identificadas e diagnosticadas como decorrentes da covid-19 a taxa por 100 mil habitantes era, entre negros, de 92,3; entre latinos, de 74,3; e entre brancos, de 45,2, no final de abril de 2020.

No Brasil, não há, e dificilmente haverá, informações precisas de óbitos por etnia. Quando a propagação da covid-19 acelerar, alcançará muito mais as desprotegidas populações das favelas e cortiços do que as classes médias e altas. Há indicações, contudo, a partir do exame de registros de infectados, de que a covid-19 é mais letal para os negros. São indícios ainda muito preliminares, mas a ideia subjacente de que essas populações são as mais pobres e as que mais dependem do SUS é um fato já largamente demonstrado pela sociologia da medicina no Brasil. Não há comparação entre o grau de proteção das classes médias e altas do Leblon e das classes médias baixas e baixas da Rocinha. Nas favelas, como Paraisópolis, em São Paulo, e Maré, no Rio de Janeiro, a consciência dessa fragilidade social levou a notáveis iniciativas de solidariedade comunitária. Em Paraisópolis, por exemplo, a comunidade escolheu um responsável por rua para ajudar a encaminhar os doentes para os hospitais e a administrar o isolamento possível, procurando evitar o contágio descontrolado. Na Maré, no Rio, a Frente de Mobilização levantou recursos para os mais carentes, buscou soluções coletivas para as carências derivadas da ausência de Estado, como o compartilhamento de água entre os vizinhos. Instalou-se um processo de autoproteção e autogoverno diante da falta de serviços essenciais. Mas o peso das grandes desigualdades do país é inarredável e terá consequências trágicas.

Passada a pandemia, podem aumentar muito com a descontinuidade precoce dos programas de transferência de renda, sem que a recuperação da economia gere renda suficiente para compensar o fim das transferências. Nas classes médias, embora as pessoas tenham mais recursos correntes e de poupança, muitos estão enfrentando perda parcial ou total.

O confinamento também desafia o individualismo e a autossuficiência inerentes à ideia, até então dominante, de cada um viver por conta própria. Entre quatro paredes, o individualismo é uma prisão numa sala de espelhos. Prisioneiro de si mesmo, a única saída do indivíduo é escapar do jogo narcísico e buscar o outro nas redes sociais. Redescobriu-se a empatia quando todos se viram na situação desse sujeito solitário à mercê de suas frágeis possibilidades. Sentiram na pele o lado infausto de estar entregue à própria sorte, de ter que se virar sem esperar ajuda do Estado ou da sociedade.

O único antídoto à solidão do confinamento foi a rede de encontros que se formou rapidamente na webesfera. O solidarismo em rede salvou vidas e permitiu romper a solidão pela cooperação de pessoas anônimas. Desconhecidos se reconheceram no isolamento e se uniram para rompê-lo. Psicólogos, psicanalistas e psiquiatras oferecem teleatendimentos. Coisas simples, como um aniversário solitário, de repente se transformam em um coral de parabéns saído das janelas de vizinhos que, até aquela hora, mal tinham se falado, se alguma vez trocaram palavras. O exemplo circula rapidamente e se reproduz. Os confinados aplaudem os profissionais de saúde de suas varandas e janelas. Criou-se um novo ritual de despedida, diante da morte e do enterro solitário, quando não anônimo, em vala comum, como aconteceu na Itália e em Nova York. As formas de velório à distância, muitas vezes virtual, são o único recurso dos familiares das vítimas para encontrar algum consolo no adeus a seus entes queridos. Os mortos são velados e celebrados de forma distante e compadecida. A ajuda dos vizinhos é a única alternativa ao desamparo dos que estão em maior risco e sós, como idosos com baixa mobilidade. A empatia por necessidade suplantou, neste momento de aflição coletiva, a indiferença típica do consumismo individualista. A solidariedade surgiu quando todos estão confinados e se dão conta de que de nada lhes valem o individualismo exacerbado, o poder de consumo, as grifes nos armários, o prestígio da carreira diante das UTIS indisponíveis, porque estão lotadas. Não por acaso, caiu o movimento das lojas de grife e aumentou o consumo de horas de internet e o uso de aplicativos de reunião como o Zoom e o Skype em todo o mundo. Os saraus digitais, as apresentações de música, as leituras de livros de poesia ou ficção no Instagram e no Facebook se multiplicaram. Aumentaram também as doações físicas e por meio dos sites de benfeitoria ou vaquinha eletrônica. Ninguém é autossuficiente o tempo todo e em todas as circunstâncias da vida.

Só a ação plural e solidária protege nos momentos de extrema fragilidade da vida humana. As pessoas, nessa solidão implacável, só encontram alento umas nas outras. Foram se abrindo locais de encontro virtual, as pessoas se descobrindo nos chats, enquanto assistiam a uma live musical. São muito variadas as formas de encontro virtual onde se pode trocar dicas de sobrevivência em confinamento prolongado. Quem estava isolado havia mais tempo, em outros países, contou como fez para lidar com o isolamento. Os pontos de conversação digital se diversificaram, propiciando iniciativas de gestão coletiva da crise e de ajuda aos mais frágeis. Diferentes especialistas e interessados passaram a trocar informações, dados e impressões sobre esse evento inédito, que nos surpreendeu a todos. Os pensadores dividiram suas inquietações e esperanças on-line, desinteressados em esperar sair um novo livro ou publicar um novo artigo. Tudo ficou mais urgente e mais interessante; mais perigoso e mais desafiador.

A fragilidade do indivíduo por conta própria confinado em seu próprio espaço e que descobre suas fraquezas, antes compensadas pelo consumo, pelo status e pela autossuficiência, o fez olhar para o outro, sentir necessidade do outro. É uma semente robusta para mudanças comportamentais que podem se consolidar após a pandemia, quando a vida retornar a um novo normal. Não há possibilidade de voltarmos ao que éramos antes. Essa experiência traumática e singular deixará marcas profundas na economia, na sociedade, na política e no comportamento coletivo e individual.

Muitas dessas mudanças devem acelerar e transformar a grande transição estrutural global em curso. A crise do multilateralismo ficou mais evidente. A OMS foi contestada por vários governantes e Trump congelou a cota dos Estados Unidos para seu financiamento. Mas ela mostrou outras fragilidades, como a demora em reconhecer que o mundo estava diante de uma pandemia global.

O capitalismo vai mudar e tende a ficar mais multipolar. A paralisação de cadeias globais de produção pela interrupção de atividades econômicas na China disparou o alerta sobre a principal vulnerabilidade da economia globalizada. A dependência das cadeias de suprimento fundamentais da economia global a hubs na China, seja para suprir peças e componentes, seja para fabricação de produtos finais, tende, inicialmente, a fortalecer a onda nacionalista que analisei no início. Mas nenhum país tem condições de internalizar todos os elos dessas cadeias sem elevar proibitivamente o custo de produção ou o volume de subsídio estatal. Após a retração para a busca de nacionalização da produção, diante da impossibilidade de dotar as economias nacionais de autossuficiência produtiva generalizada, os países se reconciliarão com a economia globalizada. Ela será, muito provavelmente, modificada para promover a diversificação dos hubs das cadeias de suprimento. É o que empresas globalizadas, como a Apple, já estavam fazendo antes mesmo da crise do coronavírus. Ela achava-se em processo de deslocar parte de sua rede de montagem de iPhones para a Índia. Mais países se especializarão como hubs críticos nas redes globais de produção diante da demanda por redução da dependência a um só fornecedor.

A onda nacionalista tende a se mostrar inviável diante do estágio já avançado de globalização da produção. Esta continuará a se aprofundar, porém provavelmente em novas bases, com maior diversificação das redes de suprimento. As mudanças no emprego também podem acelerar. A robotização de mais atividades produtivas e um maior uso de inteligência artificial serão recursos que muitas empresas usarão para garantir sua capacidade operacional, mesmo em emergências que forcem o confinamento da força de trabalho.

O mundo pós-pandemia será muito diferente do mundo de antes dela. Este encontro imprevisto entre a pandemia e a transição estrutural global mudará os rumos e a velocidade das mudanças. O confinamento prolongado pode consolidar alterações de comportamentos, hábitos e padrões de consumo adotados forçosamente na crise. Na política, a pandemia deve enfraquecer a hegemonia fiscalista, redefinindo o paradigma dominante sobre o papel do Estado e reduzindo o espaço da direita populista, que está se desempenhando muito mal na emergência. Os maus governos pagarão em votos sua imprevidência e irresponsabilidade.

Referências bibliográficas

ABRANCHES, Sérgio. "Os ciclos do presidencialismo de coalizão". *Ecopolitica Ensaios*. Disponível em: https://www.academia.edu/6411308/Os_Ciclos_do_Presidencialismo_de_Coalizão

AGUALUSA, José Eduardo. "Os poderosos grilos de Havana". *O Globo*, 11 jan. 2019. Disponível em: https://oglobo.globo.com/cultura/os-poderosos-grilos-de-havana-23363943

ASH, Timothy Garton. "Is Europe Disintegrating?". *The New York Review of Books*, v. 64, n. 1, 19 jan. 2017. Disponível em: www.nybooks.com/articles/2017/01/19/is-europe-disintegrating/

BERNHARD, Michael. "Democratization in Germany: A Reappraisal". *Comparative Politics*, v. 33, n. 4, jul. 2001, pp. 379-400.

BURMILA, Edward. "Empty Calls for Bipartisanship Could Doom Us All". *The Nation*, 16 maio 2019. Disponível em: https://www.thenation.com/article/bipartisanship-trump-authoritarian/

BURUMA, Ian. "When Will it Be too Late to Sound the Alarm on Demagogues?". *The Globe and Mail*, 20 jul. 2018. Disponível em: https://www.theglobeandmail.com/opinion/article-when-will-be-too-late-to-sound-the-alarm-on--demagogues/

CARMENA, Manuela. "Rectificarán sobre Madrid Central, no pueden hacer otra cosa". *El País*, 7 jun. 2019. Disponível em: https://elpais.com/politica/2019/07/06/actualidad/1562437441_877497.html

CASSIRER, Ernst. "The Idea of the Republican Constitution". *The Philosophical Forum*, v. 49, n. 1, primavera de 2018, pp. 3-17.

CASTELLS, Manuel. *Redes de indignação e esperança: Movimentos sociais na era da internet*. Rio de Janeiro: Zahar, 2013.

COLGAN, Jeff D.; KEOHANE, Robert O. "The Liberal Order is Rigged: Fix it Now, or Watch it Wither". *Foreign Affairs*, v. 96, n. 3, maio-jun. 2017, pp. 36-44.

DAMATTA, Roberto. "No doce balanço do mar". *O Globo*, 7 ago. 2019, p. 3.

EDSALL, Thomas B. Edsall. "Will Trump ever Leave the White House?". *The New York Times*, 2 out. 2019. Disponível em: https://www.nytimes.com/2019/10/02/opinion/trump-leave-white-house.html?smid=nytcore-ios-share.

GAY, Peter. *Weimar Culture: The Outsider as Insider*. Nova York/ Londres: W. W. Norton, 2001.

GORDON, Peter E.; MCCORMICK, John P. (Orgs.). *Weimar Thought: A Contested Legacy*. Princeton: Princeton University Press, 2013.

GREENBLATT, Stephen. *Tyrant: Shakespeare on Politics*. Nova York/ Londres: W. W. Norton, 2018.

HAIDT, Jonathan. *The Righteous Mind: Why Good People Are Divided by Politics and Religion*. Nova York: Vintage Books, 2013.

HAWLEY, George. *Making Sense of the Alt-Right*. Nova York: Columbia University Press, 2017.

HESSE, Hermann. *O Lobo da Estepe* [1927]. Trad. de Ivo Barroso. Rio de Janeiro: Civilização Brasileira, 1968.

HETT, Benjamin Carter. *The Death of Democracy: Hitler's Rise to Power and the Downfall of the Weimar Republic*. Nova York: Henry Holt and Co., 2018.

JACOBSON, Gavin. "Aung San Suu Kyi, the Ignoble Laureate". *The New Yorker*, 15 set. 2017. Disponível em: https://www.newyorker.com/news/news-desk/aung--san-suu-kyi-the-ignoble-laureate

KRUGER, J.; DUNNING, D. "Unskilled and Unaware of it: How Difficulties in Recognizing one's own Incompetence Lead to Inflated Self-Assessments". *Journal of Personality and Social Psychology*, v. 77, n. 6, pp. 1121-34, 1999.

LEITÃO, Míriam. *Saga brasileira: A longa luta de um povo por sua moeda*. Rio de Janeiro: Record, 2011.

LUTTIG, Matthew D. "Authoritarianism and Affective Polarization: A New View on the Origins of Partisan Extremism". *Public Opinion Quarterly*, v. 81, n. 4, pp. 886-95, 12 dez. 2017.

MARX, Karl. *Grundrisse: Introduction to the Critique of Political Economy*. Nova York: Vintage Books, 1973.

MASON, Lilliana. *Uncivil Agreement: How Politics Became our Identity*. Chicago: University of Chicago Press, 2018.

MELO, Marcus André; PEREIRA, Carlos. *Making Brazil Work: Checking the President in a Multiparty System*. Nova York: Palgrave MacMillan, 2013.

MENA, Fernanda. "Doença é mais letal entre pretos e pardos que entre brancos". *Folha de S.Paulo*, 11 abr. 2020, p. B1.

MICKEY, Robert; LEVITSKY, Steven; WAY, Lucan Ahmad. "Is America Still Safe for Democracy? Why the United States is in Danger of Backsliding". *Foreign Affairs*, v. 96, n. 3, pp. 20-9, maio-jun. 2017.

NUSSBAUM, Martha. *The Monarchy of Fear: A Philosopher Looks at Our Political Crisis*. Nova York: Simon & Schuster, 2018.

PEREIRA, Carlos; BERTOLINI, Francisco; RAILE, Eric D. "Pagando o preço de governar: custos de gerência de coalizão no presidencialismo brasileiro", *Rev. Adm. Pública* v.51, n. 4, pp. 528-50, jul.-ago. 2017.

QING, Jiang. *A Confucian Constitutional Order: How China's Ancient Past Can Shape Its Political Future*. Princeton: Princeton University Press, 2012.

SALINGER, J. D. *O apanhador no campo de centeio* [1951]. São Paulo: Todavia, 2019.

SILVA, Aline Melquíades. "Os ciclos do presidencialismo de coalizão e seus determinantes político-econômicos". *Revista Brasileira de Ciência Política*, n. 24, set.-dez. 2017. Disponível em: http://www.scielo.br/scielo.php?script=sci_arttext&pid=S0103-33522017000300049

STARR, Paul. *Entrenchment: Wealth, Power, and the Constitution of Democratic Societies*. New Haven: Yale University Press, 2019.

SUNSTEIN, Cass. *Can It Happen Here? Authoritarianism in America*. Nova York: Dey Street Books, 2018.

TOMASKY, Michael. "Is America Becoming an Oligarchy? Growing Inequality Threatens our Most Basic Democratic Principles". *The New York Times*, 15 abr. 2019, Section A, p. 23.

WIKE, Richard; SILVER, Laura; CASTILLO, Alexandra. "Many Across the Globe Are Dissatisfied with How Democracy Is Working". Pew Research Center, abr. 2019. Disponível em: https://www.pewresearch.org/global/2019/04/29/many-across-the-globe-are-dissatisfied-with-how-democracy-is-working/

Índice remissivo

ESTA OBRA FOI COMPOSTA EM MINION PELO ACQUA ESTÚDIO E IMPRESSA PELA GRÁFICA PAYM EM OFSETE SOBRE PAPEL PÓLEN SOFT DA SUZANO S.A. PARA A EDITORA SCHWARCZ EM AGOSTO DE 2020

A marca FSC® é a garantia de que a madeira utilizada na fabricação do papel deste livro provém de florestas que foram gerenciadas de maneira ambientalmente correta, socialmente justa e economicamente viável, além de outras fontes de origem controlada.